HUNDRAÅRINGEN
SOM KLEV UT
GENOM FÖNSTRET
OCH FÖRSVANN

Anmäl dig till Pocketförlagets nyhetsbrev
nyhetsbrev@pocketforlaget.se
eller besök
www.pocketforlaget.se

JONAS JONASSON

Hundraåringen som klev ut genom fönstret och försvann

Pocketförlaget

Pocketförlaget

www.pocketforlaget.se
info@pocketforlaget.se

ISBN 978-91-86369-27-9

Originalutgåvan utgiven av Piratförlaget
Pocketförlaget ägs av Piratförlaget, Företagslitteratur och Läsförlaget
Omslag: Eric Thunfors
Tryckt i Danmark hos Norhaven A/S 2010

Ingen kunde trollbinda sin publik bättre än morfar där han satt på ljugarbänken, lätt framåtlutad över sin käpp och med munnen full av snus.

– Nej men... är det *sant*, morfar? sa vi häpna barnbarn.

– Di söm bara säjer dä söm ä sanning, ä inte vär' å höra på, svarade morfar.

Den här boken är till honom.

Jonas Jonasson

KAPITEL I

Måndag 2 maj 2005

MAN KAN TYCKA att han kunde ha bestämt sig tidigare och att han kunde ha varit karl nog att meddela omgivningen sitt beslut. Men Allan Karlsson hade aldrig grubblat för länge kring saker och ting.

Alltså hann inte tanken mer än få fäste i den gamle mannens huvud förrän han öppnade fönstret till sitt rum på första våningen på äldreboendet i sörmländska Malmköping och klev ut i rabatten.

Manövern tog emot och det var inte konstigt, för Allan fyllde hundra år just denna dag. Det var mindre än en timme tills födelsedagskalaset skulle bryta ut i äldreboendets allrum. Självaste kommunalrådet skulle vara där. Och lokaltidningen. Och alla de andra gamlingarna. Och hela personalstyrkan, med folkilskna syster Alice i täten.

Det var bara huvudpersonen själv som inte tänkte dyka upp.

KAPITEL 2

Måndag 2 maj 2005

ALLAN KARLSSON STOD och tvekade i den pensérabatt
som löpte längs äldreboendets ena långsida. Han bar brun
kavaj till bruna byxor och på fötterna ett par bruna innetoff-
lor. Han var inte något modelejon, men det är man sällan i
den åldern. Han var på rymmen från sitt eget födelsedags-
kalas och det är man också sällan i den åldern, inte minst
därför att man sällan är i den åldern.

Allan funderade över om han skulle göra sig besväret att
krypa tillbaka genom fönstret för att hämta hatt och skor,
men när han kände att i alla fall plånboken fanns på plats i
innerfickan så lät han sig nöja. Dessutom hade syster Alice
vid upprepade tillfällen visat att hon hade ett sjätte sinne
(var han än gömde sitt brännvin så hittade hon det), och hon
kanske gick omkring där inne nu och kände på sig att något
lurt var på gång?

Bäst att ge sig av medan tid var, tyckte Allan och klev med
knakande knän ut ur rabatten. I plånboken hade han såvitt han
kunde minnas några hundralappar sparade och det var bra för
det skulle nog inte vara gratis att hålla sig undan från folk.

Så vred han på huvudet och tog en titt på det äldreboende
han till alldeles nyss trott skulle bli hans sista boning på jor-
den. Och så sa han till sig själv att dö fick han väl göra
någon annan gång, någon annanstans.

Hundraåringen gav sig iväg i sina kissetofflor (det heter så
eftersom karlar i övermogen ålder sällan når längre än till

skorna när de kissar). Först genom en park och så längs ett öppet fält där det då och då hölls marknad i den annars så stillsamma köpingen. Efter ett par hundra meter gick Allan in bakom traktens stolta medeltidskyrka och slog sig ner på en bänk intill några gravstenar för att vila sina knän. Kyrkligheten på trakten var inte större än att Allan kunde räkna med att få vara i fred där han satt. Han såg att han ironiskt nog var årsbarn med en Henning Algotsson som låg under stenen mitt emot där Allan nu satt. Skillnaden mellan de båda var bland annat den att Henning gett upp andan sextioett år tidigare.

Om Allan varit lagd åt det hållet kanske han skulle ha undrat vad Henning dött av, bara trettionio år gammal. Men Allan lade sig inte i andras göranden och låtanden, inte om det kunde undvikas, och det kunde det för det mesta.

I stället tänkte han att han nog tänkt fel när han suttit på hemmet och tyckt att han lika gärna kunde dö bort från alltihop. För hur det än värkte i kroppen, så måtte det ju vara mycket mer intressant och lärorikt att vara på rymmen undan syster Alice än att ligga still två meter under jord.

Därpå reste sig födelsedagsbarnet, trotsade sina ömmande knän, hälsade Henning Algotsson adjö och fortsatte sin illa planerade flykt.

Allan kryssade sig söderut över kyrkogården, tills en stengärdsgård kom i hans väg. Den var väl inte mer än en meter hög, men Allan var hundraåring, inte höjdhoppare. På andra sidan väntade Malmköpings resecentrum och gamlingen hade just förstått att det var dit de skraltiga benen var på väg att föra honom. En gång, många år tidigare, hade Allan korsat Himalaya. *Det* hade varit besvärligt. Allan tänkte på det där han nu stod framför det sista hindret mellan sig själv och resecentret. Han tänkte på det så intensivt att gärdsgården framför hans ögon krympte till nästan ingenting. Och när den var som allra minst kröp Allan över, ålder och knän till trots.

I Malmköping är det sällan någon trängsel och den här soliga vårdagen var inget undantag. Allan hade ännu inte mött en enda människa sedan han i all hast bestämt sig för att inte dyka upp på sitt eget hundraårskalas. Resecentrets väntsal var också nästan öde när Allan hasade in i sina tofflor. Men bara nästan. Mitt i salen stod två rader med bänkar med ryggarna mot varandra. Alla platserna var lediga. Till höger fanns två expeditionsluckor, den ena var stängd medan det bakom den andra satt en mager liten man med små, runda glasögon, glest, sidokammat hår och uniformsväst. Mannen tittade med besvärad blick upp från sin datorskärm när Allan gjorde entré. Kanske tyckte han att det var ett väldigt spring den här eftermiddagen; Allan hade just upptäckt att han inte var den ende resenären i salen. I ett hörn stod nämligen en spensligt byggd yngling med långt, blont och flottigt hår, spretigt skägg och jeansjacka med texten *Never Again* på ryggen.

Ynglingen var månne inte läskunnig, för han stod och ryckte i dörren till handikapptoaletten, som om skylten "Avstängd" i svart skrift på brandgul botten inte betydde något.

Strax gick han i alla fall över till toalettdörren intill, men där var problemet ett annat. Tydligen ville inte ynglingen skiljas från sin stora, grå resväska på hjul, det var bara det att toaletten var för liten för dem båda. Allan insåg att ynglingen antingen skulle få lämna väskan utanför medan han uträttade sina behov, eller baxa in väskan och stanna utanför själv.

Men Allan hade svårt att engagera sig i ynglingens bekymmer. I stället ansträngde han sig för att lyfta så gott det gick på benen när han med små steg tog sig fram till den lille mannen i den öppna expeditionsluckan och hörde sig för om det möjligtvis fanns ett allmänt kommunikationsmedel av något slag som avgick åt något håll, vilket som helst, inom de närmaste minuterna och vad det i så fall skulle kosta.

Den lille mannen såg trött ut. Och han hade nog tappat tråden någonstans halvvägs in i Allans utläggning, för efter några sekunders betänketid sa han:

– Och vart hade herrn tänkt sig att resan skulle företas?

Allan tog ny sats och påminde den lille mannen om att han just låtit själva resmålet och för den delen färdsättet vara underordnat saker som a) tid för avresa, och b) kostnad.

Den lille mannen var åter tyst i några sekunder medan han tittade ner i sina tabeller och lät Allans ord sjunka in.

– Buss 202 avgår mot Strängnäs om tre minuter. Passar det?

Jo, det tyckte Allan att det kunde göra och blev på det informerad om att bussen ifråga avgick från hållplatsen rakt utanför terminaldörren och att det lämpligaste vore att lösa biljett direkt hos chauffören.

Allan undrade för sig själv vad den lille mannen gjorde i luckan om han inte sålde biljetter, men han sa inget. Den lille mannen satt ju kanske och undrade samma sak. I stället tackade Allan för hjälpen och försökte lyfta på den hatt han i hastigheten inte fått med sig.

Hundraåringen slog sig ner på en av de två tomma bänkraderna, ensam med sina funderingar. Det fördömda jubilerandet på hemmet skulle starta klockan tre, och dit var det tolv minuter. När som helst började de väl banka på dörren till Allans rum, och sedan skulle cirkusen vara igång.

Jubilaren log för sig själv där han satt, samtidigt som han i ögonvrån upptäckte att någon närmade sig. Det var den spensligt byggde ynglingen med långt, blont och flottigt hår, spretigt skägg och jeansjacka med texten *Never Again* på ryggen. Människan var på väg rakt mot Allan, med sin stora resväska i släptåg på fyra små hjul. Allan insåg att risken var stor att han skulle behöva konversera den långhårige. Och det kunde väl gå an, då skulle han ju få en inblick i hur dagens ungdom resonerade kring saker och ting.

Och dialog blev det, om än inte så avancerad. Ynglingen

stannade till några meter från Allan, tycktes studera den gamle mannen en kort stund, och sa sedan:

– Hörrudu.

Allan svarade vänligt att han önskade en god eftermiddag tillbaka, och så frågade han om det var något han kunde stå till tjänst med. Det var det. Ynglingen ville att Allan skulle hålla ett öga på resväskan medan ägaren själv uträttade sina behov på toaletten. Eller som ynglingen sa:

– Jag måste skita.

Allan sa snällt att han visserligen var gammal och skröplig men att han hade synen i gott behåll och att det inte lät alltför betungande att titta till den unge mannens väska. Däremot rekommenderade han den unge mannen att uträtta sina behov med viss skyndsamhet eftersom Allan hade en buss att passa.

Det där sista hörde inte ynglingen, för han var med snabba steg på väg mot toaletten redan innan Allan hunnit svara färdigt.

Hundraåringen hade aldrig varit den som retat sig på folk, om det fanns skäl därtill eller inte, och han var heller inte upprörd över den här ynglingens oborstade sätt. Däremot kände han ingen utpräglad sympati för ynglingen ifråga, och det hade nog sin betydelse för det som strax skulle komma.

Det som hände var nämligen att buss 202 rullade fram utanför terminalens entré, bara några sekunder efter det att ynglingen stängt toalettdörren om sig. Allan tittade på bussen och sedan på resväskan, sedan på bussen igen och sedan på resväskan igen.

– Den går visst på hjul, sa han till sig själv. Och där är ett band att dra i också.

Och så överraskade Allan sig själv med att fatta ett – får man väl ändå säga – livsbejakande beslut.

Busschauffören var serviceinriktad och artig. Han hjälpte den gamle mannen med den stora resväskan ombord.

Allan tackade för hjälpen och plockade fram sin plånbok

ur innerfickan på kavajen. Chauffören undrade om herrn möjligen skulle hela vägen till Strängnäs, medan Allan räknade igenom de samlade tillgångarna. Sexhundrafemtio kronor i sedlar och några mynt till det. Allan tänkte att det nog var bäst att hålla i slantarna så gott det gick så han lade upp en femtiolapp och frågade:

– Hur långt kommer jag på den här, månntro?

Chauffören sa glatt att han nog var van vid folk som visste vart de ville resa men inte vad det skulle kosta, men det här var ju alldeles tvärtom. Sedan tittade han i sin tabell och meddelade att man för fyrtioåtta kronor kunde få följa med till Byringe station.

Det tyckte Allan blev bra. Han fick biljett och två kronor i växelpengar i retur. Den nystulna väskan hade chauffören ställt i bagageutrymmet bakom förarsätet, Allan själv satte sig på första raden på höger sida. Därifrån kunde han se in genom fönstret till resecentrets väntsal. Toalettdörren var fortfarande stängd när busschauffören lade i en växel och rullade iväg. Allan önskade för ynglingens skull att han hade en skön stund där inne, med tanke på den besvikelse som strax väntade.

Bussen mot Strängnäs var inte ett dugg överfull denna eftermiddag. Näst längst bak satt en medelålders kvinna som stigit på i Flen, i mitten en ung mamma som kämpat sig ombord i Solberga med sina två barn varav det ena i barnvagn, och längst fram en väldigt gammal man tillkommen i Malmköping.

Den sistnämnde satt just och undrade varför han stulit den stora grå resväskan på fyra hjul. Kanske var det för att det gick att göra det? Och för att ägaren var en drummel? Eller för att väskan kanske innehöll ett par skor och rent av en hatt? Eller för att den gamle mannen inte hade något att förlora? Nej, Allan kunde inte ge sig själv besked. När livet går på övertid är det lätt att ta sig friheter, tänkte han och satte sig ordentligt tillrätta.

Klockan slog tre och bussen passerade Björndammen. Allan konstaterade att han så långt var nöjd med utvecklingen av dagen. Så slöt han ögonen för att ta sig en eftermiddagslur.

I samma ögonblick knackade syster Alice på dörren till rum 1 på äldreboendet i Malmköping. Hon knackade igen och igen.

– Dags att sluta krångla, Allan. Kommunalrådet och allihop har redan kommit. Hör du det? Du har väl inte tagit till flaskan igen, Allan? Nu kommer du ut, Allan! Allan?

Ungefär samtidigt öppnades dörren till Malmköpings resecentrums för tillfället enda fungerande toalett. Ut klev en i dubbel bemärkelse lättad yngling. Han tog några steg mot mitten av väntsalen medan han rättade till sitt bälte med ena handen och drog den andra genom håret. Så stannade han upp, stirrade på de två tomma bänkraderna och därefter snabbt åt först höger, sedan vänster. Därpå sa han högt:

– Vad ända in i helvetes jävlars satans förbannade...

Så kom han av sig innan han tog ny sats:

– Du ska dö, gubbjävel. Jag ska bara hitta dig först.

KAPITEL 3

Måndag 2 maj 2005

STRAX EFTER KLOCKAN tre på eftermiddagen den 2 maj försvann lugnet i Malmköping för flera dagar framåt. Syster Alice på äldreboendet blev orolig i stället för arg och plockade upp huvudnyckeln. Eftersom Allan inte gjort något för att dölja sin flyktväg kunde man genast konstatera att födelsedagsbarnet klättrat ut genom fönstret. Där hade han av spåren att döma stått och stampat en stund bland penséerna, och sedan försvunnit.

I kraft av sitt ämbete kände kommunalrådet att han borde ta befälet. Han beordrade iväg personalen att leta i grupper om två. Allan kunde ju inte vara långt borta och grupperna skulle fokusera på det absoluta närområdet. En skickades till parken, en till Systembolaget (dit syster Alice visste att Allan ibland förirrade sig), en till övriga butiker längs Storgatan och en till hembygdsgården på höjden. Själv skulle kommunalrådet stanna på äldreboendet för att hålla ett öga på de gamlingar som ännu inte gått upp i rök och för att fundera ut nästa steg. Och så sa han till sina sökare att de skulle vara lite diskreta; det behövde ju inte skapas publicitet kring den här saken i onödan. I den allmänna röran tänkte inte kommunalrådet på att en av de grupper han just skickat ut på jakt bestod av en lokaltidningsreporter och hennes fotograf.

* * *

Resecentret ingick inte i kommunalrådets primära sökområde. Där hade å andra sidan en enmannagrupp bestående av en mycket arg, spensligt byggd yngling med långt, blont och flottigt hår, spretigt skägg och jeansjacka med texten *Never Again* på ryggen redan gått igenom alla stationens skrymslen. Eftersom varken gubbe eller väska stått att finna stegade ynglingen bestämt fram till den lille mannen i den enda öppna expeditionsluckan, i avsikt att skaffa sig information om gubbens eventuella resplaner.

Den lille mannen var visserligen trött på sitt arbete, men han hade sin yrkesstolthet i behåll. Därför förklarade han för den högljudde ynglingen att bussterminalens resenärers integritet inte var något man tullade på, och så tillade han sturskt att han inte på några villkors vis tänkte ge ynglingen någon information av det slag denne uttryckt önskan om att få.

Ynglingen stod tyst en stund och tycktes översätta det den lille mannen just sagt till svenska. Därpå förflyttade han sig fem meter åt vänster, till den inte alltför kraftiga expeditionsdörren. Han brydde sig inte om att kontrollera ifall den var låst. I stället tog han sats och tryckte in dörren med sin högerkänga så att flisorna yrde. Den lille mannen hann inte ens lyfta den telefonlur han hade greppat för att påkalla hjälp innan han fann sig själv sprattlande i luften framför ynglingen, som höll den lille mannen i två stadiga grepp, ett i vardera öra.

– Jag kanske inte vet vad *intigretet* är för nåt, men jag är en jävel på att få folk att prata, sa ynglingen till den lille mannen innan han släppte ner honom med en duns i den lille mannens snurrstol.

Så förklarade ynglingen vad han avsåg att göra med den lille mannens könsorgan, med hjälp av hammare och spik, om den lille mannen inte gjorde honom till viljes. Beskrivningen var så målande att den lille mannen genast bestämde sig för att berätta det han visste, nämligen att åldringen ifråga sannolikt gett sig iväg i buss mot Strängnäs. Om åldringen då tagit med sig någon väska kunde den lille mannen inte säga, han var nämligen inte den som spionerade på sina resenärer.

Så tystnade den lille mannen för att se hur nöjd ynglingen var med det sagda och fann genast att han nog gjorde bäst i att ge ytterligare besked. Därför berättade han att det längs vägen mellan Malmköping och Strängnäs fanns tolv håll-platser och att åldringen förstås kunde kliva av på vilken som helst av dem. En som skulle veta var busschauffören, och han var enligt tidtabell tillbaka i Malmköping klockan 19.10 innevarande kväll, på bussens återfärd mot Flen.

Nu satte sig ynglingen ner intill den förskräckte lille mannen med ömmande öron.

– Måste tänka, sa han.

Och så tänkte han. Han tänkte att han alldeles säkert skulle kunna ruska fram busschaufförens mobilnummer ur den lille mannen, för att sedan ringa chauffören och säga att åldringens resväska i själva verket var stöldgods. Men då fanns förstås risken att busschauffören skulle koppla in poli-sen och det var inget ynglingen ville. Dessutom var det nog inte så bråttom egentligen, för gubben verkade ruskigt gam-mal och hade han nu en resväska att släpa på skulle han hela tiden behöva förflytta sig med tåg, buss eller taxi om han vil-le vidare från stationen i Strängnäs. Därmed skulle han läm-na nya spår efter sig, det skulle alltid finnas någon som häng-ande i öronen ville berätta vart åldringen begett sig därnäst. Ynglingen hade tilltro till sin förmåga att övertala folk att berätta vad de visste.

När ynglingen tänkt färdigt bestämde han sig för att invänta bussen ifråga och möta dess chaufför, utan överdri-ven vänlighet.

När det beslutet var fattat reste sig ynglingen upp igen, talade om för den lille mannen vad som skulle hända med honom, hans fru, hans barn och hans hem om han berättade för polisen eller någon annan om det som just skett.

Den lille mannen hade varken fru eller barn, men han ville väldigt gärna ändå ha både öron och könsorgan i någorlunda behåll. Alltså lovade han på sin statliga järnvägsheder att inte säga ett knyst till någon.

Det löftet höll han sedan ända till nästa dag.

* * *

De utskickade tvåmannagrupperna kom tillbaka till äldreboendet och rapporterade sina iakttagelser. Eller snarare avsaknaden av desamma. Kommunalrådet ville instinktivt inte koppla in polisen och han funderade som bäst på vilka alternativ han kunde komma på, när lokaltidningsreportern dristade sig att fråga:

– Vad tänker kommunalrådet göra nu?

Kommunalrådet var tyst i några sekunder, sedan sa han:

– Koppla in polisen, förstås.

Gud, vad han hatade den fria pressen.

* * *

Allan vaknade av att chauffören knuffade vänligt på honom och meddelade att de nu var framme vid Byringe station. Strax därpå var chauffören i färd med att baxa ut resväskan genom främre dörren, med Allan i släptåg.

Chauffören undrade om herrn klarade sig själv nu och det sa Allan att chauffören inte skulle vara orolig över. Så tackade Allan för hjälpen och vinkade adjö när bussen rullade ut på riksväg 55 igen och fortsatte mot Strängnäs.

Eftermiddagssolen skymdes av de höga granarna runt om Allan, det började bli kyligt i den tunna kavajen och innetofflorna. Och något Byringe stod inte att finna, än mindre dess station. Det var skog, skog och skog åt tre håll. Och en liten grusväg in åt höger.

Allan tänkte att det kanske fanns varma kläder i den väska han hastigt och lustigt fått med sig. Men väskan var låst och utan skruvmejsel eller annat verktyg var det hopplöst att bryta sig in. Återstod bara att röra på sig, för där längs landsvägen kunde han ju inte stå och frysa ihjäl. Erfarenheten sa honom att han väl inte skulle lyckas med det ens om han försökte.

Resväskan hade ju ett band högt upp på ena kortsidan och om man drog i det så rullade väskan snällt med på sina små hjul. Allan följde grusvägen in i skogen med korta, hasande steg. Strax bakom honom skuttade väskan hit och dit över gruset.

Efter ett par hundra meter kom Allan fram till det han förstod var Byringe station – ett nerlagt stationshus intill en alldeles väldigt nerlagd järnväg.

Visst var han ett praktexemplar till hundraåring, men nu hade det blivit väl mycket på kort tid. Allan satte sig på resväskan för att samla både tankar och kraft.

Snett till vänster framför honom stod det slitna, gula stationshuset i två våningar, med alla fönstren på bottenvåningen igenspikade med ohyvlade bräder. Snett till höger kunde man följa den nerlagda järnvägen bort i fjärran, spikrakt ännu djupare in i den skog där Allan redan befann sig. Naturen hade ännu inte lyckats äta upp spåret helt, men det verkade bara vara en fråga om tid.

Perrongen i trä tycktes inte längre säker att gå på. Längs den yttersta plankan kunde man fortfarande se en målad text: "Beträd ej spåret". Spåret var ju ofarligt att beträda, tänkte Allan. Men vem med förståndet i behåll skulle frivilligt beträda perrongen?

Svaret fick han omgående, för i det ögonblicket öppnades den slitna dörren till stationshuset, och en karl i sjuttioårsåldern med keps, rutig skjorta och svart skinnväst, bruna ögon och grå skäggstubb klev med stadiga stövlar ut ur huset. Han litade uppenbarligen på att plankorna inte skulle ge vika och han hade all sin uppmärksamhet riktad mot åldringen framför sig.

Kepsmannen stannade mitt på perrongen och såg lätt fientlig ut. Men så var det som om han kom av sig, möjligen för att han såg vilket skröpligt människoexemplar det var som trängt in på hans ägor.

Allan satt där han satt på den nystulna väskan, visste inte vad han skulle säga och orkade ändå inte säga det. Men han tittade stadigt på kepsmannen och inväntade dennes första drag. Det kom ganska omedelbart, inte så hotfullt som det först verkat bli. Mer avvaktande.

– Vem är du och vad gör du vid min perrong? sa kepsmannen.

Allan svarade inte; han kunde inte bestämma sig för om han mötte vän eller fiende. Men så tänkte han att det kunde vara klokt att inte bråka med den ende inom synhåll som kunde tänkas släppa in Allan i värmen innan kvällskylan alldeles tog över. Därför bestämde han sig för att säga precis som det var.

Så Allan berättade att han hette Allan, att han var på pricken hundra år och pigg för sin ålder, faktiskt så pass pigg att han nu var på rymmen från hemmet, att han dessutom hunnit med att stjäla en resväska från en yngling som vid det här laget säkert inte var speciellt glad, samt att Allans knän för stunden inte var i bästa form och att Allan bra gärna skulle önska att det var färdigpromenerat på ett tag.

När Allan var färdig med utläggningen tystnade han, satt kvar på väskan och inväntade domslut.

– Jaså minsann, sa kepsgubben och log. En tjuv!

– Gubbtjuv, svarade Allan buttert.

Mannen med kepsen skuttade vigt ner från perrongen och gick fram till hundraåringen som för att ta sig en närmare titt.

– Är du verkligen hundra år? sa han. Då måste du vara hungrig?

Allan förstod inte logiken i det där, men hungrig var han ju. Så han frågade vad som stod på menyn och om det möjligen inte var som så att det kunde ingå en sup.

Kepsmannen sträckte fram handen för att presentera sig som Julius Jonsson och för att dra upp åldringen i stående ställning. Och så meddelade han att han själv skulle ta väskan åt Allan, att det vankades älgstek om det kunde passa, och att det absolut skulle bli sup till det, så att det räckte till både kropp och knän.

Med stort besvär tog sig Allan upp på perrongen. Av värken fick han veta att han levde.

Julius Jonsson hade inte haft någon att samtala med på flera år, så mötet med gamlingen med resväskan var välkommet. En sup först i ena knäet och sedan en i andra, följt av ett par ytterligare för rygg och nacke och en till för aptiten, gjorde sammantaget stämningen lättpratad. Allan frågade vad Julius försörjde sig på och fick en hel berättelse till svar.

Julius var född norrut, i Strömbacka inte långt från Hudiksvall, som enda barnet till lantbrukarparet Anders och Elvina Jonsson. Han jobbade som dräng på familjegården och fick dagligen stryk av sin far som var av uppfattningen att Julius inte dög någonting till. Men det år Julius fyllde tjugofem dog först hans mor i kräfta, vilket Julius sörjde, och strax därpå gick fadern ner sig i kärret när han försökte rädda en kviga. Julius sörjde även den saken, för han var fäst vid kvigan.

Unge Julius hade ingen talang för lantbrukarlivet (fadern hade alltså haft rätt i sak) och inte lust heller för den delen. Så han sålde allthop utom några hektar skog som han tyckte kunde vara bra att ha på gamladar.

Sedan for han till Stockholm och slarvade på två år bort alla sina pengar. Då återvände han till skogen.

Med viss iver gav sig Julius in i en budgivning om leverans av femtusen elstolpar till Hudiksvallstraktens Elektriska. Och eftersom Julius inte engagerade sig i detaljer som arbetsgivaravgifter och omsättningsskatt och sådant så vann han upphandlingen. Med hjälp av ett tiotal ungerska flyktingar lyckades han dessutom leverera stolparna i tid, och fick för det mer pengar än han nästan trodde fanns.

Så långt var ju allt väl, men nu var det som så att Julius varit tvungen att fuska en skvätt, eftersom träden trots allt inte varit helt fullvuxna. Stolparna blev därför en meter kortare än vad som beställts, och det skulle väl ingen ha märkt om det inte varit för att så gott som varje bonde just skaffat sig skördetröska.

Hudiksvallstraktens Elektriska smällde på kort tid upp stolparna kors och tvärs över åker och äng på bygden, och när det blev skördedags revs ledningarna på en och samma förmiddag ner på tjugosex ställen av tjugotvå olika men lika nyinköpta skördemaskiner. Hela detta hörn av Hälsinglands landsbygd blev utan el i veckor, skördar gick i stå, mjölkningsmaskiner slutade fungera. Det dröjde inte länge innan böndernas vrede, som först riktats mot Hudiksvallstraktens Elektriska, nu i stället styrdes in på unge Julius.

– Det var inte just då som begreppet "glada Hudik" uppfanns, det kan jag säga. Jag fick gömma mig på Stadshotellet i Sundsvall i sju månader och sedan var pengarna slut igen. Ska vi ta oss en sup till? undrade Julius.

Det tyckte Allan att de skulle. Älgsteken hade dessutom sköljts ner med pilsner, och nu mådde Allan så rysligt bra att han nästan började bli rädd för döden.

Julius fortsatte sin berättelse. Sedan han en dag blivit näst intill överkörd av en traktor i centrala Sundsvall (körd av en bonde med mord i blick), förstod han att bygden inte skulle glömma hans lilla misstag än på några hundra år. Så han bytte landsände och hamnade i Mariefred där han småtjuvade ett tag innan han tröttnade på stadslivet och lyckades komma över det nerlagda stationshuset i Byringe för de tjugofemtusen kronor han en natt hittat i kassaskåpet på Gripsholms värdshus. Här på stationen levde han nu i allt väsentligt på bidrag från samhället, olovlig jakt i grannens skog, begrän-

sad produktion och distribution av hembränt, samt vidare-
försäljning av sådant han kunde komma över av grannarnas
ägodelar. Han var inte så populär i omgivningarna, berät-
tade Julius och Allan svarade mellan tuggorna att det kunde
han nästan förstå.

När Julius ville att gubbarna skulle ta sig en sista sup
"som efterrätt" svarade Allan att han alltid varit svag för
efterrätter av det slaget, men att han allra först behövde upp-
söka en bekvämlighetsinrättning om en sådan möjligen kun-
de finnas i huset. Julius reste sig upp, tände lampan i taket
för det började mörkna, och så pekade han och sa att det
fanns en fungerande vattenklosett till höger om trappan i
hallen, samt lovade ha nyupphällda snapsar redo när Allan
kom tillbaka.

Allan hittade toaletten där Julius sagt att den var. Han
ställde sig att kissa, och som vanligt nådde inte alla drop-
parna ända fram. Några av dem landade mjukt på kissetoff-
lorna i stället.

Någonstans halvvägs i processen hörde Allan hur någon gick
i trappan. Först tänkte Allan, det måste han erkänna, att det
kanske var Julius som gav sig av med Allans nystulna resväska.
Men så tilltog ljudet. Någon var på väg nerifrån och upp.

Allan insåg då att risken var överhängande att stegen han
hörde utanför dörren tillhörde en spensligt byggd yngling
med långt, blont och flottigt hår, spretigt skägg och jeans-
jacka med texten Never Again på ryggen. Och, om det nu
var han, så var han nog inte god att tas med.

* * *

Bussen från Strängnäs ankom Malmköpings resecentrum tre
minuter före utsatt tid. Bussen var tom på passagerare och
chauffören hade tryckt till lite extra på gasen efter den senas-
te hållplatsen för att hinna ta sig ett bloss innan färden skul-
le fortsätta mot Flen.

Men chauffören hann inte mer än tända sin cigarrett förrän det uppenbarade sig en spensligt byggd yngling med långt, blont och flottigt hår, spretigt skägg och jeansjacka med texten *Never Again* på ryggen. Det vill säga, texten på ryggen såg inte chauffören just då, men den fanns där likväl.

– Ska du med mot Flen?

Han frågade lite osäkert, för det var något med den unge mannen som inte kändes rätt.

– Jag ska inte till Flen. Och det ska inte du heller, svarade ynglingen.

Att gå och vänta i fyra timmar på att bussen skulle komma tillbaka hade blivit för drygt för det lilla tålamod ynglingen kunnat uppbringa. Efter halva tiden hade han dessutom kommit på att om han i stället omedelbart lagt beslag på en bil, skulle han själv ha kunnat jaga ifatt bussen långt före Strängnäs.

Till råga på allt hade det nu börjat cirkulera polisbilar i den lilla köpingen. När som helst skulle de väl drumla in i resecentret också, och börja förhöra den lille mannen i expeditionsluckan om varför han såg skräckslagen ut och om varför dörren till hans expedition hängde på trekvart.

Ynglingen kunde för övrigt inte begripa vad poliserna gjorde där. Hans chef i Never Again hade valt just Malmköping som transaktionsplats av tre skäl: för det första närheten till Stockholm, för det andra de relativt sett goda kommunikationerna och för det tredje – och viktigaste – att lagens arm inte var lång nog att nå dit. Det fanns kort sagt inga poliser i Malmköping.

Eller rättare sagt: det skulle inte finnas, men det vimlade ju av dem! Ynglingen hade sett två bilar och sammanlagt fyra konstaplar, ur hans perspektiv var det ett typiskt polisvimmel.

Först trodde ynglingen att poliserna var ute efter honom. Men det förutsatte att den lille mannen skvallrat, och det kunde ynglingen med bestämdhet avfärda. I väntan på bussen hade ynglingen inte haft så mycket annat för sig än att bevaka den lille mannen, slå hans kontorstelefon i smulor och pussla ihop expeditionsdörren så gott det gick.

När bussen äntligen kom och ynglingen noterade att den var tom på resenärer, hade han genast beslutat att kidnappa både chaufför och buss.

Det tog bara tjugo sekunder att övertala busschauffören att vända på bussen och åka norrut igen. Nästan personbästa, funderade ynglingen medan han slog sig ner på just den plats i bussen där åldringen han nu jagade suttit tidigare samma dag.

Busschauffören skakade i kroppen av rädsla, men höll det värsta borta med en lugnande cigarrett. Det rådde visserligen rökförbud ombord, men den enda lag chauffören just då lydde under satt snett bakom honom i bussen och var spensligt byggd, hade långt, blont och flottigt hår, spretigt skägg och en jeansjacka med texten *Never Again* på ryggen.

Under resan förhörde sig ynglingen om vart den åldrige väsktjuven tagit vägen. Chauffören sa att gubben klivit av vid en hållplats som hette Byringe station och att det nog var en ren slump att det blev just där. Och så berättade chauffören om det omvända förfaringssättet med femtiolappen och frågan om hur långt man kom på den.

Om Byringe station visste chauffören inte mycket, mer än att det var sällan någon klev av eller på vid hållplatsen ifråga. Men han trodde att det låg en nerlagd järnvägsstation en bit in i skogen, därav namnet, och att Byringe by fanns någonstans i närheten. Mycket längre än så hade nog åldringen inte tagit sig, gissade chauffören. Gubben var ju gammal och väskan tung, även om den gick på hjul.

Ynglingen blev genast mycket lugnare. Han hade avstått från att ringa till chefen i Stockholm, för chefen var en av de få personer som kunde skrämma upp folk bättre än ynglingen själv, bara genom ord. Ynglingen ryste av obehag vid tanken på vad chefen skulle säga om att väskan kommit bort.

Bättre att lösa problemet först och berätta sedan. Och när nu gubben inte åkt hela vägen till Strängnäs och farit vidare därifrån skulle väskan vara tillbaka hos ynglingen fortare än han ett tag fruktat.

– Här borta är det, sa chauffören. Här har vi Byringe stations hållplats...

Chauffören lättade på gasen och rullade sakta in till kanten. Skulle han dö nu?

Nej, det skulle han inte, visade det sig. Men chaufförens mobiltelefon gick en snabb död till mötes, under ynglingens ena känga. Och en rad släktrelaterade dödshot smattrade ur ynglingens mun om det nu vore som så att chauffören skulle få för sig att kontakta polisen i stället för att vända på bussen och fortsätta resan mot Flen.

Så klev ynglingen av och lät chaufför och buss löpa. Den stackars chauffören var så skärrad att han inte vågade vända bussen, utan fortsatte hela vägen till Strängnäs, parkerade mitt på Trädgårdsgatan, gick i chock till baren på hotell Delia där han i rask takt drack ur fyra glas whisky. Sedan började han till bartenderns förskräckelse att gråta. Efter ytterligare två whisky erbjöd bartendern honom en telefon ifall det var som så att han kände att det var någon han ville ringa. Då tog busschaufförens gråt ny fart – och så ringde han hem till sin sambo.

* * *

Ynglingen tyckte sig se spår i gruset på vägen efter resväskan på hjul. Det här skulle snart vara avklarat. Och det var nog bäst det, för det började skymma.

Ibland önskade ynglingen att han varit lite mer planerande. Nu slog det ju honom att han stod i en allt mörkare skog, strax skulle det vara becksvart. Vad skulle han göra då?

Detta grubbleri avbröts tvärt när han först fick syn på ett

slitet, delvis igenbommat, gult hus längst ner bortom det backkrön ynglingen just passerat. Och när någon tände en lampa på övervåningen, mumlade ynglingen:

– Nu har jag dig, gubbe.

* * *

Allan avslutade det han höll på med i förtid. Så öppnade han försiktigt toalettdörren och försökte höra vad som hände i köket. Strax hade han fått bekräftelse på det han inte ville. Allan kände igen ynglingens röst, som röt till Julius Jonsson att han skulle tala om var "den andre gubbjäveln" befann sig.

Allan smög fram till köksdörren och det gick helt tyst i de mjuka tofflorna. Ynglingen hade kopplat samma grepp om Julius båda öron som han tidigare praktiserat på den lille mannen på resecentret i Malmköping. Medan han ruskade i stackars Julius fortsatte han förhöret om var Allan höll hus. Allan tyckte att ynglingen kunde ha nöjt sig med att ha återfunnit väskan, den stod ju mitt på golvet. Julius grimaserade med hela ansiktet men gjorde ingen ansats att svara. Allan tänkte att det var segt virke i den gamle trävaruhandlaren och så inventerade han hallen efter lämpligt tillhygge. Bland bråten fanns ett mindre antal tänkbara vapen: en kofot, en planka, en burk insektsspray och ett paket råttgift. Allan fastnade först för råttgiftet men kunde inte räkna ut hur han skulle få i ynglingen en matsked eller två. Kofoten var å andra sidan för tung för hundraåringen, och insektssprayen... nej, det fick ändå bli plankan.

Så greppade Allan sitt vapen ordentligt och var med fyra för åldern sensationellt snabba steg framme bakom ryggen på sitt tänkta offer.

Ynglingen måtte ha anat att Allan var där, för just när gamlingen måttade sitt slag släppte ynglingen greppet om Julius Jonsson och snodde runt.

Han fick plankan rätt i pannan, stod kvar och stirrade i en knapp sekund innan han föll baklänges och slog huvudet i kanten av köksbordet.

Inget blod, inget stönande, ingenting. Han bara låg där, nu med ögonen slutna.

– Bra träff, sa Julius.

– Tack, sa Allan. Var har du den där efterrätten du lovade?

Allan och Julius slog sig ner vid köksbordet, med den långhårige ynglingen sovande vid deras fötter. Julius hällde upp suparna, gav det ena glaset till Allan och hissade sitt eget till en skål. Allan mötte skålen.

– Jahapp! sa Julius när supen slunkit ner. Jag gissar att det där är resväskans ägare?

Frågan var mer ett konstaterande. Allan förstod att det var dags för honom att förklara ett och annat mer i detalj.

Inte för att det fanns så mycket att förklara. Det mesta som hänt under dagen var svårbegripligt för Allan. Men han repeterade i alla fall själva avvikandet från hemmet, fortsatte med det slumpartade tillgreppet av resväskan på resecentret i Malmköping och farhågorna i bakhuvudet om att ynglingen som nu låg avsvimmad på golvet nog rätt snart skulle hinna ikapp honom. Och så bad han uppriktigt om förlåtelse för att Julius nu satt där med röda och värkande öron. Men då blev Julius nästan upprörd och menade att Allan minsann inte skulle sitta där och be om ursäkt för att det äntligen blivit lite drag i Julius Jonssons liv.

Julius var tillbaka i gott slag. Han tyckte det var på tiden att de båda tog sig en titt i den där resväskan. När Allan påpekade att den var låst bad Julius honom att sluta prata dumheter.

– Sedan när har ett lås hindrat Julius Jonsson? sa Julius Jonsson.

Men allting hade sin tid, fortsatte han. Först gällde det att reda ut problemet på golvet. Det vore ju inte gott om ynglingen gick och vaknade och fortsatte där han varit innan han slocknade.

Allan föreslog att de skulle binda honom runt ett träd utanför stationshuset, men Julius invände att om ynglingen därifrån gapade tillräckligt högt när han vaknade skulle det höras till byn. Där bodde visserligen inte längre mer än en handfull familjer kvar, men alla hade på delvis goda grunder ett horn i sidan till Julius, och de skulle nog ställa sig på ynglingens sida bara de fick chansen.

Julius idé var bättre. Han hade innanför köket ett isolerat frysrum där han förvarade sina tjuvfällda och uppstyckade älgar. För tillfället var rummet älgfritt och avstängt. Julius ville inte ha på kylan i onödan för den drog hiskeliga mängder med ström. Visserligen hade Julius tjuvkopplat elen, det var Gösta på Skogstorp som betalade, men det gällde att stjäla sin ström med måtta om man ville behålla förmånen över tid.

Allan besiktigade det avstängda frysrummet och fann att det var en utmärkt häkteslokal, utan några onödiga bekvämligheter. Storleken på två gånger tre meter var kanske något mer än ynglingen förtjänade, men det fanns ju ingen anledning att plåga folk i onödan.

Gubbarna hjälptes åt med att släpa ynglingen in i det tänkta häktet. Ynglingen stönade när de satte honom på en uppochnervänd låda i ena hörnet och lutade kroppen mot väggen. Han var visst på väg att vakna. Bäst att skynda ut och låsa dörren ordentligt.

Sagt och gjort. Därpå lyfte Julius upp resväskan på köksbordet, tittade på låsanordningen, slickade av gaffeln han just haft till kvällens älgstek med potatis och dyrkade på några sekunder upp låset. Sedan bjöd han fram Allan till själva öppnandet, med motiveringen att det ju var Allans stöldgods.

– Allt mitt är ditt, sa Allan. Vi delar lika på bytet, men om där finns ett par skor i min storlek så tingar jag dem.

Så lyfte Allan på locket.
– Det var det jävligaste, sa Allan.
– Det var det jävligaste, sa Julius.
– Släpp ut mig! hördes från frysrummet.

KAPITEL 4

1905–1929

ALLAN EMMANUEL KARLSSON föddes den 2 maj 1905. Dagen innan hade hans mor gått i första maj-tåget i Flen och demonstrerat för kvinnlig rösträtt, åtta timmars arbetsdag och annat ouppnåeligt. Demonstrerandet hade i alla fall haft det goda med sig att värkarna satte igång och strax efter midnatt födde hon sin förste och ende son. Det skedde i torpet i Yxhult med hjälp av grannkärringen, som visserligen inte var speciellt talangfull som barnmorska men som ändå hade allmän status, eftersom hon en gång som nioåring fått niga inför Karl XIV Johan som i sin tur varit kompis (nåja) med Napoleon Bonaparte. Till grannkärringens försvar måste också sägas att barnet till kvinnan hon förlöste uppnådde vuxen ålder, dessutom med rejäl marginal.

Allan Karlssons far var av omtänksam och arg natur. Omtänksam var han med familjen, arg var han på samhället i allmänhet och på alla som kunde tänkas representera detsamma. Han var också illa sedd bland finare folk, inte minst sedan den där gången han ställt sig på torget i Flen och propagerat för nyttan med preventivmedel. För det fick han tio kronor i böter, plus att han själv aldrig mer behövde bekymra sig i ämnet eftersom Allans mor i rena skammen införde tillträdesförbud. Allan var då inne på sitt sjätte år och tillräckligt gammal för att be mor om mer ingående förklaringar till varför faderns säng plötsligt flyttats till vedförrådet utanför köket, men fick inget annat svar än att han inte skulle fråga så mycket om det inte var som så att han ville ha en hurring. Eftersom Allan likt alla barn i alla tider inte ville ha någon hurring lät han saken bero.

Från den dagen dök Allans far alltmer sällan upp i det egna hemmet. På dagarna skötte han hjälpligt sitt jobb på järnvägen, på kvällarna diskuterade han socialismen på möten lite överallt, och var han sedan tillbringade nätterna fick Allan aldrig någon klarhet i.

Däremot tog fadern sitt ekonomiska ansvar. Större delen av lönen överlämnades varje vecka till hustrun, ända tills fadern en dag fick sparken sedan han nyttjat våld mot en resenär som råkat meddela att han var på väg till Stockholm för att tillsammans med tusentals andra uppvakta kungen på borggården och betyga honom sin försvarsvilja.

– Försvara dig mot den här till att börja med, hade Allans far sagt och skickat iväg en höger så att mannen for i backen.

I och med det omedelbara avskedet kunde Allans far inte längre försörja sin familj. Det rykte han lyckats skaffa sig som våldsman och preventivmedelsförespråkare gjorde att det inte var lönt för honom att söka andra jobb. Återstod bara att invänta revolutionen, eller allra helst att skynda på densamma, för saker och ting gick ju så fördömt långsamt. Allans far var resultatinriktad när han satte den sidan till. Den svenska socialismen behövde en internationell förebild. Det var först då det skulle kunna bli fart på allt och bli svettigt om öronen för grosshandlare Gustavsson och hans gelikar.

Alltså packade Allans far väskan och for till Ryssland för att störta tsaren. Allans mor saknade förstås den uteblivna lönen från järnvägen, men var i övrigt nöjd med att maken lämnat inte bara trakten utan också landet.

Sedan familjeförsörjaren emigrerat ankom det på Allans mor och på knappt tioårige Allan själv att se till att hålla hushållsekonomin flytande. Modern lät fälla torpets fjorton fullvuxna björkträd och sedan kapade och klöv hon dem till brasved för försäljning, medan Allan lyckades få ett uselt betalt jobb som springpojke på Nitroglycerin AB:s produktionsfilial utanför Flen.

I regelbundet kommande brev från Sankt Petersburg (som strax började heta Petrograd i stället) kunde Allans mor med stigande förvåning konstatera att Allans far efter en tid började vackla i övertygelsen om socialismens välsignelse.

I breven relaterade Allans far inte sällan till vänner och bekanta ur Petrograds politiska etablissemang. Den som blev mest citerad var en man som hette Carl. Inte något speciellt ryskt namn, tyckte Allan, och inte blev det ryskare av att Allans far i stället kallade honom för *Fabbe*, åtminstone i breven.

Enligt Allans far drev Fabbe tesen att folk i allmänhet inte begrep sitt eget bästa och att de behövde någon att hålla i handen. Därför var autokratin överlägsen demokratin, så länge nationens bildade och ansvarskännande samhällsskikt såg till att autokraten ifråga skötte sig. Ta bara en sådan sak som att sju av tio bolsjeviker inte kan läsa, hade Fabbe fnyst. Vi kan väl inte lämna över makten till en massa analfabeter?

I breven hem till familjen i Yxhult hade Allans far ändå försvarat bolsjevikerna på just den punkten, för familjen skulle bara veta hur det ryska alfabetet såg ut. Det var ju inte undra på om folk blev illitterata.

Värre var det med hur bolsjevikerna betedde sig. Smutsiga var de, och de drack vodka som rallarna gjorde där hemma, de som lade räls kors och tvärs genom Sörmland. Allans far hade alltid undrat hur rälsen kunde bli så raka med tanke på graden av rallarnas intag av brännvin, och han hade känt ett styng av misstänksamhet varje gång svenska järnvägsräls svängde åt endera hållet.

Med bolsjevikerna var det hur som helst minst lika illa. Fabbe hade hävdat att socialismen skulle sluta med att alla försökte ha ihjäl varandra ända tills det bara fanns en kvar som bestämde. Bättre då att redan från början luta sig mot tsar Nikolaj, en bra och bildad man med visioner för världen.

Fabbe visste på sätt och vis vad han talade om, han hade rent av träffat tsaren, dessutom mer än en gång. Fabbe hävdade att Nikolaj II var genuint godhjärtad. Tsaren hade bara haft en massa otur så här långt i livet, men det kunde ju inte vara hur länge som helst? Missväxt och bolsjevikuppror hade ställt till det. Och så började tyskarna bråka bara för att tsaren nu mobiliserade. Men det gjorde han ju i fredsbevarande syfte. Det var väl inte tsaren som haft ihjäl ärkehertigen och hans fru i Sarajevo? Eller vad?

Så resonerade tydligen Fabbe, vem det nu var, och på något vis fick han med sig Allans far i resonemanget. Allans far kände dessutom sympati för och samhörighet med det där med tsarens omtalade otur. Sådant måste ju förr eller senare vända, för såväl ryska tsarer som för vanligt, hederligt folk från trakten kring Flen.

Några pengar skickade aldrig fadern från Ryssland, men en gång efter ett par år kom ett paket med ett påskägg i emalj som fadern sa att han vunnit på Harlequinspel av den där ryske kamraten, som förutom att dricka, diskutera och spela kort med Allans far inte sysslade med så mycket annat än att göra ägg av det slaget.

Fadern skänkte Fabbes påskägg till sin "kära hustru", som bara blev arg och sa att den förbaskade drummeln åtminstone kunde ha skickat ett riktigt ägg så att familjen kunnat äta sig mätt. Och så var modern på vippen att kasta presenten ut genom fönstret, innan hon besinnade sig. Grosshandlare Gustavsson kunde kanske vara intresserad av att betala en slant, han skulle ju alltid försöka vara märkvärdig och märkvärdigt var just vad Allans mor tyckte att ägget var.

Döm sedan om moderns förvåning när grosshandlare Gustavsson efter två dagars funderande bjöd arton kronor för den där Fabbes ägg. Visserligen i form av rivna krediter, men ändå.

Därefter hoppades modern på fler ägg med posten, men i stället fick hon i följande brev veta att tsarens generaler övergivit sin autokrat och att denne då fick avgå. Allans far förbannade i brevet sin äggproducerande vän som i samband med det flytt till Schweiz. Själv skulle Allans far minsann stanna kvar och ta strid mot den uppkomling och pajas som nu tagit över, han de kallade för Lenin.

För Allans far hade det hela dessutom fått en personlig dimension eftersom Lenin råkade förbjuda allt privat ägande av mark just dagen efter det att Allans far förvärvat tolv kvadratmeter att odla svenska jordgubbar på. "Marken kostade inte mer än fyra rubel, men mitt jordgubbsland förstatligar man inte ostraffat", skrev Allans far i sitt allra sista brev hem till familjen. Och så avslutade han: "Nu är det krig!"

Och nog var det krig alltid. I så gott som hela världen, dessutom, och sedan flera år tillbaka. Det hade brutit ut strax efter det att lille Allan fått sitt springpojksjobb på Nitroglycerin AB. Medan Allan lastade sina kartonger med dynamit lyssnade han på arbetarnas kommentarer kring vad som pågick. Han undrade hur de kunde veta så mycket, men framför allt förundrades han över hur mycket elände vuxna män kunde ställa till med. Österrike förklarade visst Serbien krig. Tyskland förklarade Ryssland krig. Sedan tog Tyskland Luxemburg på en eftermiddag innan de förklarade Frankrike krig. På det förklarade Storbritannien Tyskland krig och tyskarna svarade med att förklara Belgien krig. Då förklarade Österrike Ryssland krig, och Serbien förklarade Tyskland krig.

Så där höll de sedan på. Japanerna tillstötte, och amerikanerna. Britterna intog Bagdad av någon anledning, och sedan Jerusalem. Grekerna och bulgarerna började kriga mot varandra och så var det dags för tsaren i Ryssland att abdikera, medan araberna intog Damaskus...

"Nu är det krig" hade alltså fadern hälsat. Strax därefter lät någon av Lenins hantlangare avrätta tsar Nikolaj och hela hans familj. Allan konstaterade att tsarens otur hållit i sig.

Ytterligare några veckor senare skickade den svenska beskickningen i Petrograd telegram till Yxhult och meddelade att Allans far var död. Egentligen ankom det inte på ansvarig tjänsteman att utveckla saken närmare, möjligen var det som så att han inte kunde låta bli.

Enligt tjänstemannen hade i alla fall Allans far spikat upp ett plank runt en jordplätt på tio–femton kvadratmeter och proklamerat området självständig republik. Allans far hade kallat sin lilla stat för Det Riktiga Ryssland och sedan dött i det tumult som uppstod då två regeringssoldater kommit till platsen för att riva ner planket. Allans far hade då tagit till knytnävarna i sin iver att skydda sitt lands gränser, och det hade varit stört omöjligt för de båda soldaterna att komma till tals med honom. Till slut visste de ingen annan råd än att sätta en kula mellan ögonen på Allans far, så att de fick arbetsro.

– Kunde du inte ha dött på ett lite mindre enfaldigt sätt? sa Allans mor till telegrammet från beskickningen.

Hon hade inte räknat med att maken någonsin skulle komma hem igen, men på sista tiden hade hon ändå börjat hoppas, för själv hade hon sina krånglande lungor och det var inte lätt att hålla farten uppe i vedklyvandet. Allans mor gav ifrån sig en rosslande suck och därmed hade hon sörjt färdigt. Hon meddelade Allan att sakernas tillstånd nu en gång för alla var som de var och att det framöver säkert skulle bli som det blev. Så rufsade hon sonen vänligt i håret innan hon gick ut för att hugga mer ved.

Allan begrep inte riktigt vad modern menat med det där. Men han förstod att fadern var död, att modern hostade blod och att kriget var slut. Själv var han vid tretton års ålder en hejare på hur man fick det att smälla genom att blanda nitroglycerin, cellulosanitrat, ammoniumnitrat, natriumnitrat, trämjöl, dinitrotoluen och lite annat. Det borde man ju kunna få nytta av en dag, tänkte Allan och gick ut för att hjälpa mor med veden.

Två år senare hade Allans mor hostat färdigt, och hon anslöt till den eventuella himmel där fadern redan befann sig. På tröskeln till torpet stod i stället en vresig grosshandlare och tyckte att modern kunde ha betalat sina nya krediter på 8,40 innan hon utan att meddela sig gick och dog. Allan hade dock inga planer på att göda Gustavsson mer än nödvändigt.

– Den saken får grosshandlaren ta med mor. Vill han låna en spade?

Grosshandlaren var visserligen grosshandlare, men han var också klent byggd, till skillnad från femtonårige Allan. Pojken var på väg att bli man, och var han bara hälften så tokig som sin far så kunde han ju hitta på vad som helst, resonerade grosshandlare Gustavsson som ville vara med ett tag till och räkna sina pengar. Därför togs skulden aldrig mer upp till diskussion.

Att modern fått ihop flera hundra kronor i sparkapital kunde unge Allan inte begripa. Pengarna fanns där hur som helst, och de räckte både till moderns begravning och som start till Firma Dynamit-Karlsson. Pojken var bara femton år när modern gick bort, men Allan hade lärt sig det som behövdes på Nitroglycerin AB.

Han experimenterade också friskt i grusgropen bakom torpet; en gång så friskt att närmaste grannens ko fick missfall två kilometer bort. Men det fick aldrig Allan veta, för grannen var precis som grosshandlare Gustavsson lite rädd för tokige Karlssons kanske lika tokige grabb.

Sitt intresse för vad som hände i Sverige och världen hade Allan behållit från tiden som springpojke. Minst en gång i veckan tog han cykeln till biblioteket i Flen för att bli uppdaterad på det senaste. Där hände det att han träffade debattivriga ungdomar som alla hade det gemensamt att de ville locka med sig Allan i någon politisk rörelse. Men lika intresserad som Allan var av att få veta vad som var på gång, lika ointresserad var han av att själv vara med och påverka.

Allans uppväxt hade ju varit omtumlande, rent politiskt. Å ena sidan var han av arbetarklass, något annat kunde man ju inte säga om den som avslutar sin skolgång i nioårsåldern för att ta jobb på industri. Å andra sidan respekterade han minnet av sin far, och fadern hade under sitt alldeles för korta liv hunnit med att tycka det mesta. Han började åt vänster, fortsatte med att hylla tsar Nikolaj II och rundade av tillvaron med en marktvist med Vladimir Iljitj Lenin.

Modern å sin sida hade mellan sina hostattacker förbannat allt från kungen till bolsjevikerna och däremellan både Hjalmar Branting, grosshandlare Gustavsson och – inte minst – Allans egen far.

Allan själv var absolut ingen dumskalle. Han gick visserligen inte mer än tre år i skolan, men det var fullt tillräckligt för att han skulle lära sig att läsa, skriva och räkna. De politiskt så medvetna arbetskamraterna på Nitroglycerin AB hade dessutom gjort honom nyfiken på världen.

Det som till slut definitivt formade unge Allans livsfilosofi var ändå något som modern sagt i samband med att de tog emot beskedet om faderns död. Det tog visserligen ett tag innan det smälte in i själen på den unge mannen, men sedan satt det där för evigt:

Det är som det är och det blir som det blir.

I det ingick bland annat att man inte åmade sig. Åtminstone inte om man hade skäl att göra det. Som till exempel när beskedet om faderns död kom till stugan i Yxhult. I enlighet med familjetraditionen reagerade Allan med att hugga ved, om än extra länge och under extra mycket tystnad. Eller när modern sedan gick samma väg och hon bars ut till den väntande likvagnen utanför huset. Då stod Allan kvar i köket och följde skådespelet genom ett fönster. Och så sa han tyst så att bara han själv hörde det:

– Hej då, mor.

Därmed hade han vänt kapitel i livet.

Allan stretade på med sin dynamitfirma och byggde under tjugotalets första år upp en försvarlig kundkrets runt om i Sörmland. På lördagskvällarna, när hans jämnåriga begav sig till logdans, satt Allan kvar hemma och komponerade nya formler för att utveckla kvaliteten på sin dynamit. Och när söndagen kom gick han till grusgropen och provsprängde. Dock inte mellan elva och ett, det hade han till sist fått lova prästen i Yxhult, mot att denne inte klagade för mycket över Allans frånvaro i kyrkan.

Allan trivdes gott i sitt eget sällskap och det var nog bra, för han hade det egentligen ganska ensamt. Att han inte anslöt sig till arbetarrörelsen gjorde att han föraktades i de socialistiska kretsarna, samtidigt som han var alldeles för mycket arbetare och son till sin egen far för att beredas plats i någon borgerlig salong. I dessa satt dessutom grosshandlare Gustavsson och han ville för sitt liv inte beblanda sig med den karlssonska snorvalpen. Tänk bara en sådan sak som att grabben snappade upp vad Gustavsson fått för det där ägget han en gång köpt av Allans mor för så gott som ingenting och som han nu sålt vidare till en diplomat i Stockholm. Tack vare den affären hade grosshandlare Gustavsson blivit traktens tredje stolte ägare av en automobil.

Den där händelsen hade varit tursam. Men nu varade inte grosshandlare Gustavssons lycka lika länge som han själv skulle ha önskat. En söndag i augusti 1925, efter gudstjänsten, begav han sig iväg på en biltur, mest för att visa upp sig. Oturligt nog för honom själv råkade han välja vägen förbi Allan Karlsson i Yxhult. I svängen utanför Allans torp måtte Gustavsson ha blivit nervös (eller om Gud eller försynen på något sätt styr händelserna), för växelspaken krånglade för honom och hur det nu var for Gustavsson och automobilen rakt in i grusgropen bakom torpet, i stället för i en svag högersväng därifrån. Det hade väl varit illa nog för Gustavsson att behöva beträda Allans mark och förklara sig, men värre skulle det bli, för just när Gustavsson lyckats få stopp på sin skenande automobil utförde Allan söndagens första provsprängning.

Själv låg Allan hopkrupen bakom dasset utan att vare sig se eller höra. Att något gått på tok förstod han först när han återvände till grusgropen för att värdera sprängningen. Där låg grosshandlarens automobil utspridd över halva gropen, och här och där också delar av grosshandlaren själv.

Närmast boningshuset hade grosshandlarens huvud landat, mjukt på en plätt med gräs. Där låg det och stirrade med tom blick ut mot förödelsen.

– Vad hade du i min grusgrop att göra? frågade Allan.

Grosshandlaren svarade inte.

* * *

Under de närmaste fyra åren fick Allan gott om tid till att läsa och förkovra sig i samhällsutvecklingen. Han spärrades genast in även om det inte var helt lätt att reda ut för vad. Småningom drogs i alla fall Allans far in i det hela, den gamle samhällsomstörtaren. Det skedde när en ung och hungrig lärjunge till rasbiologen professor Bernhard Lundborg i Uppsala bestämde sig för att göra karriär på Allan. Efter diverse turer hamnade Allan i Lundborgs klor och blev strax tvångssteriliserad på "eugenisk och social indikation", det vill säga att Allan nog var lite efterbliven och att det hur som helst fanns för mycket av hans far i honom för att staten skulle kunna tillåta ytterligare reproduktion av släkten Karlsson.

Det där med steriliseringen störde inte Allan, han tyckte tvärtom att han blev bra mottagen på professor Lundborgs klinik. Där fick han då och då svara på frågor om allt möjligt, bland annat om vilka behov han hade av att spränga

saker och folk i luften och om det såvitt han visste fanns
något negerblod i honom. På det svarade Allan att han såg
en viss skillnad mellan saker och folk när det gällde glädjen
med att bränna av en dynamitladdning. Att klyva en sten på
mitten om den råkade vara i ens väg, det kunde kännas bra.
Om det i stället för en sten handlade om en människa tyckte
Allan att det kunde räcka med att be vederbörande flytta på
sig. Tyckte inte professor Lundborg det också?

Men Bernhard Lundborg var inte den som i första taget
gav sig in i filosofiska diskussioner med sina patienter, utan
upprepade i stället frågan om negerblodet. Allan svarade att
det inte var så gott att veta, men att hans båda föräldrar varit
lika bleka i hyn som han själv, om professorn nu kunde nöja
sig med det som svar? Och så tillade Allan att han hemskt
gärna skulle vilja se en neger på riktigt om professorn till
äventyrs hade någon sådan på lager?

Professor Lundborg och hans assistenter svarade inte på
Allans motfrågor, men de antecknade och hummade och
sedan lämnade de Allan i fred, ibland i flera dagar i sträck.
Dessa dagar ägnade Allan åt allt möjligt läsande. Dagstid-
ningar förstås, men också litteratur från sjukhusbiblioteket
vars omfång var betydande. Lägg till det tre mål mat om
dagen, inomhustoalett och eget rum. Allan trivdes gott som
tvångsomhändertagen. Stämningen hade bara en enda gång
blivit lite tråkig, och det var när Allan nyfiket frågat profes-
sor Lundborg om vad det var som var så farligt med att vara
neger eller jude. För en gångs skull svarade inte professorn
med att tiga, utan röt ifrån att herr Karlsson skulle sköta sitt
och inte lägga sig i andras. Situationen hade påmint lite
grand om den där gången många år tidigare då Allans mor
hotat med en hurring.

Åren gick och det blev allt glesare mellan förhören med
Allan. Så tillsatte riksdagen en utredning om sterilisering av
"i biologiskt avseende mindervärdiga" och när rapporten
kom gav den professor Lundborg ett sådant uppsving i verk-

samheten att Allans säng plötsligt behövdes av någon annan. På försommaren 1929 förklarades därför Allan återrehabiliterad i samhället och skickades ut på gatan, med fickpengar så att det med nöd och näppe räckte till tåget till Flen. Den sista milen till Yxhult fick han gå, men det tyckte inte Allan gjorde något. Efter fyra år bakom lås och bom behövde han sträcka på benen.

KAPITEL 5

Måndag 2 maj 2005

LOKALTIDNINGEN VAR SNABBT ute på sin hemsida med nyheten om den gamle mannen som gått upp i rök på sin hundraårsdag. Eftersom tidningens reporter var undernärd när det gällde riktiga nyheter från bygden hade hon råkat få till någon mening om att det inte gick att utesluta kidnappning. Hundraåringen var enligt vittnen klar i huvudet och hade knappast gått vilse.

Att försvinna på sin hundraårsdag är ju lite extra. Lokalradion hakade strax på lokaltidningen, detta följt av riksradion, TT, text-tv, rikstidningarnas hemsidor och eftermiddagens och kvällens tv-nyheter.

Polisen i Flen tordes inte annat än att lämna över ärendet till länskriminalen, som skickade två radiobilar plus en kriminalkommissarie Aronsson i civila kläder. Dessa fick strax sällskap av diverse reportageteam för att hjälpa till att vända uppochner på trakten. Medieuppbådet gav i sin tur länspolismästaren anledning att leda arbetet på plats och kanske fångas på bild av någon kamera.

Det inledande polisarbetet bestod av att radiobilarna körde kors och tvärs genom köpingen, medan kriminalaren företog förhör med folk på hemmet. Kommunalrådet hade däremot åkt hem till Flen och stängt av alla telefoner. Det kunde aldrig föra något gott med sig att bli inblandad i en otacksam åldrings försvinnande, resonerade han.

Det kom också in några spridda tips: allt från att Allan synts cyklande i Katrineholm till att han köat och varit

otrevlig på apotek i Nyköping. Men dessa och liknande iakt-
tagelser kunde av olika skäl avfärdas. Till exempel är det
omöjligt att vistas i Katrineholm samtidigt som man bevis-
ligen äter lunch på sitt rum på hemmet i Malmköping.

Länspolismästaren såg till att organisera skallgångskedjor
med hjälp av ett hundratal frivilliga från trakten, och han
blev uppriktigt förvånad när detta inte gav något resultat.
Dittills hade han nämligen varit ganska säker på att det
handlade om ett vanligt demensförsvinnande, trots vittnes-
uppgifterna om åldringens goda vigör.

Utredningen kom inledningsvis ingenstans, inte förrän den
från Eskilstuna rekvirerade polishunden anlände vid halv-
åttatiden på kvällen. Hunden sniffade en kort stund på
Allans fåtölj och på de upptrampade fotspåren bland pensé-
erna utanför fönstret innan den drog iväg mot parken och
vidare ut på andra sidan, över gatan, in på medeltidskyrkans
område, över stengärdsgården och inte gjorde halt förrän
utanför väntsalen till Malmköpings resecentrum.

Dörren till väntsalen var låst. Av Sörmlandstrafikens expe-
ditör i Flen fick polisen veta att resecentret bommade igen
klockan 19.30 på vardagskvällarna, när expeditörens kollega
i Malmköping slutade för dagen. Men, tillade expeditören,
om polisen absolut inte kunde vänta till dagen därpå så gick
det väl att göra hembesök hos kollegan i Malmköping. Han
hette Ronny Hulth och fanns nog i telefonkatalogen.

Medan länspolismästaren stod framför kamerorna utan-
för äldreboendet och förkunnade att man behövde allmän-
hetens hjälp med fortsatt skallgång under kvällen och natten
eftersom hundraåringen var lätt klädd och möjligen förvir-
rad, så åkte kriminalkommissarie Göran Aronsson hem till
Ronny Hulth och ringde på. Hunden hade ju tydligt indike-
rat att åldringen tagit sig in i väntsalen på resecentret, och
expeditör Hulth borde kunna säga om den gamle rent av
lämnat Malmköping per buss.

Men Ronny Hulth öppnade inte dörren. Han satt i sin

44

sängkammare med nerdragna persienner, kramande sin katt.

– Gå din väg, viskade Ronny Hulth mot ytterdörren. Gå din väg. *Gå!*

Och det gjorde kriminalkommissarien till sist. Dels trodde han det hans chef redan tycktes veta, nämligen att åldringen irrade omkring i närheten, dels tänkte han att om gubben ändå hade satt sig på en buss så gick det ju ingen nöd på honom. Den där Ronny Hulth var väl hos någon flamma, kan tänka. Morgondagens första åtgärd fick bli att söka upp honom på jobbet. Om åldringen inte hade dykt upp till dess.

* * *

Klockan 21.02 tog länskommunikationscentralen i Eskilstuna emot ett samtal:

– *Jo, jag heter Bertil Karlgren och jag ringer… jag ringer å min frus vägnar kan man säga. Eller ja… Jo min fru, Gerda Karlgren, har varit i Flen i några dar och hälsat på vår dotter och hennes man. Dom ska ha en liten och så… det blir ju alltid en del att pyssla med om man säger. Men så i dag var det dags att åka hem och hon tog, Gerda alltså, Gerda tog den tidiga eftermiddagsbussen hem igen, och det var i dag alltså, och bussen går ju via Malmköping, vi bor här i Strängnäs… Ja det här är kanske ingenting, frun tycker inte det, men vi hörde ju på radion om en försvunnen hundraåring. Ni kanske redan har hittat honom? Inte det? Jo, frun säger att det var en hiskeligt gammal man som klev på bussen i Malmköping och han hade en stor resväska med sig som om han skulle resa långt. Frun satt där bak och den gamle satt där fram så hon såg väl inte så noga och hon hörde ju inte vad den gamle och chauffören pratade om. Vad sa du, Gerda? Jo, Gerda säger att hon är ändå inte en sån som lyssnar över axeln… Men i alla fall så var det konstiga… Ja konstiga… eller… jo den gamle han steg av redan halvvägs till Strängnäs, han åkte bara några mil med sin stora väska. Och han såg väldigt gam-*

mal ut det gjorde han visst. Nä, Gerda vet inte vad hållplat-
sen heter det var liksom mitt i skogen... halvvägs nånstans.
Mellan Malmköping och Strängnäs alltså.

Samtalet bandades, skrevs ut och faxades till den utsände
kriminalkommissariens hotell i Malmköping.

KAPITEL 6

Måndag 2 maj – tisdag 3 maj 2005

RESVÄSKAN VAR FYLLD till kanten med femhundrakronorssedlar i buntar. Julius gjorde ett snabbt överslag. Tio rader på bredden, fem på höjden. Femton buntar i varje stapel à säkert femtiotusen...

– Trettiosju och en halv miljon om jag har räknat rätt, sa Julius.

– Det är pengar det med, sa Allan.

– Släpp ut mig *era jävlar*, hojtade ynglingen från frysrummet.

Ynglingen fortsatte att leva rövare; han skrek och sparkade och skrek igen. Allan och Julius behövde samla tankarna inför den överraskande utvecklingen, men det gick inte i allt oväsen. Till sist tyckte Allan att det var dags att kyla ner ynglingen lite, och så satte han på frysfläkten.

Det tog inte många sekunder för ynglingen att märka att hans situation hade förvärrats. Han tystnade för att försöka tänka klart. Att tänka klart var inte så lätt för ynglingen till vardags, och nu hade han dessutom sprängande huvudvärk.

Efter några minuters grubblande hade han i alla fall bestämt sig för att han inte skulle kunna hota eller sparka sig ut ur situationen. Återstod att kalla på hjälp utifrån. *Återstod att ringa chefen.* Tanken var hemsk. Men alternativet såg ut att kunna bli något ännu värre.

Ynglingen tvekade i ytterligare någon minut, medan kylan trängde på. Till sist tog han fram mobiltelefonen.

Ingen täckning.

Kvällen blev natt och natten blev morgon. Allan slog upp ögonen, men kände inte igen sig. Hade han gått och dött i sömnen till sist i alla fall?

En hurtig mansröst hälsade honom god morgon och meddelade att han hade två nyheter att förmedla, en god och en dålig. Vilken ville Allan höra först?

Allra först ville Allan förstå var han befann sig och varför. Det värkte i knäna, alltså levde han nog trots allt. Men hade han inte... och tog han sedan inte... och... var det Julius han hette...?

Bitarna föll på plats, Allan var vaken. Han låg på en madrass på golvet i Julius sängkammare, Julius stod i dörröppningen till hallen och han upprepade sin fråga. Ville Allan ha den goda eller den dåliga nyheten först?

– Den goda, sa Allan. Den dåliga kan du hoppa över.

Okej, tyckte Julius och meddelade att den goda nyheten var att frukosten stod framdukad ute i köket. Det var kaffe, smörgås med älgstek och grannens ägg.

Tänk att Allan skulle få uppleva en frukost till i livet utan gröt! Det var sannerligen en god nyhet. När han satt sig ner vid köksbordet kände han att han rent av var mogen att höra den dåliga nyheten trots allt.

– Den dåliga nyheten, sa Julius och sänkte rösten en aning. Den dåliga nyheten är att vi i fyllan och villan i går glömde att stänga av fläkten i frysrummet.

– Och? sa Allan.

– Och... han där inne är rätt död av sig nu.

Allan kliade sig bekymrat i nacken innan han bestämde sig för att inte låta detta slarv förmörka dagen.

– Det var illa, sa han. Men jag måste säga att du har lyckats perfekt med äggen, inte för hårda och inte för lösa.

Kriminalkommissarie Aronsson vaknade vid åttatiden på morgonen och märkte att han var på dåligt humör. Att en åldring går bort sig, med eller utan avsikt, borde inte vara ett fall för någon med kommissariens kvaliteter.

Aronsson duschade, klädde på sig och gick ner till frukosten på bottenplanet på hotell Plevnagården. På vägen mötte han receptionisten som gav honom det fax som kommit strax efter det att receptionen stängt kvällen innan.

En timme senare hade kommissarie Aronsson en ny syn på fallet. Faxet från länskommunikationscentralen var först av oklart värde, men när Aronsson mötte en blek Ronny Hulth på järnvägsstationens expedition tog det inte många minuter innan Hulth brutit ihop och berättat om sina upplevelser.

Strax därefter ringde de från Eskilstuna och sa att Sörmlandstrafiken i Flen just upptäckt att man saknade en buss sedan kvällen innan, samt att Aronsson skulle ringa upp en Jessica Björkman, sambo till en busschaufför som tydligen blivit kidnappad men släppt.

Kommissarie Aronsson åkte tillbaka till Plevnagården för att ta sig en kopp kaffe och sammanfatta de nyvunna kunskaperna. Han skrev ner sina iakttagelser medan han funderade:

En äldre man, Allan Karlsson, avviker alltså från sitt rum på äldreboendet strax innan man ska fira hans hundraårsdag i allrummet. Karlsson är eller var i sensationellt gott skick för sin ålder, det har vi en rad belägg för, till att börja med rent fysiskt det faktum att han lyckats baxa sig själv ut genom ett fönster, försåvitt åldringen inte hade hjälp utifrån förstås, men senare iakttagelser tyder på att han agerat på egen hand. Vidare så vittnar sjuksystern och föreståndarinnan Alice Englund om att *"Allan visserligen är gammal, men han är också en jämrans drummel som fan i mig vet precis vad han gör"*.

Enligt spårhundens markering har Karlsson, sedan han stått och stampat i en pensérabatt en stund, promenerat igenom delar av Malmköpings samhälle och så småningom in i resecentrets väntsal där han, enligt vittnet Ronny Hulth, har gått direkt till Hulths expeditionslucka, eller snarare hasat, Hulth noterade Karlssons korta steg – och att Karlsson bar innetofflor, inte skor.

Hulths vidare vittnesmål indikerar att Karlsson var på flykt snarare än att han hade ett givet resmål. Karlsson ville snabbt bort från Malmköping, riktningen och färdsättet tycktes därvidlag vara underordnat.

Den saken bekräftas för övrigt av en Jessica Björkman, sambo till busschauffören Lennart Ramnér. Busschauffören själv har inte gått att höra ännu, därtill hade han stoppat i sig för många sömntabletter. Men Björkmans vittnesmål verkade redigt. Karlsson har av Ramnér beställt en resa utifrån en given summa pengar. Målet råkade bli hållplatsen Byringe station. *Råkade bli.* Det finns alltså ingen anledning att tro att någon eller något väntade på Karlsson just där.

Emellertid har historien ytterligare en detalj. Stationsexpeditör Hulth har visserligen inte uppmärksammat huruvida Karlsson tillgripit en resväska eller ej innan han klev ombord på bussen mot Byringe, men den saken har strax stått klar för honom, genom det våldsamma agerandet hos en förmodad medlem i den kriminella organisationen Never Again.

Jessica Björkman hade inte med någon resväska i den berättelse hon lyckats få ur sin drogade sambo, men faxet från kommunikationscentralen bekräftar att Karlsson sannolikt – ehuru otroligt – *stulit* resväskan från Never Again-medlemmen.

Björkmans vidare berättelse, i kombination med faxet från Eskilstuna, ger vid handen att först Karlsson, vid pass klockan 15.20 plus minus några minuter, därefter Never Again-medlemmen, cirka fyra timmar senare, klivit av vid Byringe station för vidare promenad mot okänt mål. Den förstnämnde hundra år gammal, släpande på en resväska, den sistnämnde cirka sjuttio–sjuttiofem år yngre.

Kommissarie Aronsson slog ihop sitt anteckningsblock och drack ur det sista av kaffet. Klockan var 10.25.

– Byringe station nästa.

* * *

Till frukosten gick Julius igenom med Allan allt det han uträttat och tänkt ut under morgontimmarna medan Allan fortfarande sov.

Först olyckan med frysrummet. När Julius insåg att temperaturen legat på minus i åtminstone tio timmar i sträck under kvällen och natten, greppade han kofoten att ha som vapen vid behov och öppnade dörren. Om ynglingen fortfarande var vid liv skulle han inte vara tiondelen så vaken och alert som krävdes för att stå emot Julius och hans kofot.

Men säkerhetsåtgärden med kofoten var överflödig. Ynglingen satt hopkrupen på sin tomlåda. Han hade iskristaller över kroppen, och ögonen stirrade kallt ut i ingenting. Död som en uppstyckad älg, kort sagt.

Det tyckte Julius var synd, men också ganska praktiskt. Den där vildhjärnan hade ju inte gått att släppa ut utan vidare. Julius hade stängt av kylan och låtit dörren stå öppen. Död var ju ynglingen likväl, men han behövde ju inte vara djupfryst för det.

Julius tände vedspisen i köket för att hålla värmen uppe, och så kontrollräknade han pengarna. Det var inte några trettiosju miljoner som han i all hast kvällen innan uppskattat summan till. Det var precis femtio miljoner.

Allan lyssnade intresserat till Julius redogörelse medan han stoppade i sig frukost med godare aptit än på så länge han kunde minnas. Han sa ingenting förrän Julius kommit fram till det ekonomiska.

– Ja, femtio miljoner är ju lättare att dela på två. Jämnt och bra. Vill du förresten vara vänlig och räcka mig saltet?

Julius gjorde som Allan bett honom medan han sa att han

nog hade kunnat dela trettiosju på två också om det hade behövts, men han höll med om att det var lättare med femtio. Sedan blev Julius allvarlig. Han satte sig ner vid köksbordet, mitt emot Allan, och sa att det nog var dags att lämna den nerlagda stationen för gott. Ynglingen i frysrummet gjorde ju ingen skada längre, men vem visste vad han rört upp bakom sig på vägen hit? När som helst kunde det stå tio nya ynglingar och gapa i köket, var och en lika arg som den som nu gapat färdigt.

Allan höll med, men påminde Julius om att han var bra till åren kommen och inte lika rörlig som en gång i tiden. Julius lovade se till att det skulle bli så lite promenerande som möjligt framöver. Men bort härifrån måste de. Och det bästa vore om de tog med sig ynglingen i frysrummet. Det kunde aldrig vara till de båda gubbarnas fördel om folk hittade en döing i deras spår.

Frukosten var överstökad, dags att sätta fart. Julius och Allan hjälptes åt med att lyfta den döde ut från frysrummet och in i köket där de placerade honom på en stol medan de hämtade krafter inför nästa etapp.

Allan tittade på ynglingen från topp till tå och så sa han:

– Han har ovanligt små fötter för att vara så stor. Inte har väl han någon nytta av skorna längre?

Julius svarade att det visserligen var kyligt ute så här på förmiddagen, men att risken var större att Allan skulle frysa om tårna än att ynglingen gjorde det. Om Allan trodde att ynglingens skor skulle passa så var det nog bara att ta dem. Den som tiger samtycker ju.

Lite stora var de allt för Allan, men rejäla och betydligt bättre att ha på fötterna under flykt än ett par nergångna innetofflor.

Nästa etapp blev att baxa ynglingen ut i hallen och att vältra honom nerför trapporna. När alla tre befann sig på perrongen, två stående och en liggande, undrade Allan vad Julius tänkt sig därnäst.

– Gå ingenstans, sa Julius till Allan. Inte du heller, sa han till ynglingen och hoppade ner från perrongen och in i ett skjul vid stationens enda sticksspår.

Strax därpå rullade Julius ut ur skjulet – på en dressin.

– Årsmodell 1954, sa han. Välkomna ombord.

Julius, längst fram, drog lasset, Allan rakt bakom honom lät benen följa med i trampet, och så döingen sittande på stolen till höger med huvudet uppstagat av skaftet till en borste och med mörka solglasögon över de stirrande ögonen.

Klockan var fem i elva när sällskapet gav sig iväg. Tre minuter senare anlände en mörkblå Volvo till Byringes nerlagda stationshus. Ut ur bilen klev kriminalkommissarie Göran Aronsson.

Huset såg onekligen övergivet ut, men en närmare titt kunde ju inte skada innan han fortsatte till Byringe by för att knacka dörr.

Aronsson klev försiktigt upp på perrongen, den såg inte helt stabil ut. Han öppnade ytterdörren och ropade "Är det någon hemma?". Han fick inget svar, fortsatte trapporna upp till andra våningen. Jo, minsann, huset verkade bebott trots allt. Det glödde fortfarande i vedspisen i köket, det stod en nästan färdigäten frukost för två personer på bordet.

Och på golvet ett par slitna innetofflor.

* * *

Never Again kallade sig officiellt för mc-klubb, men var just inget annat än en mindre grupp kriminellt belastade unga män, ledda av en än mer kriminellt belastad man i medelåldern, alla dessutom med fortsatt kriminella avsikter.

Gruppens ledare hette Per-Gunnar Gerdin, men det var ingen som vågade kalla honom något annat än "Chefen" för det hade Chefen bestämt och han var nästan två meter lång, vägde runt hundratrettio kilo och viftade gärna med kniv om någon eller något gick honom emot.

Chefen började sin kriminella karriär lite försiktigt. Tillsammans med en jämnårig kamrat importerade han frukt och grönsaker till Sverige och trixade hela tiden med sanningen när det gällde ursprungsland, för att lura staten på skatt och för att kunna ta ut högre kilopris av konsument.

Det var inget fel på Chefens kompanjon, mer än att hans samvete inte var rymligt nog. Chefen ville gå vidare med tyngre grejor såsom att blanda in formalin i maten. Det hade han hört att de gjorde på sina håll i Asien och Chefens idé var att importera svenska köttbullar från Filippinerna, billigt via båt, för med rätt mängd formalin skulle köttbullarna hålla sig fräscha i tre månader om det behövdes, även i trettiogradig värme.

Inköpskostnaden skulle bli så låg att de sedan inte ens skulle behöva kalla köttbullarna för svenska för att få det att gå ihop. Danska kunde räcka, tyckte Chefen, men kompanjonen ville inte vara med. Hans uppfattning var att formalin dög att balsamera lik med, inte till att ge köttbullar evigt liv.

Så de båda gick skilda vägar och sedan blev det aldrig något med formalinköttbullarna för Chefens del. I stället kom han på att han kunde dra en luva över huvudet och råna den alldeles för seriösa konkurrenten Stockholm Fruktimport AB på dagskassan.

Med hjälp av en machete och ett argt rytande om att *"hit med pengarna annars..."* hade han på ett kick och till sin egen förvåning blivit fyrtioentusen kronor rikare. Varför hålla på och krångla med import när man kunde tjäna så fina pengar på nästan inget arbete alls?

På den vägen var det sedan. För det mesta gick det bra, det blev bara ett par kortare ofrivilliga semestrar under nästan tjugo år som egenföretagare i rånbranschen.

Men efter ett par decennier tyckte Chefen att det var tid att börja tänka större. Han skaffade sig ett par betydligt yngre hantlangare som han började med att ge varsitt lagom fånigt smeknamn (den ene fick heta Bulten, den andre Hin-

ken) och som han därefter utförde två lyckade värdetrans-
portrån med.

Ett tredje värdetransportrån slutade dock med fyra och ett
halvt år på Hall för alla tre. Det var där Chefen fick idén till
Never Again, och han hade rejäla planer. I ett första skede
skulle klubben bestå av ett femtiotal medlemmar, indelade i
tre opererande grenar: "rån", "narkotika" och "utpressning".
Namnet Never Again föddes ur Chefens vision om att skapa
en så professionell och vattentät struktur på brottsligheten
att det helt enkelt *aldrig igen* skulle bli aktuellt med Hall
eller annan anstalt. Never Again skulle bli den organiserade
brottslighetens Real Madrid (Chefen gillade fotboll).

Till en början gick rekryteringsprocessen på Hall riktigt
bra. Men så råkade ett brev till Chefen från hans mamma
komma på villovägar på anstalten. I brevet skrev mamman
bland annat att hennes lille Per-Gunnar skulle akta sig för att
hamna i dåligt sällskap på fängelset, att han skulle vara för-
siktig med sina känsliga tonsiller och att hon längtade efter
att få spela Skattkammarönspelet med honom igen när han
kom ut.

Efter det hjälpte det inte att Chefen nästan knivskar ett par
jugoslaver i matkön och levde rövare i största allmänhet.
Hans auktoritet var skadad. Av de trettio dittills rekryterade
hoppade tjugosju av. Förutom Bulten och Hinken stannade
också en venezolan, José María Rodriguez, den sistnämnde
därför att han var hemligt förälskad i Chefen, vilket han
aldrig någonsin vågade berätta ens för sig själv.

Venezolanen tilldelades hur som helst namnet *Caracas*,
efter hemlandets huvudstad. Hur än Chefen hotade och svor
på Hall fick han inga fler medlemmar till sin klubb. Och en
dag var han och hans tre underhuggare alla utskrivna.

Först tänkte Chefen lägga ner hela idén med Never Again,
men så slumpade det sig som så att Caracas hade en colom-
biansk kamrat med rymligt samvete och tvivelaktiga vänner,
och när det ena gett det andra var Sverige, genom Never

Again, den colombianska narkotikakartellens transitland för Östeuropa. Affärerna blev större och större och det fanns varken anledning eller personal till att aktivera grenarna "rån" och "utpressning".

* * *

Chefen inledde sitt krigsråd i Stockholm med Hinken och Caracas. Något hade hänt med Bulten, klåparen som fått uppdraget att utföra klubbens dittills största transaktion. Chefen hade varit i kontakt med ryssarna på förmiddagen och de svor på att de fått grejorna – och överlämnat betalningen. Om Never Agains kurir sedan stuckit med väskan så var det inte ryssarnas problem. Men ville Never Again bjuda upp till dans för den här sakens skull, så skulle inte ryssarna tacka nej. De kunde nog dansa om det skulle behövas. Både vals och mazurka.

Chefen utgick tills vidare från att ryssarna talade sanning (dessutom var han ganska säker på att de dansade bättre än han själv). Och att Bulten frivilligt skulle ha stuckit med pengarna uteslöt han, därtill var Bulten för korkad. Eller klok, hur man nu ville se det.

Återstod att någon känt till transaktionen, inväntat rätt ögonblick i Malmköping eller under Bultens väg tillbaka till Stockholm, slagit ut Bulten och lagt beslag på väskan.

Men vem? Chefen slängde ut frågan till krigsrådet och fick inget svar. Chefen var inte förvånad; han hade för länge sedan bestämt sig för att hans hantlangare var idioter alla tre.

Hur som helst beordrade han Hinken ut på fältet, för Chefen tänkte att idioten Hinken nog ändå inte var riktigt lika mycket idiot som idioten Caracas. Idioten Hinken skulle alltså ha lite bättre förutsättningar att hitta idioten Bulten och kanske rent av väskan med pengarna.

– Åk till Malmköping och snoka runt, Hinken. Men klä

dig civilt för där är en massa poliser just i dag. Det är visst
nån hundraåring som gått bort sig.

* * *

Julius, Allan och döingen rullade på genom Sörmlandssko-
gen. Vid Vidkärr hade de oturen att stöta på en bonde som
Julius inte kunde namnet på. Bonden gick där och inspekte-
rade sina grödor när trion kom farande på dressinen.

– God morgon, sa Julius.

– Fint väder, sa Allan.

Döingen och bonden sa ingenting. Men den sistnämnde
tittade långt efter trion.

Ju närmare Åkers Styckebruk dressinen kom, desto mer
bekymrad blev Julius. Han hade tänkt sig att passera ett
vattendrag på vägen att dumpa döingen i. Men något sådant
dök aldrig upp. Och innan Julius hann grubbla färdigt höll
dressinen på att rulla in i styckebrukets industriområde.
Julius drog i bromsen och fick stopp på maskinen i tid.
Döingen föll framåt och slog pannan i ett järnhandtag.

– Det där kunde ha gjort ont om omständigheterna varit
lite annorlunda, sa Allan.

– Det har allt sina fördelar att vara död, sa Julius.

Julius klev av dressinen och ställde sig bakom en björk för
att kika in mot industriområdet. De jättelika dörrarna in till
industrilokalen var öppna, men området verkade öde. Julius
tittade på klockan. Den var tio över tolv. Lunchtid, insåg han
och fick ögonen på en stor container. Julius meddelade att han
avsåg att ge sig iväg för en kortare rekognoscering. Allan
önskade Julius lycka till och bad honom att inte gå vilse.

Det var nu ingen större risk, för Julius skulle bara de tret-
tio meterna till containern. Han klev in i densamma och var
utom sikte för Allan i en dryg minut. Sedan kom han ut igen.
Väl tillbaka vid dressinen meddelade Julius att han nu visste
vad de skulle göra med döingen.

Containern var till hälften packad med cylindrar av något slag, säkert en meter i diameter och minst tre meter långa, alla inbäddade i varsin skyddande trälår, med lucka på ena kortsidan. Allan var helt utmattad när den tunga kroppen äntligen låg på sin plats inne i en av de två innersta cylindrarna. Men när han stängde träluckan och såg adresslappen på kortsidan piggnade han till.

Addis Abeba.

– Han får se sig om i världen om han inte stänger ögonen, sa Allan.

– Skynda dig nu, gamle man, svarade Julius. Här kan vi inte stanna.

Operationen gick bra, gubbarna var tillbaka i skydd av björkarna i god tid innan lunchrasten på bruket var över. De satte sig på dressinen för att vila, och strax blev det liv i industriområdet. En truckförare fyllde på med fler cylindrar tills containern var full. Då bommade han igen den, hämtade en ny container och fortsatte lastandet.

Allan undrade vad de egentligen tillverkade på det där stället. Julius visste att det var ett bruk med anor, att de redan på 1600-talet gjutit och levererat kanoner till alla som under trettioåriga kriget ville vara mer effektiva i dödandet.

Allan tyckte det lät onödigt att de som levde på 1600-talet hade ihjäl varandra. Hade de bara lugnat sig lite skulle de ju dö ändå vad det led. Julius svarade att den saken nog gällde för alla tider och fortsatte med att rasten nu var över och att det var dags att avvika från ort och ställe. Julius enkla plan var att vännerna skulle ta sig den korta biten till Åkers mer centrala delar och där finna på någon råd.

* * *

Kommissarie Aronsson gick igenom det gamla stationshuset i Byringe men hittade inget av intresse förutom innetofflorna som eventuellt tillhörde hundraåringen. Han skulle ta med dem att visa upp för personalen på äldrecentret.

Jo, det var vattenfläckar på köksgolvet också, som ledde in till ett frysrum, avstängt och med öppen dörr. Men det var nog ingen ledtråd att tala om.

I stället fortsatte Aronsson till Byringe by för att knacka dörr. I tre av husen var det folk hemma och av alla tre familjerna fick han veta att en Julius Jonsson bodde på andra våningen i stationshuset, att Julius Jonsson var en tjuv och bedragare som ingen ville ha med att göra, och att ingen hört eller sett något konstigt från kvällen innan och framåt. Men att Julius Jonsson var inblandad i något fuffens, det ansåg man vara självklart.

– Bura in honom, krävde den argaste av grannarna.

– För vad då? undrade kommissarien trött.

– För att han stjäl mina ägg i hönshuset om nätterna, för att han stal min nyinköpta sparkstötting i vintras och målade om den och kallade den sin, för att han beställer böcker i mitt namn, vittjar min brevlåda när boken kommer och låter mig betala räkningen, för att han försöker sälja hembränt till min fjortonårige son, för att han...

– Ja, ja, ja, det är bra. Jag ska bura in honom, sa kommissarien. Jag ska bara hitta honom först.

Aronsson vände tillbaka mot Malmköping och kom ungefär halvvägs innan telefonen ringde. Det var kollegorna på kommunikationscentralen. En lantbrukare Tengroth i Vidkärr hade ringt in ett intressant tips. En känd småskurk från trakten hade någon timme tidigare passerat Tengroths ägor på en dressin längs den nerlagda järnvägen mellan Byringe och Åkers Styckebruk. Med på dressinen fanns en gammal gubbe, en stor resväska och en yngre man i solglasögon. Den yngre mannen tycktes ha befälet enligt bonden Tengroth. Trots att han satt där i strumplästen...

– Nu begriper jag fanimej ingenting, sa kommissarie Aronsson och vände bilen med sådan fart att innetofflorna i passagerarsätet trillade ner på golvet.

* * *

Efter ett par hundra meter sjönk Allans redan låga prome-
nadtempo. Han klagade inte, men Julius kunde se att det var
knäna som börjat bråka på allvar. En bit bort till höger fanns
ett gatukök. Julius lovade Allan att om han bara kämpade
på till kiosken så skulle Julius bjuda på en korv, för det hade
han råd med, och sedan skulle han ordna med transport på
något vis. Allan svarade att han aldrig i hela sitt liv klagat
över lite värk och att han inte tänkte börja nu, men att en
korv med bröd å andra sidan skulle sitta fint.

Julius snabbade på stegen, Allan halkade efter. När Allan
kom fram var Julius redan halvfärdig med sin grillade med
bröd. Och han hade uträttat mer än så.

– Allan, sa han, kom och hälsa på Benny. Han är vår nye
privatchaufför.

Benny var gatuköksägaren, i femtioårsåldern, med allt
håret i behåll, inklusive en hästsvans där bak. På ungefär två
minuter hade Julius hunnit med att köpa en korv med bröd,
en Fanta samt Bennys silverfärgade Mercedes av 1988 års
modell, inklusive Benny själv, allt för hundratusen kronor.

Allan tittade på gatuköksägaren som fortfarande stod på
sin post innanför luckan.

– Har vi köpt dig också, eller bara hyrt? sa han till sist.

– Bilen är köpt, chauffören hyrd, svarade Benny. I tio
dagar till att börja med, sedan skulle vi visst ta ny förhand-
ling. En korv ingår förresten i priset. Får man fresta med en
wienerwurst?

Nej, det fick man inte. Allan ville ha en vanlig kokt om det
gick bra. Vidare, sa Allan, så tyckte han att hundratusen för
en så pass gammal bil var i mesta laget även om chaufför
ingick, så nu vore det inte mer än rätt om han fick sig en cho-
kladdryck också.

Det gick Benny utan vidare med på. Han skulle ju lämna
sin kiosk nu och en Pucko mer eller mindre tyckte han kun-

de kvitta. Affärerna låg ändå på minus; att driva gatukök i Åkers Styckebruk hade varit en lika dålig idé som det från början verkat.

Faktum var, meddelade Benny, att han redan innan herrarna så lägligt dök upp hade umgåtts med planer på att göra något annat i livet. Fast *privatchaufför* hade han inte väntat sig att det skulle bli.

I skenet av vad gatuköksföreståndaren just berättat föreslog Allan att Benny skulle lassa in en hel kartong med Pucko i bagaget. Julius å sin sida lovade att Benny skulle få en egen privatchaufförskeps vid tillfälle om han nu bara tog av sig sin gatuköksmössa och pallrade sig ut från kiosken för det var dags att ge sig iväg.

Benny tyckte inte att det ingick i chauffören uppdrag att argumentera med dem som bestämde, så han gjorde som han var tillsagd. Mössan åkte i soporna och Puckon hamnade i bagaget, tillsammans med några Fanta. Men resväskan ville Julius hellre ha i baksätet intill sig själv. Allan fick sitta fram där han kunde sträcka ut benen ordentligt.

Så tog Åkers Styckebruks dittills ende gatuköksföreståndare och satte sig bakom ratten till det som fram till några minuter tidigare varit hans egen Mercedes, nu hederligt försåld till de båda gentlemännen i Bennys sällskap.

– Vart vill herrarna åka? undrade Benny.

– Vad sägs om norrut? undrade Julius.

– Ja det blir bra, sa Allan. Eller söderut.

– Söderut säger vi, sa Julius.

– Söderut, sa Benny och lade i växeln.

Tio minuter senare kom kommissarie Aronsson till Åker. Han behövde bara följa järnvägsspåret med blicken för att upptäcka en gammal dressin strax bortom bruket.

Men dressinen var tom på synliga spår. Arbetarna på industrins baksida höll på att lasta cylindrar av något slag i containrar. Ingen av dem hade sett när dressinen kom. Däremot hade två äldre män promenerat längs vägen en bit bort strax efter lunch, den ene med en stor resväska på släp, den andre en bit bakom. De gick bort mot macken och gatuköket men vart de sedan tagit vägen var det ingen som visste.

Aronsson undrade om det verkligen bara varit två män, inte tre? Men någon tredje person hade arbetarna inte sett.

Medan han körde bort mot mack och korvkiosk funderade Aronsson över de nya uppgifterna. Men nu fick han ihop sambandet mindre än någonsin.

Han stannade först till vid gatuköket. Han började bli hungrig så det passade ju bra. Men det var förstås stängt. Det går väl inte att driva gatukök här ute i obygden, tänkte Aronsson och fortsatte till macken. Där hade man inget hört och inget sett. Men man kunde i alla fall sälja Aronsson en korv, även om den smakade bensinmack.

Efter en snabb lunch fortsatte Aronsson till Ica-butiken, blomsterhandlaren och fastighetsmäklaren. Och han stannade och hörde sig för med de få styckebrukare som gett sig ut med hundar, barnvagnar eller äkta hälfter. Men ingenstans fanns någon som kunde vittna om två eller tre män med en resväska. Spåren tog helt enkelt slut någonstans mellan bruket och Statoilmacken. Kommissarie Aronsson bestämde sig för att återvända till Malmköping. Han hade ett par innetofflor som krävde identifikation.

* * *

Kriminalkommissarie Göran Aronsson ringde till sin länspolismästare från bilen och meddelade aktuell status. Länspolismästaren var tacksam, för han skulle hålla presskonferens på Plevnagården klockan 14 och fram till nu hade han inte haft något att säga.

Polismästaren var en aning teatraliskt lagd, han tog inte gärna till i underkant om det kunde undvikas. Och nu hade ju kommissarie Aronsson gett honom det lillfinger han behövde för dagens uppvisning.

Alltså bredde polismästaren på under presskonferensen, innan Aronsson hann tillbaka till Malmköping för att hindra honom (vilket ändå inte hade gått). Polismästaren meddelade att Allan Karlssons försvinnande nu utvecklats till ett förmodat kidnappningsdrama, precis som lokaltidningens hemsida råkat gissa dagen innan. Polisen hade nu också indikationer på att Karlsson var i livet, men i händerna på folk i undre världen.

Journalisternas frågor var förstås många, men polismästaren värjde sig skickligt. Så mycket kunde han ändå tillägga att Karlsson och hans förmodade kidnappare varit synliga i det lilla samhället Åkers Styckebruk så sent som kring lunch samma dag. Och han uppmanade polisens bästa vän Allmänheten att höra av sig med iakttagelser.

Till länspolismästarens besvikelse tycktes tv-teamen redan ha åkt hem. Det hade aldrig skett om den där drönaren Aronsson vaskat fram kidnapparinformationen lite tidigare. Men Expressen och Aftonbladet var i alla fall där, och lokaltidningen och en lokalradioreporter. Längst bak i Plevnagårdens matsal stod också en man som länspolismästaren inte kände igen från dagen innan. Kanske TT?

Men Hinken var inte från TT, han var utsänd av Chefen i Stockholm. Och han började bli övertygad om att Bulten trots allt dragit med stålarna. I så fall var han så gott som död nu.

* * *

När kommissarie Aronsson kom till Plevnagården var pressuppbådet skingrat. På vägen hade Aronsson stannat till vid äldreboendet och fått bekräftelse på att de upphittade tofflorna tillhörde Allan Karlsson (syster Alice hade luktat på dem och nickat med en grimas).

Aronsson hade oturen att stöta ihop med sin länspolismästare i hotellets foajé, blev informerad om presskonferensen och fick i uppdrag att lösa dramat, helst på ett sådant sätt att det inte uppstod några logiska konflikter mellan verkligheten och det polismästaren sagt till pressen under dagen.

Därefter gick länspolismästaren sin väg, han hade en del att styra med. Det var till exempel hög tid att koppla in åklagare på fallet.

Aronsson slog sig ner med en kopp kaffe för att fundera igenom de senaste turerna. Bland allt det som fanns att grubbla över valde Aronsson att fokusera på den inbördes relationen de tre dressinåkarna emellan. Om Tengroth hade fel i att Karlsson och Jonsson inte var under press från dressinens passagerare, så skulle det försiggå ett gisslandrama. Det var det länspolismästaren just fastslagit på sin presskonferens, vilket möjligen försvagade teorin. Länspolismästaren hade nämligen sällan rätt. Dessutom fanns det ju vittnen som sett Karlsson och Jonsson på promenad i Åker – med resväskan. Hade gubbarna Karlsson och Jonsson i så fall lyckats övermanna den unge och starke Never Again-medlemmen och slängt honom i ett dike?

Otroligt men inte omöjligt. Aronsson bestämde sig för att kalla in Eskilstunahunden igen. Det skulle bli en lång promenad för hunden och hans förare, ända från lantbrukare Tengroths marker till bruket i Åker. Någonstans där emellan hade ju Never Again-medlemmen försvunnit.

Karlsson och Jonsson gick sedan själva upp i rök någonstans mellan brukets baksida och Statoilmacken – en sträcka på tvåhundra meter. Uppslukade från jordens yta utan att en levande själ märkt någonting. Det enda som fanns längs sträckan var ett stängt gatukök.

Aronssons mobiltelefon ringde. Det var kommunikationscentralen som fått in ett nytt tips. Den här gången hade hundraåringen setts i Mjölby, i framsätet på en Mercedes, förmodligen kidnappad av den medelålders man med hästsvans som satt bakom ratten.

– Ska vi kolla upp det närmare? frågade kollegan.

– Nej, suckade Aronsson.

Ett långt liv som kommissarie hade lärt Aronsson att skilja riktiga tips från skräpet. Det kändes trösterikt att tänka på när det mesta var höljt i töcken.

* * *

Benny stannade i Mjölby för att tanka. Julius öppnade försiktigt resväskan och plockade ut en femhundralapp till betalning.

Sedan sa Julius att han ville sträcka på benen lite och bad Allan stanna kvar i bilen som väskvakt. Allan var trött efter dagens vedermödor och lovade att inte röra på sig.

Benny blev klar först och satte sig bakom ratten. Strax kom Julius tillbaka och gav order om framåt marsch. Mercedesen fortsatte sin färd i sydlig riktning.

Efter en kort stund började Julius prassla med något i baksätet. Han sträckte fram en öppnad påse Polly till Allan och Benny.

– Titta här vad jag snodde med mig, sa han.

Allan höjde på ögonbrynen:

– *Stal* du en påse godis, när vi har femtio miljoner i väskan?

– Har ni femtio miljoner i väskan? sa Benny.

– Hoppsan, sa Allan.

– Inte riktigt, sa Julius. Du har ju fått hundratusen.

– Plus femhundralappen till bensin, sa Allan.

Benny var tyst i några sekunder.

– Så ni har fyrtionio miljoner åttahundranittioniotusen femhundra i väskan?

– Du är snabb på att räkna, sa Allan.

Så var det tyst igen en stund. Sedan sa Julius att det väl var lika bra att förklara alltihop för privatchauffören. Om Benny därefter ville bryta avtalet parterna emellan skulle det vara i sin ordning.

Den bit av berättelsen Benny hade svårast med var det faktum att en person tagits av daga och därefter skickats på export. Men det hade ju varit en olycka, det hade det, även om spriten varit inblandad. Alkohol sysslade inte Benny med själv.

Så tänkte den nyanställde chauffören ännu ett varv och kom fram till att de femtio miljonerna säkert varit i fel händer från första början, att de kanske till och med skulle göra större nytta för mänskligheten nu. Dessutom kändes det inte lockande att säga upp sig redan första dagen på nya jobbet.

Därför lovade Benny att stanna på sin post och undrade vad herrarna hade för planer därnäst. Dittills hade han inte velat fråga; nyfikenhet tyckte inte Benny var en bra egenskap hos privatchaufförer, men nu hade han ju blivit lite av medbrottsling.

Allan och Julius erkände att det fanns just inga planer alls. Men de kunde väl fortsätta dit vägen ledde dem tills det började skymma och sedan ta in på något ställe för att diskutera saken mer ingående. Så fick det bli.

– Femtio miljoner, sa Benny och log, medan han lade i ettans växel på Mercedesen.

– Fyrtionio miljoner åttahundranittioniotusen femhundra, rättade Allan.

På det fick Julius lova att han skulle sluta stjäla saker för stjälandets skull. Julius sa att det inte skulle bli lätt, för han hade det i blodet och dög just inget annat till. Men han lovade likväl, och om Julius kunde man säga, sa Julius, att han sällan lovade något men höll det han lovade när han väl lovade det.

Färden fortsatte under tystnad i kupén. Allan somnade strax i sitt framsäte. Julius smakade en ny Polly. Och Benny nynnade på en visa han inte kunde namnet på.

* * *

En kvällstidningsjournalist som fått korn på en historia är
inte lätt att få stopp på. Det tog inte många timmar för
Expressens och Aftonbladets reportrar att ha en betydligt
klarare bild av händelsekedjan än den länspolismästaren gett
på eftermiddagens presskonferens. Den här gången vann
Expressen mot Aftonbladet genom att tidningens reporter
först hann få tag i expeditören Ronny Hulth, åka hem till
honom och mot löfte om införskaffande av pojkvän till Ron-
ny Hulths ensamma kattflicka få honom att följa med
Expressens reporter och ta in på hotell i Eskilstuna över nat-
ten, utom räckhåll för Aftonbladet. Först hade Hulth varit
rädd för att berätta, han mindes ju vad ynglingen hotat med,
men dels lovade reportern att Hulth skulle få vara anonym,
dels bedyrade han att inget ändå skulle hända Hulth nu när
mc-klubben visste att polisen var inkopplad på fallet.

Men Expressen hade inte nöjt sig med Hulth. Även buss-
chauffören fångades in i nätet, liksom byborna i Byringe,
lantbrukaren i Vidkärr och diverse folk i Åkers Styckebruk.
Sammantaget ledde det till flera dramatiska artiklar dagen
därpå. Visserligen fulla med felaktiga antaganden, men efter
omständigheterna hade reportern gjort ett gott journalistiskt
arbete.

* * *

Den silverfärgade Mercedesen rullade på. Småningom hade
också Julius somnat i bilen. Allan snarkade där fram, Julius
där bak med resväskan som obekväm huvudkudde. Allt
medan Benny valde väg efter bästa förstånd.

I Mjölby hade Benny bestämt sig för att lämna E4, och
valde i stället riksväg 32 mot Tranås. Men han stannade inte
när han kom dit, utan fortsatte söderut. En bit in i Krono-
bergs län svängde han av igen, in i den småländska skogen

på allvar. Där inne hoppades han hitta lämplig övernattning.

Allan vaknade och undrade om det inte snart var läggdags. Sedan vaknade Julius av samtalet längre fram i bilen. Han såg sig omkring, skog överallt, och frågade var de befann sig.

Benny meddelade att de nu var några mil norr om Växjö och att han hade tänkt till lite medan herrarna sov.

Det han hade kommit fram till var att det av säkerhetsskäl var bäst att hitta ett diskret boende för natten. De visste ju inte vilka som jagade dem, men den som lagt beslag på en resväska med femtio kriminella miljoner skulle nog inte räkna med att få vara i fred om han inte ansträngde sig. Därför hade Benny just vikit av från vägen som skulle ha lett dem till Växjö, och nu närmade de sig i stället det betydligt anspråkslösare samhället Rottne. Bennys idé var att se om det möjligen fanns något hotell där att ta in på.

– Rätt tänkt, berömde Julius. Men ändå inte.

Julius utvecklade sin tanke. I Rottne skulle det i bästa fall finnas ett litet, slitet hotell som aldrig någon hittade till. Om det då plötsligt dök upp tre obokade herrar där en kväll skulle det med säkerhet åstadkomma viss uppmärksamhet i byn. Bättre då att leta rätt på en bondgård eller ett torp någonstans mitt i skogen och muta till sig en övernattning och en bit mat.

Benny erkände att Julius resonerade klokt och svängde i enlighet med det in på den första oansenliga grusväg han fick syn på.

Det hade börjat skymma när de tre männen efter knappt fyra slingriga kilometer fick syn på en brevlåda vid grus- vägens kant. På brevlådan stod det "Sjötorp", och intill den- samma fanns en avfart som sannolikt skulle leda just dit. Och det visade sig stämma. Efter hundra meter längs en slingrig liten väg dök det upp ett hus. Det var ett rejält rött torp med vita knutar, i två våningar, och till det en ladugård och en bit bort vid en sjö något som en gång i tiden varit en redskapsbod.

Det hela såg bebott ut och Benny gled sakta framåt med Mercedesen till boningshusets entré. Då kom det ut en kvinna i yngre medelåldern, i rött, burrigt hår och iklädd en ännu rödare träningsoverall och med en schäferhund som gick fot.

Sällskapet klev ur Mercedesen och gick kvinnan till mötes. Julius sneglade på hunden, men den verkade inte vara redo att gå till attack. Tvärtom tittade den nyfiket, nästan lite vänligt, på gästerna.

Därför vågade Julius släppa hunden med blicken och vände sig mot kvinnan. Han hälsade henne artigt god kväll och framlade gruppens önskemål om övernattning och kanske en bit mat.

Kvinnan tittade på den brokiga blandningen av folk framför sig: en gamling, en halvgamling och en... rätt stilig karl fick hon erkänna. I rätt ålder också. Och med hästsvans! Hon log för sig själv och Julius trodde att hon skulle ge klartecken, men så sa hon:

– Det här är inte *nåt jävla hotell*.

Ajdå, tänkte Allan. Han längtade verkligen efter något att äta och en säng. Livet var kraftödande när han till sist bestämt sig för att leva det ett tag till. Säga vad man ville om tiden på äldreboendet, men den gav honom i alla fall inte träningsvärk i hela kroppen.

Julius såg också ledsen ut och sa att han och hans vänner var vilse och trötta nu, och att de förstås var redo att betala för sig om de bara kunde få stanna över natten. Det där med maten kunde de ju i värsta fall hoppa över.

– Du får tusen kronor per person om du ger oss någonstans att sova, högg Julius till med.

– Tusen kronor? sa kvinnan. Är ni på rymmen?

Julius viftade bort kvinnans träffsäkra fråga och förklarade på nytt att de hade rest långt, att han för egen del skulle klara sig ett tag till men att Allan här var till åren kommen.

– Jag fyllde hundra år i går, sa Allan med ynklig röst.

– Hundra år? sa kvinnan nästan förskräckt. Det var *det jävligaste*.

Och så var hon tyst en stund, såg ut att tänka över saken.

– Ja, *vafan*, sa kvinnan till sist. Ni får väl stanna då. Men några tusen kronor blir det inte tal om. Som jag sa, *nåt jävla hotell* driver jag inte.

Benny tittade beundrande på henne. Han hade aldrig hört en kvinna svära så mycket på så kort tid. Han tyckte det lät förtjusande.

– Min sköna, sa han. Får man klappa hunden?

– Min sköna? sa kvinnan. Är du blind? Men klappa på *för fan*. Buster är snäll. Ni kan ta varsitt rum på andra våningen, här finns det gott om plats. Lakanen är rena, men akta er för råttgiftet på golvet. Mat serveras om en timme.

Kvinnan gick förbi de tre gästerna i riktning mot ladugården, med Buster troget vid sin högra sida. Benny ropade efter henne och undrade om den sköna hade något namn. Hon svarade utan att vända sig om att hon hette Gunilla men att hon tyckte att "den sköna" lät bra så "fortsätt gärna med det, *för fan*". Det lovade Benny att göra.

– Jag tror att jag är kär, sa Benny.

– Jag vet att jag är trött, sa Allan.

I det ögonblicket ljöd ett brölande från ladan som fick till och med den dödströtte Allan att spärra upp ögonen. Det måtte ha kommit från ett mycket stort och möjligen plågat djur.

– Gapa lagom, Sonja, sa Den sköna. Jag *är för fan* på väg.

KAPITEL 7

1929–1939

TORPET I YXHULT var ingen vacker syn. Det hade växt igen under åren Allan varit i professor Lundborgs vård. Tegelpannor hade blåst ner från taket och låg utspridda på marken, dasset hade av någon anledning vält och det ena köksfönstret stod öppet och slog.

Allan ställde sig att pinka utanför entrén, något fungerande dass hade han ju inte längre. Sedan gick han in och satte sig i sitt dammiga kök. Fönstret lät han vara öppet. Han var hungrig, men avstod från impulsen att se vad som kunde finnas i skafferiet. Han var säker på att det inte skulle göra honom glad.

Han var född och uppvuxen där, men aldrig hade hemma känts så borta som i just den stunden. Var det kanske dags att klippa banden bakåt och gå vidare i motsatt riktning? Ja, det var det bestämt.

Allan letade rätt på sina dynamitgubbar, gjorde de nödvändiga arrangemangen innan han fyllde sin cykelvagn med det lilla han hade av värde. I skymningen den 3 juni 1929 gav han sig av, bort från Yxhult, bort från Flen. Dynamitladdningen detonerade som den skulle exakt trettio minuter senare. Yxhultstorpet flög i luften och närmaste grannens ko fick missfall en gång till.

Ytterligare en timme senare satt Allan i häktet på polisstationen i Flen och åt kvällsmat medan han tog emot skäll av polismästare Krook. Polisen i Flen hade just blivit med polisbil och det hade gått fort att fånga in mannen som just gjort smulor av sin egen bostad.

Den här gången var åtalspunkten mer klar.

– Allmänfarlig ödeläggelse, sa polismästare Krook myndigt.

– Kan du räcka mig brödet? undrade Allan.

Det kunde inte polismästare Krook. Däremot började han skälla på sin stackars assistent, som varit svag nog att göra delinkventen till viljes när denne önskade sig kvällsvard. Allt medan Allan åt färdigt och sedan lät sig föras in till samma häktescell som förra gången det begett sig.

– Ni har inte dagens tidning liggande här någonstans? undrade Allan. Som kvällslektyr, menar jag.

Polismästare Krook svarade med att släcka lyset i taket och slänga igen dörren. Morgonen därpå var det första han gjorde att ringa "det där dårhuset" i Uppsala för att säga till dem att komma och hämta Allan Karlsson.

Men på det örat ville Bernhard Lundborgs medarbetare inte lyssna. Karlsson var färdigbehandlad och nu hade de andra att snöpa och analysera. Om polismästaren bara visste vad mycket folk nationen måste räddas ifrån: judar och tattare och hel- och halvnegrer och sinnesslöa och annat. Att herr Karlsson sprängt sitt eget hus i luften kvalificerade honom inte för en ny resa till Uppland. Man får väl göra som man vill med sitt hus, tyckte inte polismästaren det? Vi lever väl i ett fritt land?

Till sist lade polismästare Krook på luren. Han kom ingen vart med de där storstadsmänskorna. I stället ångrade han att han inte låtit Karlsson cykla bort från trakten kvällen innan, som han ju faktiskt varit på väg att göra.

Så kom det sig att Allan Karlsson efter framgångsrika förhandlingar under förmiddagen åter satt på sin cykel och med cykelvagnen på släp. Den här gången med mat för tre dagar i paket, och dubbla filtar att skyla sig med om det skulle bli kallt. Han vinkade adjö till polismästare Krook, som inte vinkade tillbaka, och så trampade han iväg norrut, för det väderstrecket tyckte Allan var lika gott som något av de andra.

Framåt eftermiddagen hade vägen lett honom till Hälleforsnäs, och det kunde räcka för ett tag. Allan slog sig ner på en grässlänt, bredde ut en filt och öppnade paketet med mat. Medan han tuggade i sig en skiva sirapslimpa med medvurst studerade han den industrilokal som råkade ligga framför hans ögon. Utanför fabriken låg en hög med gjutna kanonrör. Allan tänkte att den som gjorde kanoner kanske hade behov av någon som såg till att det verkligen small när det skulle smälla. På det tänkte han att det ju inte var något självändamål att cykla så långt bort från Yxhult som möjligt. Hälleforsnäs kunde väl duga. Om det fanns jobb alltså.

Den av Allan gjorda kopplingen mellan kanonrören och det eventuella behovet av Allans speciella kompetens var måhända en aning naiv. Likväl var det precis så det var. Efter ett kort samtal med fabrikören, där Allan utelämnade valda delar av sin egen levnadsberättelse, hade han fått anställning som tändtekniker.

Här skulle han nog trivas, trodde Allan.

* * *

Kanontillverkningen gick på sparlåga på gjuteriet i Hälleforsnäs och beställningarna blev inte fler, snarare färre. Försvarsminister Per Albin Hansson hade efter världskriget dragit ner på anslagen till det militära, allt medan Gustaf V satt på slottet och gnisslade tänder. Per Albin, som var en analytiskt lagd man, resonerade som så att sett i backspegeln borde Sverige ha varit bättre rustat inför kriget än vad som varit fallet, men att det för den skull inte tjänade någonting till att rusta *nu*, tio år senare. Nu fanns ju Nationernas förbund, dessutom.

Konsekvenserna för det sörmländska gjuteriet blev att man dels styrde om verksamheten i fredligare riktning, dels att folk fick gå.

Dock inte Allan, för tändtekniker var en bristvara. Fabrikören hade knappt trott sina öron och ögon när Allan stod där en dag och visade sig vara expert på sprängmedel av alla slag. Fram till dess hade fabrikören fått lita helt till den tändtekniker han hade och det var sannerligen inte gott, för han var utlänning, pratade knappt svenska och svarthårig var han, överallt på kroppen dessutom. Det var oklart om han gick att lita på. Fast därvidlag hade ju fabrikören varit så illa tvungen.

Allan delade dock inte upp folk i kulörer, han hade alltid tyckt att professor Lundborgs prat varit lite konstigt. Däremot var han nyfiken på att få träffa sin första neger, eller negress, det kvittade lika. Han läste med längtan annonserna i tidningen om att Josephine Baker skulle uppträda i Stockholm, men fick nöja sig med Estebán, sin vita men mörka, spanska tändteknikerkollega.

Allan och Estebán kom bra överens. De bodde dessutom tillsammans i ett kyffe i arbetarlängan intill fabriken. Estebán berättade om sin dramatiska bakgrund. Han hade träffat en flicka på en tillställning i Madrid och i smyg inlett en någorlunda oskyldig relation med henne, utan att förstå att hon var dotter till självaste premiärministern Miguel Primo de Rivera. Och det var ingen man bråkade med. Han styrde landet som han ville, med kungen i hjälplöst släptåg. Premiärminister var en snäll omskrivning för diktator, menade Estebán. Men hans dotter var rasande grann!

Estebáns arbetarbakgrund hade inte på något sätt tilltalat den potentielle svärfadern. I sitt första och enda möte med Primo de Rivera fick Estebán därför veta att han hade två alternativ. Det ena var att försvinna så långt bort från spansk mark som det bara gick, och det andra var att där och då få ett skott i nacken.

Medan Primo de Rivera osäkrade sitt gevär svarade Estebán att han just hade bestämt sig för alternativ ett, och backade hastigt ut ur rummet, utan att blotta nacken för mannen med geväret och utan att kasta en blick åt det håll där den snyftande flickan stod.

Så långt bort som det bara gick, tänkte Estebán, och gav sig iväg norrut, och sedan ännu längre norrut och till sist så långt norrut att sjöarna frös till is om vintern. Då tyckte han att det kunde räcka. Och här hade han varit sedan dess. Jobbet på gjuteriet hade han fått tre år tidigare med hjälp av tolkning från en katolsk präst och, Gud må förlåta honom, en hopdiktad historia om att han hemma i Spanien sysslat med sprängämnen när han i själva verket mest hade plockat tomater.

Efterhand hade Estebán både lärt sig begriplig svenska och blivit en ganska duglig tändtekniker. Och nu, med Allan vid sin sida, utvecklades han till en riktig yrkesman.

* * *

Allan fann sig väl tillrätta i gjuteriets arbetarlänga. Efter ett år kunde han göra sig förstådd på den spanska som Estebán lärt honom. Efter två var spanskan närmast flytande. Men det tog tre år innan Estebán gav upp försöken att dyvla på Allan sin spanska variant av den internationella socialismen. Han hade försökt allt, men Allan var inte mottaglig. Estebán kunde inte begripa sig på just den delen av bäste vännens personlighet. Det var inte så att Allan intog en motsatt uppfattning avseende tingens ordning och svarade med hur det borde vara i stället, han hade helt enkelt ingen uppfattning alls. Eller om det kanske var just det som var Allans uppfattning? Estebán hade till sist inget annat val än att förlika sig med insikten om att han inte förstod.

Omvänt hade Allan ungefär samma sak att hantera. Estebán var en god kamrat. Att han förgiftats av den fördömda politiken kunde ingen hjälpa. I det var han ju sannerligen inte ensam.

Årstiderna bytte av varandra ett tag till innan Allans liv tog en ny vändning. Det började med att Estebán nåddes av beskedet att Primo de Rivera avgått och flytt landet. Nu vankades det demokrati på riktigt, kanske rent av socialism, och det ville Estebán inte missa.

Därför tänkte han ge sig av hemåt igen så snart som möjligt. Gjuteriet gick ju knackigare och knackigare eftersom señor Per Albin bestämt att det inte skulle bli några mer krig. Estebán trodde att de båda tändteknikerna ändå skulle få sparken när som helst. Vad hade vännen Allan för planer? Kunde han tänka sig att följa med?

Allan funderade. Å ena sidan var han inte intresserad av någon revolution, spansk eller av annat slag. En sådan skulle ju ändå bara leda till en ny revolution, i motsatt riktning. Å andra sidan låg ju Spanien i utlandet, precis som alla länder gjorde, Sverige undantaget, och efter att ha läst om utlandet i hela sitt liv vore det inte så dumt att få uppleva det på riktigt någon gång. På vägen kanske de rent av skulle springa på en neger eller två?

När Estebán lovade att de skulle möta minst en neger på vägen till Spanien, då kunde inte Allan annat än tacka ja. De båda vännerna övergick därför till att diskutera mer praktiska bestyr. I detta kom de strax fram till att fabrikören på gjuteriet var "en dum jävel" (det var just så de uttryckte saken) och inte förtjänade någon hänsyn. Därför blev beslutet att de skulle invänta veckans lönekuvert och därefter i tysthet avvika från ort och ställe.

Sålunda hände det sig att Allan och Estebán steg upp klockan 05.00 kommande söndagsmorgon för att medelst cykel med vagn ge sig av söderut, riktning Spanien. På vägen ville Estebán passa på att stanna till utanför fabrikörens bostad för att leverera en komplett uppsättning morgonbehov i den kanna med mjölk som tidigt varje morgon levererades till fabrikörsvillans grind. Detta i allt väsentligt för att Estebán i alla år hade fått stå ut med att kallas för "apan" av fabrikören och hans båda tonårssöner.

– Hämnd är inget bra, förkunnade dock Allan. Det är med hämnden som med politiken, det ena ger hela tiden det andra tills dåligt har blivit värre, och värre har blivit värst.

Men Estebán stod på sig. Bara för att man hade lite håriga armar och inte pratade fabrikörens språk så himla bra, så var man väl ingen apa?

Det höll ju Allan med om, och så kom vännerna överens om en rimlig kompromiss. Estebán fick *kissa* i kannan med mjölk, men inte bajsa i den.

Så gick det till när gjuteriet i Hälleforsnäs inte längre hade två tändtekniker anställda, utan ingen. Vittnen hade redan samma morgon skvallrat för fabrikören om att Allan och Estebán setts till cykel och vagn på väg mot Katrineholm eller kanske ännu längre söderut, så fabrikören var förberedd på kommande arbetsveckas omedelbara personalbrist där han på söndagsförmiddagen satt på verandan till sin fabrikörsvilla och eftertänksamt smuttade på det glas mjölk som Sigrid så vänligt serverat honom tillsammans med en mandelbiskvi. Fabrikörens humör grumlades än mer av det faktum att det tycktes vara något fel på biskvierna. De bar bestämt en smak av ammoniak.

Fabrikören bestämde sig för att vänta till efter gudstjänsten, men sedan skulle han ta Sigrid i örat. Tills vidare nöjde han sig med att beställa ett glas mjölk till, för att om möjligt få bort den dåliga smaken i munnen.

* * *

Sålunda kom det sig att Allan Karlsson hamnade i Spanien. Det tog tre månader genom Europa och på vägen fick han möta fler negrer än han någonsin kunnat drömma om. Men redan efter den första hade han tappat intresset. Det visade ju sig inte vara någon annan skillnad än just färgen på huden, förutom att de pratade konstiga språk allihop, men det gjorde ju vitingarna också, från Småland och söderut. Den där Lundborg måtte ha blivit skrämd av en neger som barn, trodde Allan.

Allan och vännen Estebán kom ner till ett land i kaos. Kungen hade flytt till Rom och ersatts av republik. Från vänster ropades det *revolución*, medan man inom högern förskräcktes av vad som skett i Stalins Ryssland. Skulle det bli samma här?

Estebán glömde för ett ögonblick att vännen var oföränderligt apolitisk och försökte dra med sig Allan åt revolutionshållet, och Allan stretade vanemässigt emot. Han kände igen tongångarna från hemmavid och kunde fortfarande inte begripa varför allting hela tiden måste bli rakt tvärtemot vad det var.

På det följde en misslyckad militärkupp från höger, följt av en generalstrejk från vänster. Sedan blev det allmänt val. Vänstern vann och högern tjurade, eller om det var tvärtom, Allan visste inte så noga. Till sist blev det i alla fall krig.

Allan befann sig i främmande land och hade just ingen bättre idé än att hålla sig ett halvt steg bakom vännen Estebán, som i sin tur tog värvning och omedelbart blev sergeant när det gick upp för plutonchefen att Estebán visste hur man fick saker och ting att flyga i luften.

Allans vän bar med stolthet sin uniform och såg fram emot att få göra sin första insats i kriget. Plutonen fick i uppdrag att spränga ett par broar i en dalgång i Aragonien, och Estebáns grupp tilldelades den första bron. Estebán blev så upprymd av förtroendet att han ställde sig upp på en sten, greppade sitt gevär i vänster hand, höjde det mot skyn och ropade:

– Död åt fascismen, död åt alla fascist...

Estebán hann inte riktigt med att avsluta meningen förrän han fick skallen och delar av ena axeln bortskjuten av det som möjligen var krigets allra första avfyrade fiendegranat. Allan befann sig ett tjugotal meter bort när det hände och slapp därför att bli nerkletat av de delar av kamraten som spred sig runt den sten Estebán oförståndigt nog ställt sig på. En av de meniga soldaterna i Estebáns grupp började gråta.

Allan själv besiktigade det som återstod av vännen och så bestämde han sig för att det inte var lönt att ta rätt på resterna.

– Du skulle ha stannat i Hälleforsnäs, sa Allan och kände plötsligt en innerlig längtan efter att få hugga ved utanför torpet i Yxhult.

* * *

Granaten som hade ihjäl Estebán var möjligen krigets första, men absolut inte den sista. Allan tänkte tanken att bege sig av hemåt igen, men kriget var plötsligt överallt. Dessutom var det en rysligt lång promenad hem till Sverige, och väl där fanns ju ändå inget som väntade på honom.

Därför sökte Allan upp Estebáns kompanibefäl, presenterade sig som kontinentens främste pyrotekniker och sa att han kunde tänka sig att spränga broar och andra infrastrukturella konstruktioner i luften åt kompanichefen, i utbyte mot tre mål mat om dagen och ett rus på vin när omständigheterna så tillät.

Kompanibefälet var på vippen att i stället låta skjuta Allan när denne envist vägrade sjunga socialismens och republikens lov och dessutom krävde att få uppträda i civila kläder. Eller som Allan uttryckte det:

– En sak till... Ska jag spränga broar åt dig så gör jag det i min egen kofta, annars kan du spränga dina broar själv.

Egentligen är inte den kompanichef född som låter sig hunsas av en civilist på det sättet. Problemet för just den här kompanichefen var att hans mest sprängämneskunnige soldat sedan en kort tid var utspridd i olika delar runt en sten på en höjd en bit bort.

Medan kompanibefälet satt i sin hopvikbara militärfåtölj och funderade på om Allans närmaste framtid skulle bestå av anställning eller arkebusering, tillät sig ett av plutonsbefälen att viska i chefens öra att den unge sergeant som så

79

olyckligt just skjutits i bitar tidigare hade presenterat den här märklige svensken som en *mästare* inom sprängämneskonsten.

Det fick avgöra saken. Señor Karlsson fick a) behålla livet, b) tre mål mat om dagen, c) rätt att bära civila kläder, och d) rätt att precis som alla andra smaka på vinet då och då, i lagom mängd. I gengäld skulle han spränga exakt det som befälen runt omkring honom begärde. Dessutom avsattes två meniga soldater att hålla ett extra öga på svensken, för det gick fortfarande inte att utesluta att han var spion.

Så gick månaderna och blev till år. Allan sprängde det som skulle sprängas, och han gjorde det med stor skicklighet. Det var på intet sätt något ofarligt jobb. Det gällde ofta att krypa och smyga sig fram till det aktuella objektet, aptera en tidsinställd laddning och därefter kryssa sig tillbaka till säker mark. Efter tre månader strök den ene av Allans båda vaktande soldater med (han kröp av misstag rakt in i ett fiendeläger). Efter ytterligare ett halvår rök den andre (han ställde sig upp för att sträcka på ryggen och fick genast densamma avskjuten på mitten). Kompanibefälet brydde sig inte om att ersätta dem med andra vakter, därtill hade señor Karlsson skött sig alltför väl.

Allan såg inte nyttan med att ha ihjäl en massa folk i onödan, så han ombesörjde för det mesta att aktuell bro var tom när det skulle smälla. Som till exempel den allra sista bro Allan apterade innan kriget tog slut. Men när han just denna gång var färdig och hade krupit tillbaka till ett buskage bortom ena brofästet kom en fiendepatrull spatserande, med en medaljprydd liten herre i mitten. De kom från andra sidan och tycktes inte ha en aning om att republikanerna fanns i närheten, än mindre att de just var på väg att göra Estebán och tiotusentals andra spanjorer sällskap in i evigheten.

Men då tyckte Allan att det kunde vara nog. Så han reste sig upp ur sin buske och började flaxa med armarna.

– Ge er iväg därifrån! hojtade han till den lille medaljprydde och hans sällskap. Försvinn, innan ni flyger i luften!

Den lille medaljprydde ryggade tillbaka, men hans sällskap slöt upp runt omkring honom. Så drog de honom över bron och stannade inte förrän de var framme vid Allans buske. Åtta gevär riktades mot svensken och minst ett av dem hade nog fyrats av om det inte vore för att bron plötsligt for i luften bakom dem allihop. Tryckvågen knuffade ner den lille medaljprydde i Allans buske. I tumultet var det ingen av den medaljpryddes närmaste som vågade skicka iväg en kula mot Allan, den kunde ju träffa fel. Dessutom tycktes han ju faktiskt vara civilist. Och när röken skingrats var det inte längre tal om att Allan skulle tas av daga. Den lille medaljprydde tog Allan i hand och förklarade att en riktig general visste hur man visade uppskattning och att det nu var bäst att gruppen tog sig tillbaka till andra sidan igen, med eller utan bro. Om hans räddare ville följa med så var han mer än välkommen, för väl där skulle generalen i så fall bjuda på middag.

– Paella Andaluz, sa generalen. Min kock är söderifrån. ¿Comprende?

Jodå, Allan förstod. Han förstod att han nog hade räddat livet på självaste generalísimo, han förstod att det nog var till hans fördel att han nu stod där i sin skitiga kofta i stället för i fiendeuniform, han förstod att vännerna på höjden några hundra meter bort följde händelseförloppet genom kikare och han förstod att det för den egna hälsans skull vore bäst att byta sida i det krig han ändå inte förstått vad det gick ut på.

Dessutom var han hungrig.

– Sí, por favor, mí general, sa Allan. Paella skulle sitta fint. Kanske rent av med ett glas rödvin eller två?

* * *

En gång tio år tidigare hade Allan sökt jobb som tändtekniker på gjuteriet i Hälleforsnäs. Den gången hade han valt att från sin meritförteckning stryka saker som att han suttit inne på dårhus i fyra år och att han därefter sprängt sitt eget hus i luften. Kanske var det just därför som anställningsintervjun gått så bra.

Allan tänkte tillbaka på det medan han språkade med general Franco. Å ena sidan ska man ju inte ljuga. Å andra sidan kunde det aldrig vara nyttigt avslöja för generalen att det var Allan själv som apterat laddningen under den där bron och att han i tre års tid haft civil anställning i den republikanska armén. Inte så att Allan var rädd för att berätta, men i just det här fallet stod en middag och ett rus på spel. När det vankas mat och brännvin kan sanningen tillfälligt läggas åt sidan, bestämde Allan och så ljög han generalen full.

Sålunda hade Allan hamnat i den där busken medan han var på flykt undan republikanerna, han hade själv sett hur laddningen apterats och det var ju lyckligt för annars hade han ju inte kunnat varna generalen.

Anledningen till att Allan ens hamnat i Spanien och kriget var att han lockats dit av en vän, en man med nära relation till framlidne Primo di Rivera. Men sedan vännen dött av en fiendegranat hade Allan fått kämpa ensam för att hålla sig vid liv. Han hade hamnat i republikanernas klor, men lyckades till sist slita sig.

Och så bytte Allan raskt ämne, berättade i stället att hans far varit en av ryske tsar Nikolajs närmaste män och att fadern dött martyrdöden i en hopplös strid mot bolsjevikledaren Lenin.

Middagen serverades i generalstabens tält. Ju mer av det röda vinet Allan fick i sig, desto mer målande blev beskrivningarna av faderns hjältemod. General Franco kunde inte känna sig mer tagen. Först blir han räddad till livet, sedan visar det sig att räddaren är näst intill släkt med tsar Nikolaj II.

Maten smakade utsökt, något annat tordes ju inte den andalusiske kocken. Och vinet flödade i en oändlig rad av skålar för Allan, för Allans far, för tsar Nikolaj och för tsarens familj. Så kom det sig att generalen till sist somnade mitt under det att han gav Allan en stor kram för att försegla att de just lagt bort titlarna med varandra.

När herrarna vaknade igen var kriget slut. General Franco tog hand om styret av det nya Spanien och erbjöd Allan tjänst som chef för den inre livvakten. Allan tackade för erbjudandet, men svarade att det nog var dags att bege sig hemåt, om Fransisco ursäktade. Det gjorde Fransisco och skrev ut ett brev där han gav Allan *generalísimos* oreserverade skydd ("visa upp det här när du behöver hjälp") och så gav han Allan furstlig eskort ända till Lissabon varifrån generalen trodde att det nog gick båtar norrut.

Från Lissabon gick det båtar åt alla möjliga håll, visade det sig. Allan stod på kajen och funderade en stund. Sedan viftade han med brevet från generalen framför ögonen på kaptenen till ett spanskflaggat skepp, och strax hade han fått gratis lift. Att han skulle arbeta för uppehället kom inte på fråga.

Båten gick visserligen inte till Sverige, men på kajen hade Allan ändå frågat sig vad han skulle där att göra, och han hade inte kommit på något bra svar.

KAPITEL 8

Tisdag 3 maj – onsdag 4 maj 2005

EFTER EFTERMIDDAGENS presskonferens slog sig Hinken ner med en öl för att tänka. Men hur han än tänkte fick han inte ihop det. Skulle Bulten ha börjat kidnappa hundraåringar? Eller hade det ena inte med det andra att göra? Av tänkandet fick Hinken ont i huvudet, så han slutade med den saken, ringde i stället Chefen och rapporterade att han just ingenting hade att rapportera. Ordern han då fick var att stanna kvar i Malmköping och avvakta vidare order.

Samtalet tog slut och Hinken var på nytt ensam med sin pilsner. Situationen började bli för jobbig, han tyckte inte om att inte förstå, han fick ont i huvudet igen. Så han flydde i tankarna till svunna tider; han satt och mindes ungdomsåren där hemma.

Hinken hade börjat sin brottsliga karriär i Braås bara ett par mil från där Allan och hans nyfunna vänner nu råkade befinna sig. Där hade han slagit sig ihop med några likasinnade och bildat mc-klubben *The Violence*. Hinken var ledaren; det var han som bestämde vilken kiosk som stod på tur för inbrott och stöld av cigarretter. Det var också han som hade bestämt namnet The Violence – våldet. Och det var han som olyckligtvis gav sin egen flickvän i uppdrag att sy upp mc-klubbens namn på tio nystulna läderjackor. Flickvännen hette Isabella och hade aldrig riktigt lärt sig att stava i skolan, inte på svenska och absolut inte på engelska.

Därför bar det sig inte bättre än att Isabella sydde dit *The Violins* på jackorna i stället. Eftersom övriga klubbmedlemmar alla hade rönt likartade framgångar i skolan utan att någon utomstående auktoritet direkt brytt sig, så var det ingen i gruppen som märkte fadäsen.

Därför blev alla lika förvånade när det en dag kom ett brev till The Violins i Braås, från ansvariga på konserthuset i Växjö. I brevet undrade man om klubben möjligen ägnade sig åt klassisk musik och om man i så fall ville visa upp sig i samband med en konsert med stadens stolta kammarorkester Musica Vitae.

Hinken kände sig provocerad, tänkte att någon drev med honom, hoppade över en cigarrettkiosk en natt och for i stället in till Växjö för att kasta gatsten genom entrén till konserthuset. Detta i avsikt att lära ansvariga där att veta hut.

Allt gick som planerat, förutom att Hinkens skinnhandske råkade följa med i kastet och landade tillsammans med stenen inne i konserthusets foajé. Eftersom larmet gick i samma ögonblick var det inte tillrådligt att hämta tillbaka ägodelen ifråga.

Att bli av med ena handsken var illa. Resan företogs ju till motorcykel och Hinken frös om handen hela vägen hem till Braås den natten. Värre var att Hinkens olycksaliga flickvän skrivit in Hinkens namn och adress i handsken, ifall den skulle förkomma. Därför dröjde det inte längre än till kommande förmiddag innan polisen plockat in Hinken på förhör.

I förhöret förklarade sig Hinken med att han blivit provocerad av konserthusledningen. På så sätt hamnade historien med The Violence som blev The Violins i Smålandsposten, och Hinken blev till åtlöje i hela Braås. I vredesmod valde han strax därefter att elda upp nästa kiosk i stället för att nöja sig med att bryta upp dörren. Detta ledde i sin tur till att den turkbulgariske kioskägaren, som lagt sig att sova i det egna kiosklagret som vakt mot tjuvar, med nöd och näppe undkom med livet i behåll. Hinken tappade sin andra handske vid brottsplatsen (lika prydligt adresserad som den första), och en tid senare var han på väg till anstalt för första gången. Det var där han träffade Chefen, och när straffet var avtjänat fann Hinken det för gott att lämna Braås och flickvän bakom sig. Båda två tycktes ändå bara föra otur med sig.

Men The Violence levde kvar, och de felstavade läderjackorna behöll man. Däremot hade klubben på senare tid bytt verksamhetsområde. Nu ägnade man sig i stället åt bilstölder och åt att vrida tillbaka mätarställningar. Inte minst det sistnämnda kunde vara lukrativt. Eller som den nye ledaren, Hinkens lillebror, brukade säga: "Inget snyggar till en bil mer än om den plötsligt har gått hälften så långt."

Hinken behöll sporadisk kontakt med brodern och sitt tidigare liv, men hade ingen längtan tillbaka.

– Nä fy fan, sammanfattade Hinken minnet av sin egen historia.

Det var jobbigt att tänka nytt och lika jobbigt att minnas det gamla. Bättre då att ta en tredje öl och att sedan, i enlighet med Chefens order, checka in på hotellet.

* * *

Det var nästan helt mörkt när kommissarie Aronsson med hundförare och polishunden Kicki kom fram till Åkers Styckebruk, efter den långa promenaden längs järnvägsspåret från Vidkärr.

Hunden hade inte reagerat på någonting under sträckan. Aronsson undrade om hon begrep att det pågick arbete, inte någon kvällspromenad. Men när trion väl var framme vid den övergivna dressinen ställde sig hunden i givakt, eller vad det nu kunde kallas. Och så lyfte hon på ena tassen och började skälla. I Aronsson tändes ett hopp.

– Betyder det där något? frågade han.

– Jo, det kan man lugnt säga, svarade hundföraren.

Och så förklarade han att Kicki hade olika sätt att markera beroende på vad det var hon ville förmedla.

– Men så berätta då vad hunden vill med det där! sa den alltmer otålige kommissarie Aronsson och pekade på hunden som fortfarande stod på tre ben och skällde.

– Det där, svarade hundföraren, betyder att en död kropp har funnits på dressinen.

– En död kropp? Ett lik?

– Ett lik.

Kommissarie Aronsson såg för ett ögonblick framför sig hur Never Again-medlemmen slog ihjäl stackars hundraårige Allan Karlsson. Men så smälte den nya informationen in tillsammans med den som redan fanns lagrad.

– Det måste ju vara precis tvärtom, mumlade han och kände sig märkligt lättad.

* * *

Den sköna serverade pannbiff med potatis och lingon och till det öl och Gammeldansk. Gästerna var hungriga, men först måste de få veta vad det var för djur de hade hört ifrån ladan.

– Det var Sonja, sa Den sköna. Min elefant.

– Elefant? sa Julius.

– Elefant? sa Allan.

– Jag tyckte väl jag kände igen ljudet, sa Benny.

Den före detta gatuköksföreståndaren drabbades av kärlek vid första ögonkastet. Och nu, vid *andra* ögonkastet, hade ingenting förändrats i den saken. Den konstant svärande rödhåriga kvinnan med yppig barm var ju som tagen ur en Paasilinnaroman! Finnen hade visserligen aldrig skrivit om någon elefant, men det trodde Benny bara var en tidsfråga.

Elefanten hade tidigt en augustimorgon året innan stått i Den skönas trädgård och pallat äpplen. Om den kunnat tala kanske den skulle ha berättat att den kvällen innan avvikit från en cirkus i Växjö för att söka sig något att dricka, eftersom elefantens skötare gjort detsamma på stan i stället för att sköta sitt jobb.

I skymningen hade den kommit fram till Helgasjön och bestämt sig för lite mer än att bara släcka törsten. Ett svalkande bad skulle sitta fint, tänkte väl elefanten och vadade ut i det grunda vattnet.

Helt plötsligt var det dock inte lika grunt längre, och elefanten fick ta till sin medfödda förmåga att simma. Elefanter i allmänhet är inte lika logiskt tänkande som människor, och den här elefanten visade prov på det då den valde att simma två och en halv kilometer till andra sidan viken för att komma på fast mark igen, i stället för att vända om för en motsvarande tur på fyra meter.

Denna elefantlogik fick i sin tur två konsekvenser. Den ena var att elefanten strax kom att dödförklaras av cirkusfolk och polis som sent omsider kom att följa i elefantens spår hela vägen till Helgasjön och ut i den femton meter djupa viken. Den andra var att den i högsta grad levande elefanten i skydd av mörkret lyckades irra sig hela vägen till Den skönas äppelträd, utan att en enda människa lagt märke till det.

Det ovanstående kände förstås inte Den sköna till, men hon kunde i efterhand ana det mesta när hon i lokaltidningen läste om en försvunnen och dödförklarad elefant. Den sköna tänkte att det nog trots allt inte fanns så många fler elefanter på vift i det aktuella området och vid den aktuella tidpunkten, så den döda elefanten och den i högsta grad levande diton i hennes vård var rimligen samma exemplar.

Den sköna började med att ge elefanten ett namn. Det fick bli Sonja, efter idolen Sonya Hedenbratt. På det följde några dagars medling mellan Sonja och schäferhunden Buster, innan de båda kunde fördra varandra.

Sedan följde en vinter med ett evigt letande efter mat till stackars Sonja som åt likt den elefant hon var. Passande nog hade Den skönas gamle far just lagt näsan i vädret och lämnat en miljon kronor i arv till sin enda dotter (han hade vid pensionen tjugo år tidigare sålt sin framgångsrika borstbindarfirma och därefter förvaltat pengarna väl). Därför slutade Den sköna sitt receptionistjobb på vårdcentralen i Rottne, för att på heltid bli mamma åt hund och elefant.

Så blev det vår igen, Sonja kunde på nytt livnära sig på gräs och löv, och så kom då den där Mercedesen inkörande på gården, det första besöket sedan nu saligt insomnade pappa hälsat på sin dotter en sista gång två år tidigare. Den sköna berättade att hon inte hade för vana att bråka för mycket med ödet, så det föll henne aldrig in att försöka hålla Sonja hemlig för de främmande besökarna.

Allan och Julius satt tysta och lät Den skönas berättelse sjunka in, men Benny sa:

– Men vad var det med Sonjas bröl? Jag tror bestämt hon har ont någonstans?

Den sköna spärrade upp ögonen i förvåning:

– *Hur i helvete* kunde du höra det?

Benny svarade inte med en gång. I stället tog han en första tugga av maten för att ge sig själv betänketid. Sedan sa han:

– Jag är nästan veterinär. Vill ni ha den långa eller korta versionen?

Alla var överens om att den långa versionen var att föredra, men Den sköna insisterade på att hon och Benny före allt annat skulle bege sig till ladan där nästan-veterinären Benny skulle få ta sig en titt på Sonjas onda vänster framfot.

Kvar vid middagsbordet blev Allan och Julius som båda undrade hur det kunde komma sig att en veterinär med hästsvans hamnat som misslyckad gatuköksägare i den sörmländska obygden. Veterinär med hästsvans, förresten, vad var det för ordning? Tiden var verkligen ur led. Annat var det på Gunnar Strängs tid, då syntes det på håll vem som hade vilket yrke.

– Finansminister med hästsvans, skrockade Julius. Det vore något det...

Benny undersökte stackars Sonja med fast hand, han hade varit med om sådant där förr under praktiken på Kolmårdens djurpark. Under den andra tånageln hade en avbruten kvist fastnat och gjort delar av foten inflammerad. Den sköna hade försökt få bort kvisten men inte haft kraft nog. Det tog inte Benny mer än ett par minuter att lyckas med samma sak, med hjälp av lugnt prat med Sonja och en polygriptång. Men foten var inflammerad.

– Vi behöver antibiotika, sa Benny. Ett kilo, eller så.

– Om du vet vad det är vi behöver, så vet jag hur vi får tag i det, sa Den sköna.

Men införskaffandet av medicin krävde en *nattlig* tur in till Rottne och i väntan på att tiden skulle ha sin gång återanslöt Benny och Den sköna till middagen.

Alla åt med stor aptit och sköljde ner med ölen och Gammeldansken, utom Benny som drack juice. Efter den sista tuggan blev det förflyttning till vardagsrummet och fåtöljerna vid brasan, där Benny uppdrogs att utveckla det där med att han *nästan* var veterinär.

Det hade börjat med att Benny och hans ett år äldre bror Bosse, båda uppväxta i Enskede alldeles söder om Stockholm, tillbringat en rad somrar hos farbror Frank i Dalarna. Farbrodern, som aldrig kallades annat än Frasse, var en framgångsrik entreprenör, ägde och drev en rad olika lokala firmor. Farbror Frasse sålde allt från husvagnar till grus och det mesta där emellan. Förutom att sova och äta var *arbete* det Frasse ägnade sitt liv åt. Han hade några misslyckade förhållanden bakom sig, men allt kvinnfolk tröttnade strax på farbror Frasse som ju bara jobbade, åt och sov (och på söndagarna tog sig en dusch).

Under ett antal somrar på sextiotalet hade i alla fall Benny och Bosse skickats dit av sin far, farbror Frasses äldre bror, åberopande att barnen behövde frisk luft. Det blev måhända si och så med den saken, för Benny och Bosse utbildades strax till att sköta den stora stenkrossen på farbror Frasses grustag. Pojkarna trivdes, trots att arbetet var hårt och att de under två månader i sträck fick andas damm snarare än luft. På kvällarna serverade farbror Frasse middag med moral-kakor, där farbror Frasses främsta käpphäst var:

– *Se till att skaffa er en riktig utbildning, pojkar, annars slutar ni som jag.*

Nu tyckte ju inte vare sig Benny eller Bosse att det vore så himla illa att sluta som farbror Frasse, åtminstone inte innan han av misstag hade ihjäl sig själv i den där stenkrossen, men farbror Frasse hade alltid plågats av sin egen begränsade skolgång. Han kunde knappt skriva svenska, han var dålig på att räkna, han begrep inte ett ord engelska och han kunde med nöd berätta att Norges huvudstad nog hette Oslo om någon skulle få för sig att fråga. Det enda farbror Frasse begrep sig på var – affärer. Och på det blev han rik som ett troll.

Exakt hur välbärgad farbror Frasse var vid sitt eget från-fälle gick inte att säga. Det skedde hur som helst när Bosse var nitton år och Benny strax skulle fylla arton. En dag hör-de en advokat av sig till Bosse och Benny, och meddelade att de båda var nämnda i farbror Frasses testamente, men att saken var komplicerad och nog tarvade ett möte.

Så kom det sig att Bosse och Benny träffade advokaten på advokatens kontor och där fick veta att en för dem okänd men *betydande* summa pengar väntade på bröderna den dag båda fullföljt en eftergymnasial utbildning.

Inte nog med det, bröderna skulle genom advokatens för-sorg få en rejäl och indexreglerad månadspeng under själva studietiden, men studierna fick inte avbrytas för då skulle månadspengen dras in, precis som den drogs in för den av bröderna som tagit någon form av examen och sålunda bor-de kunna försörja sig själv. Nå, det stod mer i det där testa-mentet, en del mer eller mindre krångliga detaljer, men i allt väsentligt gick det hela ut på att bröderna skulle bli rika när båda två studerat klart.

Bosse och Benny anmälde sig genast till en sjuveckorskurs i svetsning och fick bekräftelse av advokaten att det enligt testamentet nog skulle duga, "även om jag anar att er farbror Frank kanske hade något mer avancerat i åtanke".

Fast halvvägs in i kursen hände två saker. Den ena var att Benny en gång för alla tröttnade på att vara storebrors hack-kyckling. I alla år hade det varit på samma sätt, men nu var det dags att tala om för brorsan att de båda var på väg att bli vuxna och att Bosse fick ta och skaffa sig någon annan att hunsa.

Den andra saken som hände var att Benny kom på att han inte alls ville bli svetsare och att hans talang för saken var så obetydlig att han inte ens tänkte fullfölja kursen.

På detta bråkade bröderna med varandra ett tag, innan Benny lyckades tjata sig in på en kurs i botanik i stället, på Stockholms universitet. Enligt advokaten kunde testamentet inte tolkas på annat sätt än att byte av studieinriktning var helt i sin ordning, så länge det inte förekom uppehåll.

Sålunda var Bosse strax färdig med sin svetsutbildning, men fick likväl inte ett öre av farbror Frasses pengar efter-som brodern Benny alltjämt studerade. Dessutom drog ju advokaten genast in Bosses månadspeng, i enlighet med tes-tamentet.

Bröderna blev på detta förstås ovänner på riktigt. När så Bosse i fyllan och villan en natt slog och sparkade sönder Bennys nya fina 125-kubikare (inhandlad för pengar ur det generöst tilltagna studiebidraget), då var det slut på all bro-derskärlek, slut på alla hänsyn.

Bosse började göra affärer i farbror Frasses anda, måhän-da utan det mesta av farbroderns talang. Efter en tid flyttade han till Västergötland i stället, dels för att ge affärerna en nystart, dels för att slippa riskera att springa på sin förban-nade bror. Detta skedde medan Benny stannade kvar i studie-världen, år efter år. Månadspengen var ju som sagt god och genom att hoppa av varje utbildning strax före examen och i stället ta sig an något nytt kunde Benny leva gott, samtidigt som översittaren och drummeln till bror fick fortsätta att vänta på sina pengar.

Och så där höll Benny på i trettio år, innan den djupt åldrade advokaten en dag hörde av sig och meddelade att arvepengarna nu var slut, att det inte skulle bli fler månadsutbetalningar samt förstås att några pengar i övrigt inte fanns att tillgå. Bröderna kunde kort och gott glömma arvet, meddelade advokaten som nu var nittio fyllda och kanske hållit sig vid liv mest för det där testamentets skull, för bara ett par veckor senare dog han i sin tv-fåtölj.

Detta hände sig bara några månader tidigare, Benny hade plötsligt blivit tvungen att skaffa sig ett jobb. Men tji fick då en av Sveriges mest utbildade personer, för arbetsmarknaden efterfrågade inte rekord i antal studieår, utan *uppvisade studieresultat*. Benny hade åtminstone tio nästan avslutade högre examina, likväl hade han till slut fått investera i ett gatukök för att få något att göra. Benny och Bosse hade förresten varit i kontakt med varandra i samband med advokatens besked om att arvet nu var uppstuderat. Tongångarna var då från Bosses sida sådana att Benny inte hade några omedelbara planer på att åka och hälsa på.

Så långt i Bennys berättelse hade Julius börjat bli orolig över alltför närgångna följdfrågor från Den sköna, som till exempel hur Benny hamnade tillsammans med Julius och Allan. Men Den sköna var med ölens och Gammeldanskens hjälp inte noga med detaljerna. I stället var det snubblande nära, insåg hon, att hon satt där och kärade ner sig, gamla mänskan.

– Vad har du hunnit med att *nästan* bli, förutom veterinär? undrade hon med glittrande ögon.

Benny förstod precis som Julius att den senaste dagens utveckling inte borde förklaras i för mycket detaljer, så han var tacksam över inriktningen på Den skönas fråga. Men han kunde inte komma ihåg allt, sa han, man hinner ju ändå

med en del om man sitter i tre decennier i sträck i en skol-
bänk, förutsatt att man då och då gör sin läxa. Benny visste i
alla fall att han nästan var veterinär, nästan doktor i allmän-
medicin, nästan arkitekt, nästan ingenjör, nästan botaniker,
nästan språklärare, nästan idrottspedagog, nästan historiker
och nästan en handfull saker till. Och detta kryddat med att
han nästan klarat av ett antal kortare kurser av skiftande
kvalitet och betydelse. Han hade nog nästan dessutom kunnat
definieras som plugghäst för det hade blivit en del dubbla
kurser under en och samma termin.

Så kom Benny på något han också nästan var, som han
dessutom nästan glömt. Och så ställde han sig upp, i riktning
mot Den sköna, och deklamerade:

Ur mitt fattiga, mörka liv,
ur min ensamhets långsamma natt
höjer jag sången om dig, mitt viv,
min förstligt glimmande skatt.

Det blev alldeles tyst, förutom att Den sköna mumlade en
ohörbar svordom medan hon rodnade om kinderna.

– Erik Axel Karlfeldt, förtydligade Benny. Med hans ord
vill jag passa på att tacka för mat och värme. Jag sa visst
aldrig att jag nästan är litteraturvetare också?

Sedan gick möjligen Benny ett steg för långt när han bjöd
upp Den sköna på dans framför brasan, för det tackade hon
raskt nej till med kommentaren att det fick vara *nån jävla
måtta* på stolligheterna. Men Julius noterade att Den sköna
var smickrad. Hon drog upp dragkedjan på träningsoveralls-
jackan och sträckte på den i sömmarna för att vara till sin
fördel inför Benny.

Därefter tackade Allan för sig medan de övriga tre gick
över på kaffet, med en konjak för den som ville. Julius sa
glatt ja till hela paketet medan Benny nöjde sig med hälften.

Julius överöste Den sköna med frågor om torpets och hennes egen historia, dels för att han var nyfiken, dels för att han till varje pris ville undvika att komma in på vilka de själva var, vart de var på väg och varför. Allt det slapp han för Den sköna hade kommit upp i varv och pratade på om sin uppväxt, om mannen hon gift sig med som artonåring och sparkat ut tio år senare (den delen av historien innehöll extra många svordomar), om att det aldrig blev några barn, om Sjötorp som varit föräldrarnas sommarställe innan modern gick bort sju år tidigare och fadern låtit Den sköna ta över det hela permanent, om det innerligt oinspirerande jobbet som receptionist på vårdcentralen i Rottne, om arvepengarna som började tryta och om att det väl snart var dags att bryta upp och hitta på något annat.

– Jag är ju redan fyrtiotre, sa Den sköna. Det är *för fan* halvvägs till graven.

– Det ska du inte vara för säker på, sa Julius.

* * *

Hundföraren gav Kicki nya instruktioner och hon började nosa sig iväg bort från dressinen. Kommissarie Aronsson hoppades att liket ifråga skulle dyka upp där någonstans, men redan efter trettio meter in på bruksområdet satte Kicki igång med att gå i cirklar, verkade leta omkring på måfå, innan hon tittade vädjande på sin hundförare.

– Kicki ber om ursäkt, men hon kan inte säga vart liket har tagit vägen, översatte hundföraren.

Med den informationen var hundföraren inte riktigt så exakt som han kanske borde. Kommissarie Aronsson tolkade svaret som att Kicki tappat bort liket redan vid dressinen. Men om Kicki kunnat tala skulle hon ha sagt att kroppen definitivt forslades ett antal meter in på bruksområdet innan den försvann. Av det hade möjligen kommissarie Aronsson satt igång att utreda vilka transporter som avgått från bruket under de senaste timmarna. Svaret hade i så fall blivit en enda: en långtradare med släp på väg till Göteborg, för omlastning i hamnen. Om inte om hade varit, kunde larm ha gått ut till de lokala polisdistrikten längs E20, och långtradaren kunde ha vinkats in till kanten någonstans utanför Trollhättan. Nu försvann i stället liket ur landet.

Knappt tre veckor senare satt en ung, egyptisk lastvakt och plågades av stanken från lastrummet på den pråm som just lämnat Suezkanalen bakom sig.

Till slut stod han inte ut längre. Han fuktade en trasa och knöt den runt mun och näsa. I en av trälårarna hittade han förklaringen. Där låg ett halvt förruttnat lik.

Den egyptiske sjömannen funderade en stund. Att låta liket ligga och förstöra resten av resan lockade inte. Dessutom skulle han i så fall säkert tvingas till långa polisförhör i Djibouti, och det visste ju alla hur polisen i Djibouti brukade bete sig.

Att flytta på kadavret var heller ingen glad tanke, men till slut hade han i alla fall bestämt sig. Först tömde han likets fickor på allt av värde, något skulle han ju ha för besväret, och sedan baxade han kroppen överbord.

Så kom det sig att det som en gång varit en spensligt byggd yngling med långt, blont och flottigt hår, spretigt skägg och jeansjacka med texten *Never Again* på ryggen, med ett plask förvandlades till fiskmat i Röda havet.

* * *

Sällskapet på Sjötorp skingrades strax före midnatt. Julius gick upp på andra våningen för att sova, medan Benny och Den sköna satte sig i Mercedesen för ett besök efter stängningsdags på vårdcentralen i Rottne. Halvvägs dit upptäckte de Allan under en filt i baksätet. Allan vaknade och förklarade att han först gått ut för en nypa frisk luft och att han där kommit på att göra bilen till sovplats för trapporna upp till andra våningen i huset hade känts lite för mycket för de skraltiga knäna, dagen hade varit lång.

– Man är ju inte nittio längre, sa han.

Duon hade blivit en trio till nattens övning, men det gjorde förstås inget. Den sköna redogjorde mer i detalj för sin plan. De skulle ta sig in på vårdcentralen med hjälp av den nyckel Den sköna glömt att återlämna när hon sagt upp sig. Väl där skulle de logga in på doktor Erlandssons dator och i Erlandssons namn skicka recept på antibiotika, utskrivet på Den sköna. För en sådan sak krävdes förstås Erlandssons inloggningsuppgifter, men det var inga problem med den saken meddelade Den sköna, för doktor Erlandsson var inte bara uppblåst, han var också *en jävla idiot*. När det nya datoriserade systemet installerades ett par år tidigare var det Den sköna som fick lära doktorn hur man skrev ut elektroniska recept, och det var hon som valde användarnamn och lösenord.

Mercedesen kom fram till den tänkta brottsplatsen. Benny, Allan och Den sköna klev ur och analyserade omgivningarna före själva tillslaget. Typiskt nog passerade en bil långsamt där de stod, chauffören tittade lika förvånat på trion som trion tittade tillbaka. Redan en enda levande varelse vaken i Rottne efter midnatt var en sensation. Den här natten var de fyra.

Men bilen försvann och mörkret och tystnaden lägrade sig på nytt. Den sköna ledde Benny och Allan in genom vårdcentralens personaldörr på baksidan, och vidare in i doktor Erlandssons rum. Där startade hon doktor Erlandssons dator och loggade in.

Allt gick enligt plan och Den sköna fnissade glatt innan hon plötsligt och utan uppehåll emellan övergick i en längre svordomsramsa. Hon hade just kommit på att det inte utan vidare gick att skicka recept på "ett kilo antibiotika".

– Skriv erytromycin, rifamin, gentamicin och rifampin,

tvåhundrafemtio gram på varje, sa Benny. Då attackerar vi inflammationen från två olika håll.

Den sköna tittade beundrande på Benny. Sedan bjöd hon honom att slå sig ner och själv skriva in det där vad han nu hade sagt. Benny gjorde som han blivit ombedd och lade till en rad förstaförbandmediciner, bra att ha om det skulle gå som så att haspen framöver inte alltid var på.

Att bryta sig ut från vårdcentralen var sedan lika lätt som att bryta sig in. Och hemresan gick utan några incidenter. Benny och Den sköna hjälpte Allan upp på andra våningen och när klockan närmade sig halv två på natten släcktes den sista lampan på Sjötorp.

Så dags var det inte många vakna. Men i Braås, ett par mil från Sjötorp, låg en ung man och skruvade på sig, röksugen som han var. Det var Hinkens lillebror, den nye ledaren för The Violence. Tre timmar tidigare hade han klämt sin sista cigarrett och strax förstås upplevt ett oändligt behov av ytterligare en. Lillebrodern förbannade sig själv för att han glömt köpa röka innan hela samhället slog igen för kvällen, vilket som alltid skedde väldigt tidigt.

Först hade han tänkt stå ut till nästa morgon, men framåt tolvsnåret hade det inte gått längre. Det var då idén föddes hos Hinkens bror om att återuppliva den gamla goda tiden, att helt enkelt kofota sig in i en kiosk. Dock inte i Braås, där hade han sitt rykte att tänka på. Dessutom skulle han bli misstänkt för brottet strax innan det ens hunnit upptäckas.

Det bästa vore förstås att söka sig en bra bit bort, men därtill var röksuget för stort. Kompromissen fick bli Rottne, en kvart därifrån. Motorcykel och klubbjacka lämnade han hemma. I neutral klädsel gled han sakta in i samhället i sin gamla Volvo 240, en bit efter midnatt. I höjd med vårdcentralen fick han till sin förvåning syn på tre människor på trottoaren. De bara stod där: en kvinna i rött hår, en man i hästsvans och strax bakom dem en ruskigt gammal gubbe.

Och så gick de in för att möta sitt öde.

* * *

Den sköna hade börjat dagen med att mata Sonja med nysla-
get gräs och sedan klä upp sig. Motvilligt hade hon erkänt
för sig själv att hon ville vara vacker inför den där Benny.
Därför var den röda träningsoverallen utbytt mot en ljusgul
klänning och det burriga håret hade hon tyglat i två flätor.
Dessutom hade hon sminkat sig en smula och kryddat
anrättningen med lite luktagott innan hon satte sig i sin röda
VW Passat för att åka till Rottne för proviantering.

Buster satt som alltid på sin plats i passagerarsätet och
han gläfste till när bilen svängde upp framför Ica-butiken i
Rottne. I efterhand hade Den sköna undrat om gläfsandet
kom sig av att Buster fått syn på Expressens löpsedel som
lyste utanför entrén. På löpet fanns två bilder – en längst ner
på gubben Julius och en högst upp på gammelgubben Allan.
Texten löd:

Polisen misstänker:
100-ÅRING
KIDNAPPAD
av kriminell
LIGA
Jakt i dag på känd
STOR-
TJUV

Den sköna blev alldeles röd i ansiktet, tankarna for åt alla
håll. Hon blev rasande arg och lade genast ner alla planer på
proviantering, för de tre filurerna skulle ut ur huset före
lunch! Däremot gick Den sköna först in på apoteket och lös-
te ut den medicin Benny knappat in natten innan, och sedan

köpte hon sig ett exemplar av Expressen för att få veta mer i detalj hur det stod till med saker och ting.

Ju mer Den sköna läste, desto argare blev hon. Men samtidigt fick hon inte riktigt ihop det. Var det Benny som var Never Again? Var Julius en stortjuv? Och vem hade kidnappat vem? De verkade ju komma så bra överens allihop?

Till slut vann ändå ilskan över nyfikenheten. För hur det än var så var hon lurad. Och Gunilla Björklund lurade man inte ostraffat! *"Min sköna!"* Bah!

Hon satte sig bakom ratten igen och var tvungen att läsa på nytt: *"På sin hundraårsdag på måndagen försvann Allan Karlsson från äldreboendet i Malmköping. Polisen misstänker nu att han har kidnappats av den kriminella mc-organisationen Never Again. Enligt vad Expressen erfar är dessutom den kände stortjuven Julius Jonsson inblandad."*

På det följde ett virrvarr av information och vittnesmål. Allan Karlsson hade setts på bussterminalen i Malmköping, sedan hade han klivit ombord på Strängnäsbussen, och det hade gjort någon Never Again-medlem tokig. Men vänta nu... *"... blond man i trettioårsåldern..."*. Det var ingen helt adekvat beskrivning av Benny. Den sköna kände sig... lättad?

Röran fortsatte med att Allan Karlsson dagen innan setts på en dressin mitt i den sörmländska skogen, tillsammans med stortjuven Jonsson och den tidigare så arge Never Again-medlemmen. Expressen kunde inte exakt redogöra för förhållandet de tre emellan, men den rådande teorin var att Allan Karlsson var i de övrigas våld. Det var i alla fall vad lantbrukaren Tengroth i Vidkärr trodde sedan han pressats en stund av Expressens reporter.

Avslutningsvis kunde Expressen avslöja en annan detalj, nämligen den att gatuköksägaren Benny Ljungberg försvunnit spårlöst dagen innan, just från det Åkers Styckebruk där hundraåringen och stortjuven senast siktats. Om det kunde biträdet på Statoilmacken strax intill berätta.

Den sköna vek ihop tidningen och satte den i munnen på

Buster. Så styrde hon iväg mot torpet i skogen, där hon nu visste att hon hade en hundraåring, en stortjuv och en gatuköksägare som gäster. Den sistnämnde både tjusig och med charm och med uppenbara medicinska kunskaper, men här fanns inte utrymme för romantik. För en kort stund var Den sköna mer ledsen än arg, men hon arbetade upp ilskan igen lagom till det att hon kom hem.

* * *

Den sköna hade ryckt Expressen ur munnen på Buster, vikit upp förstasidan med bild på både Allan och Julius, svurit och gormat en stund innan hon idkade högläsning ur artikeln. Sedan hade hon krävt en förklaring av vad som försiggick samt utlovat att alla tre skulle vara på väg därifrån inom fem minuter oavsett vilket. På det vek hon ihop tidningen och satte tillbaka den i munnen på Buster, lade armarna i kors och avslutade med ett isande och bestämt:

– Nåå?

Benny tittade på Allan som tittade på Julius som märkligt nog sprack upp i ett leende.

– Stortjuv, sa han. Jaså, man är en stortjuv. Det var inte illa.

Men Den sköna lät sig inte imponeras. Hon var redan röd i ansiktet och blev ännu rödare när hon meddelade Julius att han strax skulle vara en *sönderslagen* stortjuv om Den sköna inte genast fick veta vad som stod på. Och så upprepade hon för församlingen det hon redan sagt till sig själv, nämligen att man inte ostraffat lurade Gunilla Björklund på Sjötorp. Hon satte kraft bakom orden genom att plocka ner en gammal hagelbössa som hängde på väggen. Den gick visserligen inte att skjuta med, erkände Den sköna, men nog skulle den duga till att slå in skallen på både stortjuvar, gatuköksägare och gubbstruttar om det skulle behövas, och det verkade det ju som att det gjorde.

Julius Jonssons leende slocknade snabbt. Benny stod fastvuxen i golvet med armarna lamt hängande längs sidorna. Han kunde inte tänka annat än att kärlekslyckan var på väg att rinna ifrån honom. Då trädde Allan in i handlingen och bad Den sköna om betänketid. Med Den skönas tillåtelse önskade han ha ett enskilt samtal med Julius i rummet intill. Den sköna gick muttrande med på den saken, men varnade Allan för att hitta på några dumheter. Allan lovade att sköta sig och så tog han Julius under armen, drog med sig honom ut i köket och stängde dörren.

Allan inledde rådslaget med att fråga Julius om han hade någon idé som till skillnad från det Julius dittills åstadkommit inte skulle reta gallfeber på Den sköna. Julius svarade att det enda som kunde rädda upp det hela nog vore att bjuda in Den sköna till någon form av delägarskap i väskan. Allan höll med i sak även om han invände att det aldrig kunde vara bra att berätta för en person om dagen att Julius och Allan stal folks väskor, hade ihjäl dem när de ville ha tillbaka det som var deras och därefter paketerade liken snyggt i trälårar för vidare transport till Afrika.

Julius tyckte att Allan överdrev. Så långt var det ju bara en som hade fått sätta livet till och han hade nog förtjänat det. Och kunde de nu bara hålla sig undan tills saker och ting lugnat ner sig behövde det heller inte bli några fler.

På det sa Allan att han i all hast tänkt till. Han tänkte att det var lika bra att dela väskans innehåll på fyra: Allan, Julius, Benny och Den sköna. Då vore det ingen risk att de två sistnämnda skulle gå och prata för mycket med fel människor. På köpet kunde de stanna på Sjötorp allihop över sommaren, och sedan skulle nog den där mc-klubben ha slutat leta, om de nu gjorde det alls vilket man i och för sig fick anta att de gjorde.

– Tjugofem miljoner för härbärge i några veckor, suckade Julius, men med ett kroppsspråk som skvallrade om att han förstått att Allan hade rätt.

Mötet i köket var slut. Julius och Allan gick tillbaka ut i

vardagsrummet. Allan bad Den sköna och Benny om ytterligare trettio sekunders tålamod, medan Julius fortsatte till sitt rum och strax återvände med resväskan på släp. Han lade upp den på långbordet mitt i vardagsrummet och öppnade den.

– Allan och jag har bestämt att vi ska dela lika på det här, alla fyra.

– *Herrejävlar*! sa Den sköna.

– Dela lika? sa Benny.

– Ja, men dina hundratusen får du lämna tillbaka, kom Allan på. Och växeln på bensinpengarna.

– *Herrejävlars jävlar!* sa Den sköna.

– Sätt er ner allihop så ska jag berätta, sa Julius.

Den sköna hade precis som Benny svårt att smälta det där med liket som dumpats i en trälår, men hon var desto mer imponerad av Allan för att han klivit ut genom fönstret och bara försvunnit från sitt tidigare liv.

– Själv borde jag ha gjort detsamma efter fjorton dagar med skitstöveln som jag gått och gift mig med.

Lugnet återvände till Sjötorp. Den sköna och Buster tog en ny tur för proviantering. Det blev mat, dryck, kläder, hygienartiklar och en massa annat. Hon betalade allting kontant, med femhundralappar ur en bunt.

* * *

Kommissarie Aronsson förhörde vittnet från bensinmacken i Mjölby, en kvinnlig butikskontrollant i femtioårsåldern. Både yrket och sättet på vilket hon redogjorde för sina iakttagelser gjorde henne trovärdig. Vittnet kunde också peka ut Allan på bilder från ett åttioårskalas på hemmet någon vecka tidigare, bilder som syster Alice haft vänligheten att sprida inte bara till polisen utan också till de representanter för media som så önskade.

Kommissarie Aronsson tvingades erkänna för sig själv att han felaktigt avfärdat detta tips dagen innan. Men det var inget att gråta över nu. I stället fokuserade Aronsson på analysen. Ur ett rent flyktperspektiv fanns det två möjligheter: antingen visste gubbarna och gatuköksägaren vart de var på väg, eller så åkte de söderut mer i blindo. Aronsson föredrog det förstnämnda för det var lättare att följa den som visste vart han skulle, än den som irrade omkring. Men med de här människorna gick det inte att veta. Det fanns ingen självklar koppling mellan Allan Karlsson och Julius Jonsson å ena sidan, och Benny Ljungberg å andra. Jonsson och Ljungberg kunde vara bekanta, de bodde ju inte mer än knappa två mil från varandra. Men det var möjligt att Ljungberg var kidnappad och tvingad att sätta sig bakom ratten. Även hundraåringen kunde ju vara med på resan under tvång, även om två saker talade emot den saken: 1) det faktum att Allan Karlsson klivit av bussen just vid Byringe station, och till synes självmant sökt upp Julius Jonsson, samt 2) vittnesuppgifterna om att Julius Jonsson och Allan Karlsson dels på dressinen genom skogen och dels under promenad utanför styckebruket verkat vara på god fot med varandra.

Under alla omständigheter hade vittnet uppmärksammat att den silverfärgade Mercedesen lämnat E4 och fortsatt på riksväg 32 mot Tranås. Även om det hänt ett drygt dygn tidigare så var det intressant. För den som är på väg söderut längs E4 och svänger in på riksväg 32 vid Mjölby har genast begränsat antalet rimliga slutdestinationer. Området kring Västervik/Vimmerby/Kalmar var inte att tänka på, för då skulle bilen ha svängt av redan i Norrköping, alternativt Linköping beroende på var de anslutit till E4 norrifrån.

Jönköping/Värnamo och vidare söderut gick också att utesluta, för då fanns ingen anledning att lämna Europavägen över huvud taget. Möjligen Oskarshamn och vidare till Gotland, men inget i Gotlandslinjens passagerarlistor tydde på den saken. Återstod egentligen bara norra Småland: Tranås,

Eksjö, möjligen Nässjö, Åseda, Vetlanda och där omkring. Eventuellt så långt söderut som Växjö, men då hade Mercedesen knappast valt snabbaste vägen. Och det var i och för sig fullt möjligt, för om gubbarna och gatuköksägaren kände sig jagade vore det ju förståndigt att välja mindre vägar.

Vad som trots allt talade för att de fanns kvar i det område kommissarie Aronsson just ringat in var för det första det faktum att bilen innehöll två personer utan giltigt pass. De var knappast på väg utomlands. För det andra det faktum att kommissarie Aronssons medarbetare ringt runt till varje tänkbar bensinmack i sydlig, sydostlig och sydvästlig riktning mellan trettio och femtio mil från Mjölby. Ingenstans hade någon kunnat skvallra om en silverfärgad Mercedes med de tre iögonfallande resenärerna. Visst kunde de ha fyllt på bilen vid en obemannad mack, men folk i allmänhet valde bemannade stationer för efter ett givet antal mil skulle det alltid till en påse kinapuffar, en läsk eller en korv. Det som dessutom talade till den bemannade stationens fördel var att de redan valt en sådan en gång, den i Mjölby.

– Tranås, Eksjö, Nässjö, Vetlanda, Åseda... med omnejd, sa kommissarie Aronsson nöjt till sig själv, men mulnade strax till igen.

– Och sen då?

* * *

När ledaren för The Violence i Braås efter en hemsk natt vaknade på förmiddagen begav han sig genast till macken för att äntligen få slut på cigarrettsuget. På väggen utanför entrédörren lyste Expressens löpsedel emot honom. Den stora bilden föreställde... helt klart samme gamle gubbe som han sett i Rottne natten innan.

I hastigheten glömde han att be om några cigarretter. Men han köpte Expressen, häpnade över vad han läste – och ringde till sin storebror Hinken.

Mysteriet med den försvunne och förmodat kidnappade hundraåringen engagerade nationen. TV4 gjorde på kvällen en granskande dokumentär, "Kalla Fakta Special", där man i och för sig inte kom längre än Expressen och så småningom Aftonbladet redan gjort, men ändå fick över en och en halv miljon tittare, bland dem hundraåringen själv och hans tre nyfunna kamrater på småländska Sjötorp.

– Hade jag inte vetat bättre skulle jag väl ha tyckt synd om den där gamle gubben, sa Allan.

Den sköna såg lite mindre sorglöst på det hela och menade att såväl Allan som Julius och Benny gjorde bäst i att hålla sig undan från folk ett bra tag framöver. Och Mercedesen skulle från och med nu stå parkerad bakom ladan. Själv tänkte hon nästa morgon ge sig iväg och köpa den flyttbuss hon hade haft ögonen på en tid. Det kunde ju bli fråga om hastigt uppbrott inom det närmaste, och i så fall skulle hela familjen med, inklusive Sonja.

KAPITEL 9

1939–1945

DEN I SEPTEMBER 1939 anlade Allans spanskflaggade skepp hamnen utanför New York. Allan hade kanske tänkt sig en snabb titt på landet i väster och sedan ta båten tillbaka igen, men samma dag promenerade en av *generalísimos* kompisar in i Polen, och så var det på nytt full fart på krigandet i Europa. Det spanskflaggade skeppet lades i kvarstad, togs senare i direkt beslag och fick i stället tjäna under US Navy ända fram till freden 1945.

Samtliga män ombord slussades till immigrationskontoret på Ellis Island. Där fick varje man samma fyra frågor av immigrationsofficeren: 1) Namn? 2) Nationalitet? 3) Yrke? 4) Avsikt med vistelsen i Amerikas förenta stater?

Alla Allans kamrater från fartyget meddelade att de var spanska, enkla sjömän som nu ingenstans hade att ta vägen eftersom deras skepp lagts i kvarstad. På det blev de raskt insläppta i landet, där de fick reda sig bäst de ville.

Men Allan skiljde ut sig från de övriga. Först genom att han hade ett namn som den spansktalande tolken inte kunde uttala. Vidare genom att han var från *Suecia*. Och framför allt när han sanningsenligt berättade att han var sprängämnesexpert med erfarenhet från egen verksamhet, från kanontillverkningsindustrin och nu senast från kriget mellan spanjorer och spanjorer.

På det plockade Allan fram brevet från general Franco. Den spanske tolken översatte det förskräckt för immigrationsofficeren som genast kallade på sin chef som genast kallade på sin chef.

Det första beslutet blev att den fascistiske svensken omedelbart skulle skickas tillbaka dit varifrån han kom.

– Bara ni ordnar mig en båt, så ska jag nog ge mig iväg, sa Allan.

Det var nu inte det lättaste. I stället fortsatte förhören. Och ju mer den högste immigrationsofficeren fick ur Allan, desto mindre fascist verkade svensken vara. Och inte var han kommunist. Eller nationalsocialist. Han var just ingenting, som det verkade, mer än sprängämnesexpert. Berättelsen om hur han lagt bort titlarna med general Franco var dessutom så orimlig att den nästan inte ens kunde vara påhittad.

Högste immigrationschefen hade en bror i Los Alamos, New Mexico, och såvitt han visste sysslade brodern med bomber och sådant för det militära. I brist på bättre idéer låste de in Allan tills vidare och sedan tog immigrationschefen upp saken med sin bror när de båda träffades på familjegården i Connecticut vid Thanksgiving. Brodern svarade att han inte var omedelbart förtjust över att få en potentiell Francoanhängare på halsen, men att de å andra sidan behövde all expertis de kunde få där nere och att de nog skulle kunna hitta något lagom okvalificerat och inte alltför hemligstämplat jobb åt den där svensken, om han med det gjorde brodern en tjänst?

Det svarade immigrationschefen att han bestämt gjorde, och så högg bröderna in på kalkonen.

En tid senare fick Allan flyga för första gången i sitt liv och anslöt på senhösten 1939 till den amerikanska arméns bas i Los Alamos, där man strax upptäckte att Allan inte kunde ett ord engelska. En spansktalande löjtnant fick i uppdrag att reda ut hur yrkesskicklig svensken egentligen var, och Allan fick inför löjtnanten skriva ner sina formler. Löjtnanten gick igenom anteckningarna, tyckte i och för sig att svensken visade prov på uppfinningsrikedom, men suckade också och sa att styrkan i Allans laddningar knappt skulle få ens en bil att flyga i luften.

– Åjo, svarade Allan. Både bil och grosshandlare. Det har jag prövat.

Allan fick vara kvar, till en början i de mest avlägsna barackerna, men i takt med att månader och år gick och att Allan började tala engelska, fick han allt färre rörelserestriktioner på basen. Som synnerligen observant hantlangare lärde sig Allan om dagarna hur man gjorde laddningar av helt annan dignitet än det han själv bränt av på söndagarna i grusgropen bakom det egna torpet. Och på kvällarna, när de flesta unga männen på Los Alamos-basen gav sig ut på stan för att jaga kvinnfolk, då satt Allan kvar i basens säkerhetsklassade bibliotek och förkovrade sig i avancerad sprängteknik.

* * *

Allan lärde sig mer och mer, i takt med att kriget i Europa (och så småningom världen) blev alltmer omfattande. Inte för att han fick praktisera kunskaperna i någon omfattning, han var fortfarande hantlangare (om än en mycket uppskattad sådan), men han samlade dem ändå på sig. Och nu handlade det inte längre om nitroglycerin och natriumnitrat – sådant var för småhandlare – utan om väte och uran och andra rejäla men ack så komplicerade saker.

Från och med 1942 infördes synnerligen stränga sekretessregler på Los Alamos. Gruppen hade fått i hemligt uppdrag av president Roosevelt att skapa en bomb som i ett enda slag nog kunde riva med sig både tio och tjugo spanska broar om det skulle behövas, trodde Allan. Hjälpredor behövs ju även i de mest slutna rum och den så populäre Allan tilldelades högsta säkerhetsaccess.

Han fick erkänna att de var finurliga, amerikanerna. I stället för det Allan varit van vid höll man nu på att experimentera med att få små atomer att dela på sig så att smällen skulle bli rejälare än någonting världen dittills hade sett.

I det arbetet hade man i april 1945 kommit nästan hela vägen. Forskarna – och för den delen Allan – visste hur man åstadkom en kärnreaktion, men inte hur man kontrollerade densamma. Problemet fascinerade Allan där han satt i sin ensamhet i biblioteket om kvällarna och klurade på sådant som ingen bett honom klura på. Den svenske hjälpredan gav sig inte, och en kväll... hoppsan! En kväll... *hade han lösningen!*

Varje vecka den våren satt de viktigaste militärerna i timslånga möten med de främsta fysikerna, med chefsfysikern Oppenheimer i spetsen och med Allan som påfyllare av kaffe med dopp.

Fysikerna rev sig i håret, bad Allan om påfyllning, militärerna kliade sig på hakan, bad Allan om påfyllning, militärer och fysiker ojade sig tillsammans en stund och bad Allan om påfyllning. Så där höll de på, vecka efter vecka. Allan satt ju sedan en tid inne med lösningen på gruppens problem, men han tänkte att det inte ankom servitören att tala om för kocken hur man lagade mat, så han höll inne med det han visste.

Ända till en gång då han till sin egen förvåning hörde sig själv säga:

– Ursäkta, men varför delar ni inte upp uranet i två lika delar?

Det slank liksom bara ur honom, just medan han hällde upp kaffe åt chefsfysiker Oppenheimer själv.

– Vasa? sa chefsfysiker Oppenheimer som mer än att lyssna på vad Allan sagt var chockad över att servitören öppnat munnen.

Allan hade just inget annat val än att fortsätta:

– Jo, om ni delar upp uranet i två lika delar och ser till att slå ihop delarna när det är dags, då smäller det ju när ni vill att det ska smälla i stället för här på basen.

– Lika delar? sa chefsfysiker Oppenheimer. Det snurrade i det ögonblicket oändligt mycket mer i hans huvud, men "lika delar?" var det han kom sig för med att säga.

– Nja, där har ju herr chefsfysikern en poäng. Delarna behöver inte vara lika stora, det viktiga är ju att de blir stora nog när de kommer tillsammans.

Löjtnant Lewis, som varit den som gått i god för Allan som betjänt, såg ut som om han ville mörda svensken, men en av fysikerna längs bordet reagerade i stället med att tänka högt:

– Hur menar du då att vi slår ihop dem? Och när? I luften?

– Just det, herr fysikern. Eller ni kanske är kemist? Inte det? Jo, ni har ju inga problem med att få det att smälla. Problemet är att ni inte kan kontrollera själva smällen. Men en kritisk massa delat med två blir ju två okritiska massor, inte sant? Och omvänt blir ju två okritiska massor en kritisk.

– Och hur slår vi hop dem hade herr... Ursäkta, men vem är ni? sa chefsfysiker Oppenheimer.

– Jag är Allan, sa Allan.

– Hur hade herr Allan tänkt att vi slår ihop dem? fortsatte chefsfysiker Oppenheimer.

– Med en vanlig, hederlig sprängladdning, sa Allan. Sådana är jag bra på, men det är jag säker på att ni reder ut själva.

Fysiker i allmänhet och chefsfysiker i synnerhet är inga dumskallar. Oppenheimer hade på några sekunder arbetat sig igenom meterlånga ekvationer och kommit fram till att servitören med största sannolikhet hade rätt. Tänk att något så komplicerat kunde ha en så enkel lösning! En vanlig, hederlig sprängladdning i bombens bakre del kunde fjärrutlösas och skicka en okritisk massa med uran-235 framåt till ett möte med en annan okritisk massa. Genast skulle det bli kritiskt. Neutronerna skulle börja röra på sig, uranatomerna skulle börja klyvas. Kedjereaktionen var igång och...

– Pang, sa chefsfysiker Oppenheimer för sig själv.

– Just det, sa Allan. Jag ser att herr chefsfysikern redan har räknat ut alltihop. Är det förresten någon som vill ha påfyllning av kaffet?

I det ögonblicket öppnades dörren till den hemliga lokalen och in klev vicepresident Truman för ett av sina sällsynta men ändå återkommande och alltid lika oannonserade besök.

– Sitt ner, sa vicepresidenten till männen som i all hast ställt sig upp i givakt.

För säkerhets skull satte sig också Allan på en av de lediga stolarna runt bordet. Om en vicepresident sa att man skulle sitta så gjorde man bäst i att sätta sig, det var så det fungerade i Amerika, tänkte han.

På det begärde vicepresidenten en statusrapport av chefsfysiker Oppenheimer, som studsade upp igen och i hastigheten inte kunde komma på något annat att säga än att mr Allan där borta i ena hörnet nog just löst det återstående problemet med hur detonationen kan kontrolleras. Mr Allans lösning var visserligen inte förd i bevis ännu, men chefsfysiker Oppenheimer sa att han nog talade för hela församlingen i övertygelsen om att problemet just blivit historia och att det inom en tremånadersperiod kunde bli en provsprängning.

Vicepresidenten tittade runt bordet och fick nickande bekräftelser till svar. Löjtnant Lewis hade försiktigt börjat våga andas igen. Till sist landade vicepresidentens blick på Allan.

– Jag tror bestämt ni är dagens hjälte, mr Allan. Själv behöver jag lite mat i magen innan jag ger mig av tillbaka till Washington. Har ni lust att göra mig sällskap?

Allan tänkte att det tydligen var ett gemensamt drag hos världens ledare att de ville bjuda på middag så fort de var nöjda med något, men det sa han inte. I stället tackade han ja till vicepresidentens inbjudan och de båda männen lämnade tillsammans lokalen. Kvar vid bordets ena långsida stod chefsfysiker Oppenheimer och såg både lättad och olycklig ut.

* * *

Vicepresident Truman hade låtit spärra av sin mexikanska favoritrestaurang i centrala Los Alamos, så Allan och Truman hade den för sig själva, bortsett från ett tiotal säkerhetsvakter utspridda i olika hörn.

Ansvarig säkerhetschef hade påpekat att mr Allan inte var amerikan och inte ens kontrollerad när det gällde att vistas på tu man hand med vicepresidenten, men Truman viftade bort säkerhetschefens invändningar med kommentaren att mr Allan i dag hade uträttat det mest patriotiska man någonsin kunde tänka sig.

Vicepresidenten var på ett strålande humör. Direkt efter middagen skulle han i stället för till Washington låta styra Air Force 2 till Georgia där president Roosevelt befann sig på ett hälsohem för lindring av sin polio. Den här nyheten ville presidenten höra direkt, det var Harry Truman säker på.

– Jag bestämmer maten så väljer du dryck, sa Harry Truman glatt och räckte över vinlistan till Allan.

Så vände sig Truman till hovmästaren som bugande tog emot en rejäl beställning av tacos, enchilada, majstortilla och en rad olika såser.

– Och vad får det lov att vara att dricka till, sir? undrade hovmästaren.

– Två helor tequila, svarade Allan.

Harry Truman skrattade till och undrade om mr Allan avsåg att supa vicepresidenten under bordet. Allan svarade att han under de senaste åren lärt sig att mexikanerna kunde göra brännvin med nästan lika mycket drag i som det svenskarna kallade renat, men att vicepresidenten naturligtvis fick lov att dricka mjölk i stället om han nu tyckte att det var mer passande.

– Nej, sagt är sagt, sa vicepresident Truman och såg bara till att komplettera beställningen med citron och salt.

Tre timmar senare var de båda männen "Harry" och "Allan" med varandra, se där vad ett par flaskor tequila kan göra för förbrödringen mellan folk. Dock hade det tagit den

allt mer berusade vicepresidenten en bra stund att begripa
att Allan var Allans förnamn och inget annat. Allan hade så
långt hunnit med att berätta om hur det gick till när gross-
handlaren flög i luften där hemma och om hur han räddade
livet på general Franco. Vicepresidenten, å sin sida, roade
Allan genom att imitera president Roosevelts försök att resa
sig ur rullstolen.

När stämningen var på sin absoluta topp smög säkerhets-
chefen upp vid sin vicepresidents sida.

– Kan jag få tala med er, sir?

– Prata på du, sluddrade vicepresidenten.

– Gärna mellan fyra ögon, sir.

– Det var fan vad du är lik Humphrey Bogart! Har du sett,
Allan?

– Sir..., sa den besvärade säkerhetschefen.

– Ja, men vafan är det frågan om? fräste vicepresidenten.

– Sir, det är om president Roosevelt.

– Ja, vad är det nu med den gamle geten? skrockade vice-
presidenten.

– Han är död, sir.

KAPITEL 10

Måndag 9 maj 2005

HINKEN SATT SEDAN fyra dagar utanför Ica i Rottne och spanade efter i första hand Bulten, i andra hand en hundraårig gubbe, en rödhårig kärring av något yngre modell, en karl med hästsvans, oklart utseende i övrigt, och en Mercedes. Att sitta där han satt hade han inte kommit på själv, det var Chefens idé. Efter det lyckliga samtalet från lillebrodern tillika ledaren för The Violence i Braås om att hundraåringen helt säkert stått utanför en vårdcentral i Småland mitt i natten, hade förstås Hinken omedelbart rapporterat vidare uppåt. Det var då Chefen bestämt bevakning av samhällets mest frekventerade livsmedelsbutik. Chefen hade räknat ut att den som var på promenad genom Rottne mitt i natten nog höll till i området, och alla blir vi ju hungriga förr eller senare och då behöver vi mat och när maten är slut måste vi åka och köpa ny. Logiken hade låtit bra. Chefen var ju inte chef för inte. Men det var som sagt fyra dagar tidigare. Nu hade Hinken börjat misströsta.

Koncentrationen var heller inte längre på topp. Därför lade han först inte märke till den rödhåriga kvinnan när hon svängde in på parkeringen i en röd VW Passat i stället för den tänkta silverfärgade Mercedesen. Men eftersom hon därpå hade den goda smaken att promenera rakt förbi Hinkens näsa på sin väg in i butiken så missade han henne inte. Han kunde ju inte vara säker på att det var just hon, men hon var i rätt ålder enligt vittnesuppgiften, och hon hade absolut rätt hårfärg.

Hinken ringde till Chefen i Stockholm som inte var lika entusiastisk. Det var ju Bulten han i första hand hade hoppats på eller åtminstone den där förbannade åldringen.

Men för all del. Hinken skulle ta registreringsnumret på bilen och sedan skulle han diskret följa efter den rödhåriga för att se vart hon tog vägen. Därefter skulle han rapportera på nytt.

* * *

Kommissarie Aronsson hade tillbringat de fyra senaste dagarna på hotell i Åseda. Tanken hade varit att han skulle ha nära till händelsernas centrum när något nytt vittnesmål dök upp.

Men något sådant kom inte, och Aronsson skulle just bege sig av hemåt när kollegorna i Eskilstuna hörde av sig. Det var telefonavlyssningen av Never Again-busen Per-Gunnar Gerdin som gett resultat.

Gerdin, eller "Chefen" som han kallades, hade blivit kändis några år tidigare när Svenska Dagbladet avslöjade att det på riksanstalten Hall pågick en omfattande organisering av ett kriminellt nätverk, kallat Never Again. Övriga medier hakade på, och i kvällstidningarna var det sedan både bild och namn på centralfiguren Gerdin. Att det mesta därpå rann ut i sanden på grund av Per-Gunnar Gerdins mammas formuleringar i ett brev, det nådde aldrig media.

Kommissarie Aronsson hade ett par dagar tidigare beordrat span och telefonavlyssning på Gerdin, och nu hade det blivit napp. Samtalet ifråga bandades förstås, skrevs ut och faxades till Aronsson i Åseda:

– Hallå?
– Ja, det är jag.
– Har du nåt att rapportera?
– Ja, kanske. Jag sitter ju utanför Ica-butiken, och precis nyss gick det in en rödhårig kärring för att handla.

– Bara kärringen? Inte Bulten? Inte nån hundraåring?
– Nä, bara kärringen. Jag vet ju inte om...
– Kör hon Mercedes?
– Nja, jag hann inte se... men det finns ingen Mercedes på parkeringen så hon måste ha kört nåt annat.
(tystnad i fem sekunder)
– Hallå?
– Ja, jag är kvar, jag tänker för fan, nån måste ju göra det.
– Jo, jag bara...
– Det lär ju finnas fler än en rödhårig kärring i Småland...
– Jo, men hon har rätt ålder, enligt vad...
– Gör så här: följ efter henne i din bil, skriv ner registreringsnumret, ställ inte till med nåt, men kolla vart hon tar vägen. Och se för fan till att inte bli upptäckt. Sen rapporterar du till mig igen.
(tystnad i fem sekunder)
– Har du begripit eller ska jag ta det en gång till?
– Nä, jo, jag har fattat. Jag hör av mig så fort jag vet mer...
– Och nästa gång ringer du till mitt kontantkort. Har jag inte sagt att alla tjänstesamtal ska gå den vägen?
– Jo, men det är väl bara när vi gör affärer med ryssarna? Jag trodde inte att du skulle ha den påslagen nu när...
– Idiot. *(följt av grymtande och avslutat samtal)*

Kommissarie Aronsson läste igenom utskriften och lade sedan pussel med de nya bitar som just tillkommit.

"Bulten" som Gerdin nämnde borde vara Bengt Bylund, en av de kända medlemmarna i Never Again, numera förmodat död. Och den som ringde upp Gerdin var sannolikt Henrik "Hinken" Hultén, på jakt efter Bulten någonstans i Småland.

Aronsson hade fått bekräftat att han tänkt rätt. Och nu preciserade han sina slutsatser:

Någonstans i Småland, som sagt, befann sig Allan Karlsson, tillsammans med Julius Jonsson, Benny Ljungberg och hans Mercedes. Samt en rödhårig dam, okänd ålder men knappast alltför ung eftersom hon just kallats för kärring. Å andra sidan blev man nog kärring rätt fort inför en sådan som Hinken.

På Never Again i Stockholm trodde man att kollegan Bulten också befann sig i gruppen. Skulle han i så fall vara på flykt från sina egna? Varför hade han annars inte hört av sig? *Jo, för att han var död!* Men det hade inte Chefen begripit, alltså trodde Chefen att Bulten höll sig gömd i Småland tillsammans med... var kom den rödhåriga in i bilden?

På det beordrade Aronsson släktutredning på Allan, Benny och Julius. Fanns det möjligen någon syster eller kusin eller något i den riktningen som bodde i Småland och som råkade ha rätt hårfärg?

"Hon har rätt ålder enligt vad...", hade Hinken sagt. Enligt vad då? Enligt vad någon sagt till dem? Någon som sett gruppen i Småland och ringt och tipsat? Synd att telefonavlyssningen inte kommit igång förrän efter ett par dagar.

Vid det här laget hade väl dessutom Hinken följt efter den rödhåriga från Ica-butiken och sedan antingen lagt ner fallet för att det visade sig vara fel rödhåriga, eller... så visste Hinken nu var Allan Karlsson och hans vänner befann sig. I så fall var väl Chefen snart på väg ner till Småland han med, för att vrida ur Allan och hans följe sanningen kring vad som hade hänt med Bulten och hans resväska.

Aronsson lyfte sin telefon och ringde till förundersökningsledaren i Eskilstuna. Åklagare Conny Ranelid hade från början inte engagerat sig alltför mycket i fallet, men intresset tilltog för varje ny komplikation som Aronsson rapporterade in.

– Slarva nu inte bort Gerdin och hans springpojke, sa åklagare Ranelid.

* * *

Den sköna placerade två Ica-kassar med mat i bagaget på sin VW Passat och begav sig av hemåt mot Sjötorp igen.

På tryggt avstånd följde Hinken efter. Det första han gjorde när de kom ut på landsvägen var att ringa Chefen (till kontantkortet, förstås, Hinken hade överlevnadsinstinkt) för att meddela märke och registreringsnummer på den rödhårigas bil. Och så lovade han att höra av sig igen när färden var över.

Resan gick ut ur Rottne men strax svängde den rödhåriga av och in på en grusväg. Hinken kände igen sig, här hade han kommit sist en gång i en bilorientering. Det var hans dåvarande flickvän som varit kartläsare; efter halva tävlingen hade hon kommit på att hon höll kartan upp och ner.

Grusvägen var torr, och den rödhårigas bil piskade upp damm efter sig. Hinken kunde därför tryggt följa efter henne utan att ens ha henne inom synhåll. Det var bara det att rökmolnet försvann efter några kilometer. Förbannat! Hinken ökade farten, men molnet var och förblev borta.

Först fick Hinken panik, men så lugnade han ner sig. Kärringen måste alltså ha svängt av någonstans på vägen. Det var ju bara att vända och leta.

En knapp kilometer tillbaka på samma väg trodde sig Hinken ha lösningen på gåtan. Där fanns en brevlåda, och det gick en liten väg ner till höger, den måste hon ha tagit!

Men med tanke på hur sakerna strax utvecklades var nu Hinken lite för ivrig. Han vred i all hast på ratten och skickade bilen och sig själv i god fart nerför den lilla vägen vart den nu kunde leda. Idén om att vara diskret och försiktig blev på något sätt kvar uppe vid brevlådan.

Fort gick det som sagt, och innan Hinken visste ordet av tog vägen slut och ersattes av en gårdsplan. Hade det nu bara gått lite fortare skulle Hinken inte ha hunnit stanna utan kört rakt in i den gamle gubben som stod där och matade en... en... elefant?

Allan hade snabbt funnit en ny kompis i Sonja. De hade ju en hel del gemensamt. Den ene hade klivit ut genom ett fönster en dag och därmed låtit tillvaron ta en ny riktning, medan den andra stegat ut i en sjö för samma sak. Och båda hade dessförinnan sett sig om i världen. Dessutom såg Sonja ärrad ut i ansiktet, som en klok hundraåring ungefär, tyckte Allan.

Sonja gjorde minsann inga cirkuskonster med vem som helst, men den här gubben tyckte hon om. Han gav henne frukt, kliade henne på snabeln och småpratade med henne på ett vänligt sätt. Inte för att hon förstod så mycket av vad han sa, men det gjorde inget. Trevligt var det. Så när gubben bad Sonja att sitta satte hon sig, bad han henne snurra runt ett varv gjorde hon gärna det. Hon till och med visade honom att hon kunde stå på bakbenen, trots att gubben inte kunde kommandot för den saken. Att hon fick ett äpple eller två för besväret och extra mycket kli på snabeln var ren bonus. Sonja var inte till salu på det viset.

Den sköna tyckte samtidigt om att sitta på verandatrappan tillsammans med Benny och Buster, med en kopp kaffe för de tvåbenta och hundgodis till hunden. Där satt de och tittade på hur Allan och Sonja utvecklade sin relation på gårdsplanen, allt medan Julius i timmar i sträck metade abborre nere vid sjön.

Vårvärmen gav inte med sig. Solen hade skinit i en hel vecka och prognoserna talade om fortsatt högtryck.

Benny, som ju tillsammans med allt det andra var nästan arkitekt, hade snabbt som ögat skissat upp hur den av Den sköna just inhandlade flyttbussen borde inredas för att falla Sonja i smaken. När det dessutom gick upp för Den sköna att Julius inte bara var tjuv utan också gammal virkeshandlare och någorlunda flink med hammare och spik, då sa hon till Buster att det minsann var rediga vänner de skaffat sig och att det var tur att de inte kört iväg dem med en gång den där kvällen. Det tog inte Julius mer än en eftermiddag att snickra ihop flyttbussens inredning enligt Bennys instruktioner. Därefter promenerade Sonja in och ut ur bussen tillsammans med Allan för att prova på det hela, och Sonja verkade gilla det hon erbjöds även om hon inte förstod vitsen med två stall i stället för ett. Lite trångt var det för henne, men det fanns dubbla sorters rätter att tugga på, en till vänster och en rakt fram, och vatten att dricka till höger. Golvet var upphöjt och lätt bakåtlutande, och Sonjas avföring fick en egen ränna där bak. Rännan var fylld till kanten med hö tänkt att absorbera det mesta av det som eventuellt kom ut under resan.

Lägg till det ett omfattande fläktsystem i form av borrade hål längs bussens båda sidor, och en glasad skjutbar ruta in till förarhytten så att Sonja kunde ha ögonkontakt med matmor under färd. Flyttbussen hade kort sagt förvandlats till ett elefantlyxåk, och det på bara ett par dagar.

Ju mer redo gruppen blev att ge sig iväg, desto mindre ivriga blev dess medlemmar att göra just det. Livet på Sjötorp hade utvecklat sig till något riktigt trivsamt för allihop. Inte minst för Benny och Den sköna som redan inför den tredje natten tyckt att det var synd att slita på lakan i olika rum när de lika gärna kunde dela. Kvällarna hade alla varit rysligt trevliga framför brasan, framför allt bestående av god mat, god dryck och Allan Karlssons märkvärdiga levnadsberättelse.

Men på måndagsmorgonen var det nästan slut i kylskåp och skafferi och det var hög tid för Den sköna att bege sig till Rottne för påfyllning. Resan företogs av säkerhetsskäl i hennes egen gamla VW Passat. Mercedesen stod där den stod, gömd bakom ladan.

Det blev en kasse med diverse till henne själv och gubbarna, och en annan med färska, argentinska äpplen till Sonja. När Den sköna kom hem igen gav hon äppelkassen till

Allan, stoppade in resten i kyl och skafferi i köket innan hon med en liter belgiska jordgubbar anslöt till Benny och Buster på verandatrappan. Där satt förresten Julius nu också, i en av sina sällsynta pauser från fiskandet.

Det var då en Ford Mustang rasade in på gårdsplanen och så när mejade ner både Allan och Sonja.

Lugnast tog Sonja det. Hon var så fokuserad på nästa äpple från Allan att hon varken såg eller hörde vad som hände runt omkring. Eller så gjorde hon det trots allt, för hon stannade till mitt i en tänkt snurra runt-rörelse och blev stående halvvägs, med rumpan mot Allan och mot den nye besökaren.

Näst lugnast var nog Allan. Han hade varit nära döden så många gånger i livet att en skenande Ford Mustang knappt gjorde någon skillnad. Om den stannade i tid så gjorde den. Och det gjorde den ju.

Tredje lugnast var måhända Buster. Han var strängt uppfostrad att inte springa iväg och skälla om det kom främmande på besök. Men öronen stod rätt upp på honom, och ögonen var klotrunda. Här gällde det att hänga med i utvecklingen.

Den sköna, Benny och Julius, däremot, studsade alla tre upp från verandan och blev stående på rad i väntan på vad som skulle ske därnäst.

Det som skedde var att Hinken, lite snopen för ett ögonblick, vinglade ut ur sin Mustang och fumlade rätt på en revolver i en väska på golvet i baksätet. Den riktade han först mot elefantens bakdel, men kom sedan på bättre tankar och styrde om fokus till Allan och de tre vännerna på rad vid verandan, och så sa han (lite fantasilöst kanske):

– Upp med händerna!

– Upp med händerna?

Det var det dummaste Allan hört på länge och han satte igång att argumentera kring saken. Vad trodde herrn annars skulle hända? Att han själv, hundra år gammal, skulle kasta äpplen på honom? Eller att den spröda damen där borta skulle genomborra honom med belgiska jordgubbar? Eller att...

– Ja, ja, ha händerna var fan ni vill, men hitta inte på några tricks.

– Tricks?

– Håll nu käften med dig, gubbjävel! Tala i stället om var den förbannade resväskan är någonstans. Och han som hade ansvar för den.

Så där ja, tänkte Den sköna. Då var det slut på livets lycka. Verkligheten hade hunnit ikapp dem allihop. Ingen svarade Hinken, alla tänkte så det knakade, utom möjligen elefanten som vänd bort från all dramatik tyckte att det var dags att bajsa. När en elefant lättar på trycket går det sällan obemärkt förbi för den som råkar befinna sig i närheten.

– Fy fan, sa Hinken och tog några snabba steg bort från sörjan som flödade ur ele... Vafan har ni en elefant för?

Fortfarande inget svar. Men nu kunde inte Buster bärga sig längre. Han kände tydligt att något var fel. Oj, så gärna han ville börja skälla på främlingen. Och trots att han visste reglerna undslapp han sig ett dovt morr. Det fick i sin tur Hinken att för första gången upptäcka schäferhunden på verandan och han tog instinktivt två steg bakåt igen, höjde revolvern och såg ut att vara redo att skjuta om det skulle behövas.

Just då föddes en idé i Allans hundraåriga hjärna. Det var ett långskott, det var det, och risken var uppenbar att han själv skulle stryka med i stället, om det nu trots allt inte var som så att han var odödlig. Så tog han ett djupt andetag och skred sedan till verket. Med ett naivt leende på läpparna började han gå rakt emot busen med revolvern. Och han plockade fram sin darrigaste röst:

– Vilken himla fin pistol du har. Är den på riktigt? Får jag hålla i den?

Benny, Julius och Den sköna trodde alla tre att det slagit över för gamlingen.

– Stanna, Allan! utbrast Benny.

– Ja, stanna, gubbjävel, annars skjuter jag, sa Hinken.

Men Allan fortsatte med sin hasande gång. Hinken tog ett steg bakåt, sträckte ut handen med revolvern än mer hotfullt mot Allan, och så... gjorde han det! Han gjorde det som Allan hoppats han skulle göra. Han tog i all stress *ytterligare* ett steg bakåt...

Den som någon gång har satt ner sin fot i den kletiga gegga som alldeles färskt elefantbajs utgör, vet att det är hart när omöjligt att stå stadigt kvar. Hinken visste inte, men han lärde sig snabbt. Bakre foten halkade bakåt, Hinken parerade med armarna, tog ett raskt steg bakåt också med den främre foten och nu befann sig hela Hinken i smeten. Han föll hjälplöst baklänges och landade mjukt på rygg.

– Sitt, Sonja, sitt, sa Allan som sista del i sin långsökta plan.

– Nej *för fan*, Sonja, sitt *inte*, skrek Den sköna som plötsligt förstod vad som var på väg att hända.

– Fy för helvete, sa Hinken där han låg på rygg i elefantens avföring.

Sonja, som ju stod med ryggen mot alltihop, hade klart och tydligt hört Allans kommando. Och den gamle var ju som sagt snäll, så honom gjorde hon gärna till lags. Dessutom tyckte Sonja att matmor bekräftat ordern. "Inte" ingick nämligen inte i Sonjas ordförråd.

Alltså satte sig Sonja ner. Rumpan landade både mjukt och varmt, till ett dovt krasande ljud och något som lät som ett kort pip, innan det blev alldeles tyst. Sonja satt, och nu vankades det kanske fler äpplen?

– Där rök nummer två, sa Julius.

– *Satans, jävlar, helvete*, sa Den sköna.

– Usch, sa Benny.

– Här får du ett äpple, Sonja, sa Allan.

Henrik "Hinken" Hultén sa ingenting.

* * *

Chefen väntade i tre timmar på att Hinken skulle höra av sig. Sedan bestämde han sig för att någonting hänt den oduglingen. Chefen hade förtvivlat svårt att förstå att folk inte bara kunde göra som han sa, och ingenting annat.

Dags att ta tag i alltihop själv, det var tydligt. Chefen började med att söka på det registreringsnummer som Hinken gett honom. Det tog inte många minuter att via bilregistret få fram att det handlade om en röd VW Passat, ägd av en Gunilla Björklund, Sjötorp, Rottne, Småland.

KAPITEL 11

1945-1947

I DEN UTSTRÄCKNING det är möjligt att på en sekund bli spik nykter efter att just ha klämt ett helrör med tequila, så var det just vad vicepresident Harry S Truman blev.

President Roosevelts plötsliga frånfälle gjorde att vicepresidenten förstås bröt upp från den trevliga middagen med Allan och beordrade omedelbar transport till Washington och Vita huset. Allan blev lämnad ensam kvar i restaurangen och fick argumentera en bra stund med hovmästaren för att slippa stå för notan själv. Till slut tog ändå hovmästaren till sig Allans argument om att USA:s blivande president rimligen borde anses kreditvärdig, samt att hovmästaren under alla omständigheter numera visste var Truman bodde.

Allan tog en stärkande promenad tillbaka till militärbasen och återgick till att vara hantlangare åt Amerikas främsta fysiker, matematiker och kemister även om dessa börjat känna sig besvärade i Allans sällskap. Stämningen blev konstig och Allan tyckte efter några veckor att det var dags att röra på sig. Ett telefonsamtal från Washington till mr Karlsson löste den saken:

– Hej, Allan, det är Harry.

– Vilken Harry? sa Allan.

– Truman, Allan. Harry S Truman. Presidenten, för bövelen.

– Nej, men vad trevligt! Tack för senast, herr president. Jag hoppas att ni inte satt bakom spakarna själv på hemresan?

Nej, det hade presidenten inte gjort. Trots sakernas allvar

hade han i stället slocknat i en soffa i Air Force 2 och inte vaknat igen förrän det var dags för landning fem timmar senare.

Men nu var det emellertid som så att Harry Truman hade en del ärenden som han fått ärva av sin föregångare, och för ett av dem skulle presidenten möjligen kunna behöva Allans hjälp, om Allan trodde att det var möjligt?

Det trodde Allan absolut att det var, och redan nästa morgon hade han för sista gången checkat ut från Los Alamos-basen.

* * *

Ovala rummet var ungefär lika ovalt som Allan kunnat tro. Nu satt han där, mitt emot sin dryckeskamrat från Los Alamos, och lyssnade på dennes utläggning.

Saken var den att presidenten besvärades av en kvinna som han av politiska skäl inte bara kunde negligera. Hon hette Song Meiling, hade Allan möjligen hört talas om henne? Inte det?

Hur som helst så var hon hustru till Kuomintangs ledare Chiang Kai-shek i Kina. Hon var också rasande vacker, utbildad här i Amerika, bästa väninna med fru Roosevelt, hon drog tusentals åskådare var hon än dök upp, hade rent av hållit tal inför kongressen. Och hon jagade nu nästan livet ur president Truman för att denne skulle leva upp till alla de muntliga löften hon hävdade att president Roosevelt gett när det gällde kampen mot kommunismen.

– Jag visste väl att det skulle landa på politik igen, sa Allan.

– Det är lite svårt att undvika den saken om du är president i USA, sa Harry Truman.

Hur som helst var det nu stiltje i kampen mellan Kuomintang och kommunisterna, för de gjorde någorlunda gemensam sak i Manchuriet. Men strax skulle japanerna ha vikit ner sig, och då började med all säkerhet kineserna strida inbördes igen.

– Hur vet du att japanerna kommer att vika ner sig? undrade Allan.

– Det borde väl du om någon kunna räkna ut, svarade Truman och lämnade genast ämnet.

Presidenten fortsatte med en för Allan långtråkig redogörelse om utvecklingen i Kina. Underrättelserapporterna sa att kommunisterna hade medvind i inbördeskriget, och på *Office of Strategic Services* ifrågasatte man Chiang Kai-sheks militära strategi. Det var uppenbart att Chiang Kai-shek siktade in sig på att behålla greppet om städerna, medan han lämnade landsbygden fri för kommunistisk spridning. Kommunisternas ledare, Mao Tse Tung, skulle nog de amerikanska agenterna snart ha eliminerat, men risken var uppenbar att hans idéer skulle hinna få fäste bland befolkningen. Till och med Chiang Kai-sheks egen fru, den ack så irriterande Song Meiling, insåg att något mer måste göras. Hon drev rent av ett alternativt militärt spår parallellt med makens.

Presidenten fortsatte med att redogöra för det parallella spåret, men Allan hade slutat lyssna. I stället tittade han sig förstrött omkring i det ovala rummet, funderade över om fönsterrutorna möjligen var skottsäkra, undrade vart dörren till vänster kunde leda någonstans, tänkte att den gigantiska mattan inte kunde vara lätt att bära till tvätt när det behövdes... Till slut kände han sig tvungen att avbryta presidenten innan denne skulle börja ställa kontrollfrågor kring hur mycket Allan hade förstått.

– Ursäkta mig, Harry, men vad är det du vill att jag ska göra?

– Jo, det gäller som sagt att få stopp på kommunisternas rörlighet ute i landet...

– Och vad är det du vill att jag ska göra?

– Song Meiling trycker nu på om ökad amerikansk vapensupport, och hon vill ha kompletterad utrustning till den redan erbjudna.

– Och vad är det du vill att jag ska göra?

När Allan ställt sin fråga för tredje gången tystnade presidenten som om han behövde ta sats innan han fortsatte. Sedan sa han:

– Jag vill att du åker till Kina och spränger broar.

– Varför sa du inte det med en gång? sa Allan och sken upp.

– Så många broar som möjligt, att du bryter av så många kommunistvägar du bara...

– Trevligt att få se ett nytt land, sa Allan.

– Jag vill att du utbildar Song Meilings mannar i brosprängarkonsten och att...

– När åker jag?

* * *

Allan var visserligen sprängämnesexpert, och han hade hastigt och berusat blivit god vän med den blivande amerikanske presidenten, men han var likväl *svensk*. Om Allan varit det minsta intresserad av det politiska spelet skulle han kanske ha frågat presidenten varför just *han* valts ut till detta uppdrag. Faktum är att presidenten var beredd på den frågan, och hade han fått den så skulle han sanningsenligt ha svarat att det inte dög för USA att driva två parallella och potentiellt motstridiga militära stödprojekt i Kina. Officiellt stödde man Chiang Kai-shek och hans Kuomintangparti. Nu kompletterade man det stödet i det tysta, genom en hel skeppslast med utrustning för brosprängningar i stor skala, beställt och genomdrivet av Chiang Kai-sheks hustru, den sköna, huggormslika (tyckte presidenten) och halvamerikaniserade Song Meiling. Det värsta av allt var att Truman inte kunde utesluta att alltihop gjorts upp över en kopp te mellan Song Meiling och fru Eleanor Roosevelt. Ja, jösses, vilken soppa. Men nu återstod bara för presidenten att sammanföra Allan Karlsson och Song Meiling, sedan var saken för presidentens del ur världen.

Hans nästa ärende på skrivbordet var mer formalia, för mentalt hade han redan fattat beslutet. Icke desto mindre krävdes det nu att han så att säga tryckte på knappen. På en ö öster om Filippinerna väntade B29-ans besättning på presidentens klartecken. Alla tester var genomförda. Ingenting kunde gå fel.

Dagen därpå var den 6 augusti 1945.

* * *

Allan Karlssons glädje över att något nytt var på väg att hända i livet kom av sig när han första gången träffade Song Meiling. Allan hade fått instruktioner om att söka upp henne i en hotellsvit i Washington. Efter att ha tråcklat sig igenom ett par rader av livvakter stod han mitt emot damen ifråga, sträckte fram handen och sa:

– God dag, frun, jag heter Allan Karlsson.

Song Meiling tog inte hans hand. I stället pekade hon på en fåtölj strax intill.

– Sitt! sa Song Meiling.

Allan hade genom åren anklagats för att vara allt från tokig till fascist, men inte *hund*. Han övervägde att påtala det olämpliga i damens tonfall, men avstod ändå till sist, intresserad av vad som skulle komma därnäst. Dessutom såg fåtöljen bekväm ut.

När Allan satt sig fortsatte Song Meiling med det värsta Allan visste, nämligen en politisk utläggning. Hon refererade också till president Roosevelt som hela aktionens uppdragsgivare och det tyckte Allan var konstigt, för inte kunde man väl leda militära operationer från andra sidan?

Song Meiling pratade på om vikten av att få stopp på kommunisterna, att hindra *fjanten* Mao Tse Tung från att sprida sitt politiska gift från provins till provins, och – märkligt nog, tyckte Allan – om att Chiang Kai-shek ingenting begrep i den här saken.

– Hur har ni två det med kärleken egentligen? sa Allan.

Song Meiling meddelade att det var en sak som inte ankom en plätt som han. Karlsson var utsedd av president Roosevelt till att vara henne direkt underställd i denna operation, och framgent skulle han svara på tilltal och inget annat.

Allan ilsknade aldrig till, han tycktes inte ha den förmågan, men nu gick han i alla fall i svaromål.

– Det senaste jag hörde om Roosevelt var att han är död, och om det hade blivit ändring på den punkten skulle det nog ha stått i tidningen. Själv ställer jag upp på det här för att *president Truman* bett mig. Men ska frun hålla på och vara vresig så tror jag att jag struntar i det. Kina kan jag besöka någon annan gång, och broar har jag redan sprängt så att det räcker och blir över.

Song Meiling hade inte varit med om att någon sa emot henne sedan hennes mor försökt stoppa dotterns giftermål med en *buddhist*, och det var många år sedan nu. Dessutom hade modern senare fått be om ursäkt, eftersom arrangemanget ju förde dottern hela vägen till toppen.

Nu tvingades Song Meiling att tänka till. Hon hade tydligen missbedömt situationen. Hittills hade alla amerikaner börjat skälva i kroppen när hon svängde sig med sina personliga vänner herr och fru presidentparet Roosevelt. Men hur skulle den här människan hanteras om inte på samma sätt som alla andra? *Vem var det den där klåparen Truman skickat på henne?*

Song Meiling var visserligen inte den som fraterniserade med vem som helst, men hennes målmedvetenhet var viktigare än principerna. Därför bytte hon taktik:

– Vi glömde visst hälsa ordentligt på varandra, sa hon och sträckte fram handen på västerländskt vis. Men bättre sent än aldrig!

Allan var inte långsint. Han tog hennes utsträckta hand och log överseende. Däremot höll han inte med om att det rent generellt var som så att det var bättre med sent än aldrig. Hans far hade till exempel blivit trogen tsar Nikolaj dagen före ryska revolutionen.

* * *

Redan två dagar senare flög Allan till Los Angeles tillsammans med Song Meiling och tjugo man ur hennes personliga livvakt. Där väntade skeppet som skulle ta dem och deras dynamitlast till Shanghai.

Allan visste att han omöjligen skulle kunna hålla sig undan Song Meiling under hela den dryga resan över Stilla havet, därtill var fartyget inte stort nog. Därför bestämde han sig för att inte ens försöka och han tackade ja till en fast plats vid kaptenens bord till middag varje kväll. Fördelen med det var den goda maten, nackdelen var att Allan och kaptenen inte var ensamma utan hade sällskap av Song Meiling, som tycktes oförmögen att prata om annat än politik.

Ärligt talat fanns där en nackdel till, för i stället för brännvin serverades grönfärgad bananlikör. Allan tog emot det som bjöds medan han tänkte att det var första gången han drack sådant som i grunden inte gick att dricka. Alkoholhaltiga drycker skulle ju ner i hals och mage, helst så fort som möjligt, inte fastna i gommen.

Men Song Meiling lät sig väl smaka av likören och ju fler glas hon fick i sig under en kväll, desto mer subjektivt präglade blev hennes evighetslånga politiska utläggningar.

Det Allan helt ofrivilligt fick lära sig under middagarna över Stilla havet var bland annat att *fjanten* Mao Tse Tung och hans kommunister mycket väl kunde vinna inbördeskriget och att det i så fall i allt väsentligt berodde på att Chiang Kai-shek, Song Meilings make, var *oduglig* som överbefälhavare. I detta nu satt han dessutom i fredsförhandlingar med Mao Tse Tung i den sydkinesiska staden Chongqing. Hade herr Karlsson och herr kaptenen hört något så dumt?

Att förhandla med en kommunist! Vart kunde det rimligen leda mer än ingenstans?

Song Meiling var säker på att förhandlingarna skulle bryta samman. Hennes underrättelserapporter skvallrade dessutom om att en betydande del av kommunistarmén väntade på ledaren Mao i oländiga bergstrakter i Sichuanprovinsen inte långt därifrån. Song Meilings handplockade agenter ansåg, precis som Song Meiling själv, att fjanten och hans styrka skulle komma att bege sig åt nordost, mot Shaanxi och Henan, i sitt vidriga propagandatåg genom nationen.

Allan såg till att hela tiden vara tyst för att inte aftonens politiska utläggning skulle bli längre än nödvändigt, men den hopplöst artige kaptenen ställde fråga på fråga medan han hällde upp nytt av den söta gröna banansörjan.

Sålunda undrade kaptenen på vilket sätt Mao Tse Tung egentligen utgjorde ett avgörande hot? Kuomintang hade ju USA i ryggen och var, såvitt kaptenen förstått, militärt helt överlägset.

Frågan förlängde den kvällens plåga med nästan en hel timme. Song Meiling förklarade att hennes kvartsfigur till make hade lika mycket intelligens, karisma och ledaregenskaper som en mjölkko. Chiang Kai-shek hade helt felaktigt fått för sig att allt handlade om att kontrollera städerna.

Med sitt lilla sidoprojekt tillsammans med Allan och delar av den egna livvakten avsåg inte Song Meiling att gå i strid med Mao, hur skulle det gå till? Tjugo illa beväpnade män, tjugoen med herr Karlsson, mot en hel armé av kompetenta motståndare i det bergiga Sichuan... nej, roligare kunde man ha.

Planen var i stället att i ett första skede få stopp på fjantens rörlighet, att göra det oändligt mycket svårare för kommunisternas armé att förflytta sig och att i nästa skede få hennes krake till make att begripa att han nu måste ta tillfället i akt att leda sina styrkor också *ut på landsbygden* och troliggöra för det kinesiska folket att Kuomintang behövdes för att skydda dem mot kommunismen, inte tvärtom. Song Meiling hade precis som fjanten förstått det Chiang Kai-shek dittills vägrat begripa – nämligen att det var lättare att bli ledare för ett folk om man hade folket med sig.

Emellertid hände det ju då och då att även blinda hönor hittade ett korn på marken, och det var rysligt bra att Chiang Kai-shek bjudit in till de där fredsförhandlingarna i just Chongqing i sydvästra delen av landet. För med den minsta tur skulle fjanten och hans soldater finnas kvar söder om Yangzijiang efter förhandlingarnas sammanbrott ända tills livvaktsstyrkan och Karlsson kom fram. För då skulle det vara dags för Karlsson att spränga broar! Och fjanten skulle för lång tid framöver vara upptryckt i bergen halvvägs in i Tibet.

– Fast skulle han råka finnas på *fel* sida om floden, då grupperar vi bara om. I Kina finns femtiotusen floder så vart den där parasiten än beger sig kommer det att vara vatten-dråg i hans väg.

En fjant och parasit, tänkte Allan, i strid med en krake, kvartsfigur och odugling, tillika lika intelligent som en ko. Och mitt emellan dem en huggorm berusad på grön bananlikör.

– Ska bestämt bli intressant att se vart allt tar vägen, sa Allan uppriktigt. Förresten och på tal om ingenting, det är inte så att herr kapten har en skvätt brännvin någonstans, att skölja ner likören med?

Nej, det hade kaptenen tyvärr inte. Men det fanns mycket annat om herr Karlsson önskade variation i gommen: citrus-likör, gräddlikör, mintlikör...

– På tal om ingenting igen, sa Allan. När är vi måhända framme i Shanghai?

* * *

Yangzijiang är inte vilken vattensamling som helst. Floden sträcker sig hundratals mil och är på sina ställen kilometerbred.

Dessutom är den långt in i landet djup nog för fartyg på tusentals ton.

Vacker är den också, där den ringlar sig genom det kinesiska landskapet, förbi städer, åkermark och mellan branta klippor.

Det var med flodbåt som Allan Karlsson och styrkan om tjugo man ur Song Meilings livvakt begav sig i riktning Sichuan, i syfte att göra livet besvärligare för den kommunistiske uppkomlingen Mao Tse Tung. Resan påbörjades den 12 oktober 1945, två dagar efter det att fredsförhandlingarna mycket riktigt brutit samman.

Färden gick inte överdrivet fort, för de tjugo livvakterna ville gärna ha det festligt i en dag eller tre så fort båten kom till en ny hamn (råttorna dansade på bordet när kattan begett sig till tryggheten i sommarhuset utanför Taipei). Det blev många stopp. Först Nanjing, därefter Wuhu, Anqing, Jiujiang, Huangshi, Wuhan, Yueyang, Yidu, Fengjie, Wanxian, Chongqing och Luzhou. Och på varje ställe fylleri, prostituerade och allmän sedeslöshet.

Eftersom dylik livsstil tenderar att kosta mycket pengar uppfann de tjugo soldaterna ur Song Meilings livvakt en ny skatt. Bönder som ville lossa varor i hamnen fick betala fem yuan i avgift, alternativt bege sig därifrån med oförrättat ärende. Den som bråkade sköt man.

Skatteintäkterna konsumerades genast i respektive stads mörkaste kvarter, som praktiskt nog alltid låg i hamnens närhet. Allan tänkte att om nu Song Meiling tyckte det var viktigt att ha *folket* på sin sida, kanske hon borde ha förmedlat den saken till sina närmaste undersåtar. Men det var gubevars hennes problem, inte Allans.

Det tog två månader för flodbåten med Allan och de tjugo soldaterna att komma fram till Sichuanprovinsen, och då hade Mao Tse Tungs styrkor för länge sedan gett sig av norrut. Dessutom smet de inte bergvägen, utan gav sig ner i dalen och tog strid med det Kuomintangkompani som var satt att hålla staden Yibin.

Det var snuddande nära att Yibin fallit i kommunisternas händer. Tretusen Kuomintangsoldater dödades i drabbningen, minst tvåtusenfemhundra av dem för att de var för berusade för att föra krig. I jämförelse dog trehundra, förmodat nyktra, kommunister.

Slaget om Yibin hade trots allt slutat i succé för Kuomintang, för bland de femtio tillfångatagna kommunisterna fanns en *diamant*. Fyrtionio av fångarna var bara att skjuta och sedan skyffla ner i en grop, men den femtionde! *Mmmm!* Den femtionde var ingen mindre än den sköna Jiang Qing, skådespelerskan som blev marxist-leninist och – framför allt! – Mao Tse Tungs tredje fru.

* * *

Palaver uppstod genast mellan å ena sidan Kuomintangs kompaniledning i Yibin och å andra sidan soldaterna i Song Meilings livvaktsstyrka. Bråket gällde vem som skulle ha ansvaret för stjärnfången Jiang Qing. Kompaniledningen hade så långt bara hållit henne inlåst, i väntan på att båten med Song Meilings mannar skulle komma fram. Man hade inte vågat annat eftersom Song Meiling ju kunde vara med ombord. Och henne bråkade man inte med.

Men Song Meiling visade sig vara i Taipei och då tyckte kompaniledningen att det hela var enkelt. Jiang Qing skulle först våldtas å det grövsta och därefter, om hon fortfarande var vid liv, skulle hon skjutas.

Soldaterna i Song Meilings livvakt hade i och för sig inget emot det där med våldtäkten, de kunde själva tänka sig att hjälpa till, men Jiang Qing skulle absolut inte dö av behandlingen. I stället skulle hon föras till Song Meiling eller åtminstone Chiang Kai-shek för beslut. Det här handlade om storpolitik förklarade de internationellt erfarna soldaterna överlägset, inför den provinsiellt skolade kompanichefen i Yibin.

Kompanichefen tordes till sist inte annat än ge med sig och han lovade surt att han redan samma eftermiddag skulle överlämna sin diamant. Mötet bröt upp och soldaterna bestämde sig för att fira segern med en rejäl runda på stan. Tänk vad kul de sedan skulle ha med diamanten under resans gång!

Slutförhandlingarna hade förts på däck på den flodbåt som tagit Allan och soldaterna hela vägen från havet. Allan häpnade över det faktum att han förstod det mesta av vad som sades. Medan soldaterna roat sig i olika städer hade Allan suttit på bakre däck tillsammans med den sympatiske mässpojken Ah Ming, som visade sig äga stora pedagogiska talanger. På två månader hade Ah Ming gjort Allan nästan självgående i kinesiska (framför allt när det gällde svordomar och runda ord).

* * *

Allan hade som barn fått lära sig att vara misstänksam mot den som inte tog sig en sup när tillfälle bjöds. Han kan inte ha varit mer än sex år gammal när fadern lade handen på hans lilla axel och sa:

– Präster ska du se upp med, min son. Och sådana som inte dricker brännvin. Värst av allt är präster som inte dricker brännvin.

Å andra sidan hade visst Allans far inte varit helt nykter när han en dag gav en oskyldig tågresenär en propp och på det fick omedelbart avsked från Statens järnvägar. Det hade i sin tur föranlett Allans mor att skicka med några egna visdomsord till sonen:

– Akta dig för suputer, Allan. Det borde jag själv ha gjort.

Den lille pojken växte upp och lade egna uppfattningar till dem han fått med sig från föräldrarna. Präster och politiker tyckte Allan kunde gå på ett ut numera, och till det kvittade det lika om de var kommunister, fascister, kapitalister eller allt vad det nu fanns att vara. Däremot höll han med sin far om att redigt folk inte dricker saft. Och han höll med mor om att man fick se till att föra sig, även om det skulle råka vara lite glatt under hatten.

I praktisk tillämpning betydde det att Allan längs flodresans gång tappat lusten att hjälpa Song Meiling och hennes tjugo fyllesoldater (det var för övrigt bara nitton kvar sedan en trillat överbord och drunknat). Han ville heller inte vara med om att soldaterna våldförde sig på den fånge som nu satt inlåst under däck, oavsett om hon var kommunist eller inte och vem hon kunde tänkas vara gift med.

Sålunda bestämde sig Allan för att ge sig av och att ta fången under däck med sig. Han meddelade mässpojken och vännen Ah Ming sitt beslut och önskade ödmjukt att Ah Ming skulle hjälpa de blivande rymlingarna med lite färdkost. Det lovade Ah Ming att göra, men på ett villkor – att han själv fick följa med.

Arton av de nitton soldaterna ur Song Meilings livvakt var tillsammans med fartygskocken och flodbåtens kapten och roade sig i Yibins glädjekvarter. Den nittonde soldaten, han som dragit nitlotten, satt och tjurade utanför dörren till den trappa som ledde till Jiang Qings fängelsecell under däck.

Allan slog sig ner att språka med vakten och föreslog att de skulle ta sig ett glas tillsammans. Vakten svarade att han var satt att ansvara för nationens kanske viktigaste fånge och att det då inte dög att sitta och pimpla risbrännvin.

– Det håller jag absolut med om, sa Allan. Men ett glas kan väl inte skada?

– Nej, sa vakten fundersamt. Ett glas kan förstås inte skada.

Två timmar senare hade Allan och vakten tömt sin andra flaska, medan mässpojken Ah Ming sprungit fram och tillbaka och serverat godsaker ur skafferiet. Allan hade blivit smålurig under arbetets gång, men vakten som ju skulle supas under bordet hade i brist på tillgängliga bord somnat direkt på öppet däck.

– Så där ja, sa Allan och tittade ner på den medvetslöse kinesiske soldaten vid sina fötter. Akta dig för att dricka ikapp med en svensk, om du själv inte är finne eller åtminstone ryss.

Bombexperten Allan Karlsson, mässpojken Ah Ming och den oändligt tacksamma kommunistledarhustrun Jiang Qing lämnade flodbåten i skydd av mörkret och var strax uppe i de berg där Jiang Qing redan tillbringat mycket tid tillsammans med makens trupper. Jiang Qing var känd bland de tibetanska nomaderna i området och rymlingarna hade inga problem med att få äta sig mätta även efter det att Ah Mings medförda matförråd tagit slut. Att tibetanerna var vänligt inställda till en hög representant för folkets befrielsearmé var inte så konstigt. Det var allmänt känt att om bara kommunisterna vann kampen om Kina skulle strax Tibet få sitt oberoende formaliserat.

Jiang Qings idé var nu att hon, Allan och Ah Ming skyndsamt skulle bege sig norrut, i en vid båge runt Kuomintangkontrollerat område. Efter månader av promenerande i bergen skulle de till sist närma sig Xi'an i Shaanxiprovinsen – och där visste Jiang Qing att maken skulle finnas, om hon bara inte dröjde för länge.

Mässpojken Ah Ming var förtjust över Jiang Qings löfte om att han framöver skulle få servera självaste Mao. Pojken hade i smyg blivit kommunist när han såg hur soldaterna i livvakten betedde sig, så det passade bra att både byta sida och byta upp sig.

Allan, däremot, sa att han var säker på att den kommunistiska kampen skulle klara sig fint även utan honom. Så nog vore det väl i sin ordning om Allan i stället tog och begav sig hemåt, tyckte inte Jiang Qing det?

Jo, det tyckte hon, men "hem" var inte det Sverige och det

låg ju alldeles rysligt långt borta. Hur hade herr Karlsson tänkt sig att lösa det?

Allan svarade att båt eller flyg förstås hade varit det mest praktiska, men tyvärr låg världshaven lite felplacerade för båtalternativet och några flygplatser hade han inte sett där uppe i bergen, han hade för övrigt inga pengar att tala om.

– Så jag får väl promenera, sa Allan.

* * *

Hövdingen i den by som så generöst tagit emot de tre rymlingarna hade en bror som var mer berest än någon annan. Brodern hade varit så långt bort som till Ulan Bator i norr och Kabul i väster. Dessutom hade han doppat tårna i Bengaliska viken under en resa till Bortre Indien. Men nu var han hemma i byn och hövdingen kallade på honom och bad att han skulle rita upp en världskarta för herr Karlsson så att denne hittade hem till Sverige. Det lovade brodern att göra och han var klar med sitt uppdrag redan till nästa dag.

Även om man har sett till att man är rejält påklädd, får man nog kalla det djärvt att med hjälp av hemgjord världskarta och egen medhavd kompass företa sig att korsa Himalaya. Egentligen skulle Allan ha kunnat vandra norr om bergskedjan och så småningom norr om både Aralsjön och Kaspiska havet, men verkligheten och den hemgjorda kartan gick inte helt hand i hand. Därför tog Allan adjö av Jiang Qing och Ah Ming och påbörjade sin lilla promenad, den som skulle gå genom Tibet, över Himalaya, genom Brittiska Indien, Afghanistan, in i Iran, vidare till Turkiet och så upp genom Europa.

Efter två månader till fots fick Allan veta att han nog valt fel sida om en bergskam och att bästa sättet att komma tillrätta med det var att vända om och börja om från början. Ytterligare fyra månader senare (på rätt sida bergskammen) tyckte Allan att det började bli långsamt. På en marknad i en bergsby köpslog han därför efter bästa förstånd om priset på en kamel, med hjälp av teckenspråk och den kinesiska han kunde. Allan och kamelförsäljaren kom till sist överens, men först sedan försäljaren tvingats gå med på att hans dotter inte skulle ingå i köpet.

Allan övervägde faktiskt det där med dottern. Inte av rent kopulerande skäl, för några drifter i den riktningen hade han inte i behåll. De blev på något vis kvar i professor Lundborgs operationsrum. I stället var det sällskapet som sådant som lockade. Livet på det tibetanska höglandet kunde understundom bli ensamt.

Men eftersom dottern inte talade annat än en entonig tibetoburmansk dialekt som Allan inte förstod ett ord av, tänkte han att han avseende intellektuell stimulans lika gärna kunde prata med kamelen. Dessutom gick det ju inte att utesluta att dottern ifråga hade vissa sexuella förväntningar på arrangemanget. Allan anade den saken i hennes blick.

Därför blev det som så att det följde ytterligare två månader i ensamhet, vinglande på en kamelrygg, innan Allan stötte ihop med tre främlingar, även de till kamel. Allan hälsade på alla språk han kunde: kinesiska, spanska, engelska och svenska. Till all lycka fungerade ett av språken, nämligen engelskan.

En av de främmande männen frågade Allan vem han var och vart han var på väg. Allan svarade att han var Allan och att han var på väg hem till Sverige. Männen tittade storögt på honom. Hade han tänkt rida kamel ända till norra Europa?

– Med ett litet avbrott för båt över Öresund, sa Allan.

Vad Öresund var visste inte de tre männen. Men efter att ha försäkrat sig om att Allan inte var lojal med den brittiskamerikanske lakejen till shahen av Iran, erbjöd de honom att göra gruppen sällskap.

Männen berättade att de en gång i tiden lärt känna varandra på universitetet i Teheran där de läste engelska. Till skillnad från de övriga studenterna i klassen hade de inte valt språket för att sedan lättare kunna springa den brittiska överhöghetens ärenden. Efter studierna hade de i stället tillbringat två år i den kommunistiska inspirationskällan Mao Tse Tungs omedelbara närhet, och nu var de på väg hem till Iran.

– Vi är marxister, sa en av männen. Vi bedriver vår kamp i den internationella arbetarens namn, i hans namn ska vi genomdriva en social revolution i Iran och i hela världen, vi ska avskaffa det kapitalistiska systemet, vi ska bygga ett samhälle byggt på allas ekonomiska och sociala jämlikhet och på förverkligandet av alla individers individuella förmågor; *av var och en efter förmåga, åt var och en efter behov.*

– Jaså du, sa Allan. Ni har inte en skvätt brännvin över?

Det hade männen. Flaskan vandrade en stund från kamelrygg till kamelrygg och genast tyckte Allan att det började arta sig med resan.

Elva månader senare hade de fyra männen lyckats rädda livet på varandra åtminstone tre gånger. De hade allihop tillsammans överlevt snöskred, stråtrövare, svår köld och upprepade perioder av hungersnöd. Två av kamelerna hade strukit med, en tredje hade de fått slakta och äta upp och den fjärde fick de skänka till en afghansk tullare för att bli insläppta i landet i stället för arresterade.

Allan hade aldrig föreställt sig att det skulle vara lätt att korsa Himalaya. I efterhand hade han ändå tyckt att det var turligt att han kunnat slå sig ihop med de där sympatiska iranska kommunisterna, för det hade inte varit gott att ensam brottas med dalgångarnas sandstormar och översvämmade floder, och bergens fyrtiogradiga kyla. De fyrtio minusgraderna hade nog inte gått att hantera ändå, förresten. Gruppen hade fått slå läger på tvåtusen meters höjd för att vänta ut vintern 1946–47.

De tre kommunisterna hade förstås försökt värva Allan till *kampen*, speciellt sedan de förstått hur fingerfärdig han var med dynamit och annat. Allan svarade att han önskade dem lycka till, men att han själv måste hem och se om sitt hus i Yxhult. I hastigheten glömde Allan att han arton år tidigare sprängt nämnda hus i luften.

Till slut gav i alla fall männen upp övertalningsförsöken och nöjde sig med att Allan var en god kamrat, en som inte klagade över minsta lilla snöfall, dessutom. Allans anseende steg ytterligare i gruppen när han i väntan på bättre väder och i brist på bättre saker att syssla med räknade ut hur man utvann starksprit ur getmjölk. Kommunisterna begrep inte hur han gjorde, men det var ju rejält drag i mjölken och tack vare den blev det både varmare och understundom mindre långtråkigt med allt.

Våren 1947 var de äntligen över på den södra sidan av världens högsta bergskedja. Ju närmare den iranska gränsen vännerna kom, desto ivrigare blev de tre kommunisternas prat om Irans framtid. Nu var tiden inne att en gång för alla jaga utlänningarna ut ur landet. Britterna hade stöttat den korrumperade shahen i alla år och det var illa nog. Men när shahen till slut tröttnade på att gå i deras koppel och började bjäbba emot, då lyfte britterna bort honom och satte dit hans son i stället. Allan gjorde en koppling till Song Meilings relation till Chiang Kai-shek och tänkte att det var märkliga familjeband de hade ute i världen.

Sonen var visst mer lättmutad än fadern och nu kontrollerade britter och amerikaner den iranska oljan. Det skulle de tre Mao Tse Tung-inspirerade Irankommunisterna sätta stopp för. Problemet var att andra Irankommunister hade mer dragningar åt Stalins Sovjet, och så var det en massa andra störande revolutionära element som blandade in religionen i det hela.

– Intressant, sa Allan och menade motsatsen.

Till svar fick han en lång marxistisk deklaration på temat att det var *mer* än intressant! Trion skulle kort sagt segra eller dö!

Redan dagen därpå stod det klart att det var det sistnämnda som gällde, för så fort de fyra vännerna trädde in på iransk mark blev de alla arresterade av en gränspatrull som råkat ha vägarna förbi. De tre kommunisterna bar oturligt nog på varsitt exemplar av det *Kommunistiska manifestet* (på persiska, dessutom), och för det blev de skjutna på fläcken. Allan klarade sig på att han var litteraturlös. Dessutom såg han utländsk ut och krävde vidare utredning.

Med en gevärspipa i ryggen tog Allan av sig mössan och tackade de tre ihjälskjutna kommunisterna för sällskapet över Himalaya. Allan trodde att han aldrig riktigt skulle vänja sig vid att de vänner han skaffade gick och dog framför ögonen på honom.

Någon längre sorgestund hann Allan inte med. I stället bakbands han och kastades upp på en filt på flaket till en lastbil. Med näsan ner i filten bad han på engelska att få bli förd till svenska ambassaden i Teheran, alternativt amerikanska om Sverige inte hade någon representation i staden.

– *Khafe sho!* blev svaret, i hotfull ton.

Allan förstod inte, men han förstod ändå. Det kunde nog inte skada att hålla munnen stängd en stund.

* * *

Ett halvt jordklot därifrån, i Washington D.C., hade president Harry S Truman sina egna bekymmer. Det drog så smått ihop sig till val i Amerika, och det gällde att positionera sig rätt. Den största strategiska frågan var hur mycket han skulle vara beredd att klia negrerna i Södern på ryggen. Balansen bestod i att å ena sidan agera modernt och att å andra sidan inte verka för mjuk. Det var så man höll opinionen på sin sida.

Och på världsscenen hade han Stalin att handskas med. I det fallet var han dock inte redo för några kompromisser. Stalin hade lyckats charma en och annan, men inte Harry S Truman.

I skenet av allt annat tillhörde Kina historien. Stalin pumpade in hjälp till den där Mao Tse Tung, och Truman kunde inte hålla på att göra detsamma till amatören Chiang Kaishek. Song Meiling hade ju hittills fått det hon bett om, men nu fick det vara nog också där. Undrar förresten vad som hände med Allan Karlsson? Trevlig prick, verkligen.

* * *

Chiang Kai-sheks militära motgångar blev fler och fler. Och Song Meilings sidoprojekt misslyckades i och med att ansvarig sprängtekniker försvann och dessutom tog med sig *fjantens* hustru.

Song Meiling begärde gång på gång möte med president Truman i avsikt att strypa honom med sina bara händer för att han skickat Allan Karlsson på henne, men Truman hade aldrig tid att ta emot. I stället vände USA Kuomintang ryggen; korruption, hyperinflation och hungersnöd – allt spelade Mao Tse Tung i händerna. Till sist fick Chiang Kaishek, Song Meiling och deras undersåtar fly till Taiwan. Fastlandskina blev kommunistiskt.

KAPITEL 12

Måndag 9 maj 2005

VÄNNERNA PÅ SJÖTORP förstod att det var hög tid att ta plats i flyttbussen och ge sig av för gott. Men innan dess hade de ett antal nödvändigheter att bestyra.

Den sköna klädde sig i regnrock, huva och gummihandskar och drog fram vattenslangen för att spola av kvarlevorna efter busen som Sonja just suttit ihjäl. Men allra först lirkade hon bort revolvern ur den dödes högerhand och lade den försiktigt på verandan (där hon sedan glömde den), med pipan riktad mot en tjock gran fyra meter bort. Man visste ju aldrig när sådana där maskiner kunde brinna av.

När Hinken var befriad från Sonjas avföring stoppades han av Julius och Benny under baksätet på sin egen Ford Mustang. Normalt skulle han inte ha fått plats, men nu var han ju prydligt tillplattad.

Så satte sig Julius bakom ratten på busens bil och gav sig av, med Benny i släptåg i Den skönas Passat. Tanken var att leta rätt på en öde plats på tillräckligt säkerhetsavstånd från Sjötorp och därpå dränka busens bil i bensin och tända på, precis som riktiga gangstrar skulle ha gjort i samma situation.

Men för den saken krävdes först dunk och därpå bensin att fylla dunken med. Därför stannade Julius och Benny utanför en mack på Sjösåsvägen i Braås, Benny gick in för att ordna med nödvändigheterna och Julius för att köpa något gott att tugga på.

En ny Ford Mustang med en V8 på över trehundra häst-krafter utanför en bensinstation i Braås är ungefär lika sen-sationellt som en Boeing 747 skulle vara på Sveavägen i Stockholm. Det tog inte mer än en sekund för Hinkens lille-bror och en av kollegorna i The Violence att bestämma sig för att fånga dagen. Lillebrodern hoppade in i Mustangen medan kollegan hade kontroll på den förmodade ägaren, som gick och botaniserade bland smågodiset inne på mack-en. Vilket kap! Och vilken idiot! Nycklarna kvar i tänd-ningslåset!

När Benny och Julius kom ut igen, den ene med en nyinköpt dunk att fylla bensin i, den andre med tidning under armen och munnen full av godis, var Mustangen borta.
   – Ställde jag inte bilen här? sa Julius.
   – Jo, här ställde du bilen, sa Benny.
   – Har vi problem nu? frågade Julius.
   – Nu har vi problem, sa Benny.
   Och så tog de den ostulna Passaten tillbaka till Sjötorp. Den tomma dunken var fortfarande tom. Och det var ju lika bra det.

* * *

Mustangen var svart med två ljusgula längsgående farträn-der över taket. Ett riktigt toppenexemplar som Hinkens lille-bror och hans kamrater skulle få en bra slant för. Stölden hade varit lika slumpartad som problemfri. Mindre än fem minuter efter det oplanerade tillgreppet var bilen i tryggt för-var i The Violences garage.
   Redan nästa dag bytte man först registreringsplåt innan lillebrodern lät en av sina underhuggare ta bilen till samar-betspartnern i Riga, och båt tillbaka utan bil. Det som sedan brukade hända var att letterna med hjälp av falska plåtar och dokument ordnade så att bilen såldes som privatimpor-

terad tillbaka till någon i The Violence och vips hade en stulen bil blivit laglig.

Men just den här gången gick det annorlunda, för bilen från svenskarna började lukta något alldeles förfärligt medan den stod i sitt garage i Ziepniekkalns i Rigas södra utkanter. Garagechefen utredde saken närmare och upptäckte *ett lik* under bilens baksäte. Han svor så det osade, slet bort alla registreringsplåtar och allt som kunde härleda bilen åt något håll. Därefter bucklade han till det från början fantastiskt fina exemplaret till Mustang och slutade inte förrän bilen såg ut att vara värdelös. Så letade han rätt på och mutade ett fyllo att mot fyra flaskor vin lämna in vraket på skrot för destruering, med lik och allt.

* * *

Vännerna på Sjötorp var redo för avfärd. Att Mustangen med den döde busen stulits var förstås bekymrande, men bara tills Allan bestämde att det var som det var med allt och att det framöver skulle bli som det blev. Dessutom, menade Allan, fanns det gott hopp om att biltjuvarna aldrig skulle kontakta polisen. Att hålla visst avstånd till det polisiära var ju något som i grunden låg i biltjuvars natur.

Klockan var halv sex på kvällen, bra att de kom iväg innan det hann skymma, för bussen var stor och vägarna i början både små och krokiga.

Sonja stod på plats i sitt stall på hjul, alla spår efter elefanten var omsorgsfullt bortsopade från gårdsplan och lada. Passaten och Bennys Mercedes fick vara kvar, de hade ju inte varit med om något olagligt och vad skulle de för övrigt annars göra av bilarna?

Så rullade bussen igång. Den sköna hade från början tänkt köra själv, nog visste hon hur man körde en buss. Men så visade det sig att Benny nästan var trafikskollärare och hade alla bokstäver som fanns på sitt körkort och då var det väl bäst att han hamnade bakom ratten. Gruppen behövde ju inte i onödan vara mer olaglig än den dittills hunnit med.

Uppe vid brevlådan svängde Benny vänster, bort från Rott-ne och Braås. Enligt Den sköna skulle de efter visst trixande längs grusvägar så småningom hamna i Åby och därefter ut på väg 30 söder om Lammhult. Dit skulle det ta en knapp halvtimme, varför inte använda tiden till att diskutera den inte helt oviktiga frågan vart de nu egentligen var på väg?

* * *

Fyra timmar tidigare hade Chefen otåligt suttit och väntat på den ende av sina hantlangare som ännu inte var försvunnen. Så fort Caracas kom tillbaka från sitt ärende, vad det nu var, skulle Chefen och han bege sig söderut. Men inte på hojen och inte med klubbjacka. Det här var tid för försiktighet.

Chefen hade för övrigt börjat ifrågasätta sin tidigare strategi med klubbjackorna och Never Again-symbolen på ryggen. Avsikten var från början att skapa identitet och sammanhåll-ning i gruppen, och att inge utomstående respekt. Men först blev ju gruppen så mycket mindre än vad Chefen en gång tänkt sig; att hålla samman en kvartett med Bulten, Hinken, Caracas och sig själv kunde han klara utan jackor. Och sedan blev inriktningen på verksamheten sådan att klubbjackan som signal blev närmast kontraproduktiv. Ordern till Bulten inför transaktionen i Malmköping hade blivit den något tudelade att å ena sidan ta sig dit med allmänt kommunikationsmedel, i diskretionens namn, och att å andra sidan bära klubbjackan med Never Again-symbolen på ryggen för att visa ryssen vem det var han muckade med om han muckade.

Och nu var Bulten på rymmen... eller vad det var som hänt. Och på ryggen bar han ett märke som mer eller mindre sa: *"Är det något du undrar över, ring Chefen."*

Förbannat! tänkte Chefen. När den här röran var över

151

skulle jackorna eldas upp. Men var i helvete höll Caracas hus? De skulle ju åka nu!

Caracas dök upp åtta minuter senare och ursäktade sig med att han hade varit på Seven-Eleven och köpt vattenmelon.
– Svalkande och gott, förklarade Caracas.
– Svalkande och gott? Halva organisationen är försvunnen tillsammans med femtio miljoner kronor, och du ger dig iväg för att köpa frukt?
– Inte frukt, grönsak, sa Caracas. En gurkväxt, faktiskt.
Där brast det för Chefen som tog vattenmelonen och drämde den i huvudet på stackars Caracas så att den sprack. På det började Caracas gråta och sa att nu ville han inte vara med längre. Han hade ju inte fått annat än skit av Chefen sedan först Bulten och sedan Hinken försvann, precis som om det var han, Caracas, som låg bakom. Nej, nu fick Chefen reda sig bäst han ville, Caracas tänkte ringa taxi, åka till Arlanda och flyga hela vägen hem till familjen i... Caracas. Då kunde man ju åtminstone få tillbaka sitt riktiga namn.
– *¡Vete a la mierda!* grät Caracas och rusade ut genom dörren.

Chefen suckade för sig själv. Allt blev bara rörigare och rörigare. Först försvann Bulten och Chefen fick väl så här i efterhand erkänna att han för den skull tagit ut en del av sin frustration på Hinken och Caracas. Och sedan försvann Hinken och Chefen fick väl så här i efterhand erkänna att han för den skull tagit ut en del av sin frustration på Caracas. Och sedan försvann Caracas – för att köpa vattenmelon. Och Chefen fick väl så här i efterhand erkänna att han... aldrig skulle ha drämt melonen i huvudet på honom för den skull.
Nu var han i stället ensam i sin jakt på... ja, han visste inte ens vad han jagade. Skulle han hitta Bulten? Hade Bulten i så fall snott väskan, kunde han vara så korkad? Och vad hade hänt med Hinken?

Chefen åkte ståndsmässigt i sin BMW X5 av nyaste modell. Och för det mesta alldeles för fort. Konstaplarna i den skuggande civilpolisbilen ägnade sig åt att räkna antalet trafikförseelser under resan mot Småland och var efter trettio mil överens om att mannen bakom ratten i BMW:n framför dem nog inte borde få tillbaka sitt körkort på de närmaste fyrahundra åren om allt det han så långt hittat på i trafiken bara gick till åtal, vilket det ju aldrig skulle komma att göra.

Färden kom i alla fall så småningom att gå förbi Åseda, och där löste kommissarie Aronsson av kollegorna från Stockholm, tackade för hjälpen och meddelade att han nu klarade sig själv.

Med hjälp av gps-navigatorn i BMW:n hade Chefen inga problem att hitta hela vägen till Sjötorp. Men ju närmare han kom, desto otåligare blev han. Den redan olagliga färden började nu bli så snabb att kommissarie Aronsson hade svårt att hinna med. Det gällde ju att hela tiden hålla ett visst avstånd så att Per-Gunnar "Chefen" Gerdin inte skulle märka att han var förföljd, men nu var sanningen den att Aronsson höll på att tappa kontakt. Det var bara på de riktigt långa raksträckorna som han fortfarande kunde skymta BMW:n ända tills... han inte kunde det längre!

Vart hade Gerdin tagit vägen? Han måtte ha svängt av någonstans, eller? Aronsson sänkte farten, kände sig svettig i pannan, gillade inte tanken på det som möjligen var på väg att hända.

Där var en avtagsväg till vänster, hade han tagit den? Eller hade han fortsatt rakt fram till... Rottne hette det visst. Och här var det fullt med farthinder i vägen, borde inte Aronsson ha hunnit ifatt Gerdin just här, just därför? Om Gerdin nu inte svängt av strax innan?

Så måste det ha varit. Aronsson vände bilen och vek i stället av där han gissade att Gerdin gjort detsamma. Nu gällde det att hålla ögonen öppna, för om Gerdin tagit in på den här lilla vägen, då var slutdestinationen nära.

* * *

Chefen nästan tvärbromsade när han sänkte farten från hundraåttio till tjugo och snabbt girade in på den grusväg som navigatorn instruerat honom om. Nu var det bara 3,7 kilometer kvar till målet.

Med tvåhundra meter till brevlådan vid Sjötorp gjorde vägen en sista sväng, och runt kröken fick Chefen syn på bakdelen av en stor buss som just baxat sig upp från den avfart Chefen uppenbarligen skulle ta. Hur skulle han göra nu? Vilka befann sig i bussen? Och vem fanns kvar på Sjötorp?

Chefen bestämde sig för att låta bussen löpa. I stället vek han av och nerför en slingrig liten väg som visade sig leda till en gårdsplan invid ett boningshus, en lada och en sjöbod som hade sett bättre dagar.

Men ingen Hinken. Ingen Bulten. Ingen gamling. Ingen rödhårig kärring. Och definitivt ingen grå resväska på hjul.

Chefen offrade ytterligare någon minut på stället. Det var uppenbart tomt på folk, men bakom ladan stod två bilar gömda: en röd VW Passat och en silverfärgad Mercedes.

– Rätt ställe, definitivt, sa Chefen till sig själv. Men kanske några minuter för sent?

Och så bestämde han sig för att köra ikapp bussen. Det borde inte vara någon omöjlighet, tre–fyra minuters försprång på en slingrig grusväg.

Chefen gav sin bil körorder och BMW:n skickade raskt upp honom på huvudvägen igen. Där, vid brevlådan, svängde han vänster precis som bussen gjort. Och så tryckte han till på gasen och försvann i ett moln av damm. Att en blå Volvo närmade sig från andra hållet engagerade inte Chefen ett dugg.

Kommissarie Aronsson blev först glad över att plötsligt ha fått ögonkontakt med Gerdin igen, men med tanke på den fart Gerdin drog upp i sin fyrhjulsdrivna djävulsmaskin tappade kommissarien genast sugen på nytt. Han skulle inte ha en chans att haka på. Lika bra att i stället titta till stället... Sjötorp hette det visst... där Gerdin varit och vänt... och Gunilla Björklund var namnet enligt brevlådan.

– Skulle inte förvåna mig om du är rödhårig, Gunilla, sa kommissarie Aronsson.

Så kom det sig att Aronssons Volvo rullade in på samma gårdsplan som Henrik "Hinken" Hulténs Ford Mustang nio timmar tidigare och som Per-Gunnar "Chefen" Gerdins BMW bara några minuter före kommissarien.

Kommissarie Aronsson konstaterade strax, precis som Chefen just gjort, att Sjötorp var övergivet. Dock tog han betydligt längre tid på sig i sökandet efter diverse pusselbitar. En hittade han i form av *dagsfärska* kvällstidningar i köket och en del helt fräscha grönsaker i kylen. Uppbrottet hade alltså skett tidigare samma dag. En annan var förstås Mercedesen och Passaten bakom ladan. Den ena sa Aronsson en hel del, den andra gissade han tillhörde Gunilla Björklund.

Två synnerligen intressanta iakttagelser återstod för kommissarie Aronsson att göra. Den första att han hittade en *revolver* liggande på den yttersta delen av boningshusets träveranda. Vad gjorde den där? Och vems fingeravtryck kunde den måhända vara full av? Aronsson gissade på Hinken Hulténs, medan han försiktigt stoppade ner revolvern i en plastpåse.

Den andra upptäckten gjorde Aronsson i brevlådan på väg därifrån. Bland samma dags post fanns ett brev från Vägverket, som bekräftade ägarbyte på en gul Scania K113, årsmodell 1992.

– Är ni ute och åker buss? sa kommissarien till sig själv.

* * *

Den gula flyttbussen snirklade sig sakta framåt. Det tog ingen lång stund för BMW:n att hinna ikapp. Men på den smala vägen hade Chefen ingen chans att göra annat än att ligga där han låg och fantisera kring vilka som befann sig i bussen och om de möjligen hade en grå resväska på hjul med sig.

Lyckligt ovetande om faran fem meter bakom dem, diskuterade vännerna i bussen den uppkomna situationen och var raskt överens om att det vore lugnast om de kunde hitta någonstans att gömma sig i några veckor. Så hade det ju varit tänkt redan på Sjötorp, men den goda idén hade plötsligt blivit hemskt dålig i och med att de fick oväntat besök och att Sonja slog sig ner på besöket ifråga.

Problemet nu var att det visade sig att Allan, Julius, Benny och Den sköna hade det gemensamt att det var väldigt tunt med släkt och vänner som skulle kunna tänkas ta emot en gul flyttbuss innehållande människor och djur av det slag som var fallet.

Allan ursäktade sig med att han var hundra år gammal, att hans vänner alla dött på det ena eller andra sättet och att de för övrigt ändå skulle ha varit döda vid det här laget, av åldersskäl. Det var ju få förunnat att överleva just allting, år efter år.

Julius sa att hans specialitet var *ovänner*, inte vänner. Allan, Benny och Den sköna ville han gärna fördjupa vänskapen med, men det var ju så att säga inte relevant i just det här sammanhanget.

Den sköna erkände att hon varit hemskt osocial under åren efter skilsmässan, och sedan hamnade en hemlig elefant i ladan, och det var inget som direkt främjade allmänt umgänge. Så inte heller där fanns det någon att kontakta och be om hjälp.

Återstod Benny. Och han hade ju en bror. Världens argaste bror.

Julius undrade om de inte kunde muta brodern med pengar och då sken Benny upp. De hade ju en massa miljoner i resväskan! Muta skulle inte gå, för Bosse var mer stolt än girig. Men nu var de inne på semantik. Och Benny hade lösningen. Han skulle *be att få göra rätt för sig* efter alla dessa år.

På det ringde Benny upp brodern och hann inte mer än säga vem han var förrän han fick veta att Bosse hade hagelbössan laddad och att lillebror var hemskt välkommen på besök om han ville ha en salva i röven.

Benny sa att han inte hade någon längtan efter den saken, men att han – tillsammans med några vänner – likväl kunde tänka sig att svänga förbi, för han önskade reglera brödernas finansiella mellanhavanden. Det rådde ju så att säga en viss diskrepans i utfallet bröderna emellan avseende farbror Frasses arv.

Bosse svarade att lillebror skulle sluta uttrycka sig så förbannat krångligt. Och så gick han rakt på sak:

– Hur mycket har du med dig?

– Vad sägs om tre miljoner? sa Benny.

Bosse var tyst en stund, tänkte igenom situationen. Han kände ändå brodern tillräckligt väl för att veta att Benny aldrig skulle ringa och driva med honom om sådant här. *Lillbrorsan hade helt enkelt en massa stålar! Tre miljoner! Helt fantastiskt! Men...* mycket vill ha mer.

– Vad sägs om fyra? prövade Bosse.

Fast nu hade Benny en gång för alla bestämt att storebror aldrig mer skulle få köra med honom, så han sa:

– Vi kan i och för sig ta in på hotell i stället om du tycker att vi är till besvär.

På det svarade Bosse att lillebror väl aldrig varit till något besvär. Benny och hans vänner var hjärtligt välkomna och om Benny samtidigt ville reglera gammalt groll med tre miljoner – eller tre och en halv om han skulle känna för det – då var det bara ett plus.

Benny fick en vägbeskrivning till broderns hus, och han trodde att de skulle vara framme på några timmar.

Allt tycktes ordna sig till det bästa. Och nu blev dessutom vägen både bred och rak.

Det var just det Chefen behövde, en lite bredare och rakare väg. Han hade i nästan tio minuter suttit fast bakom bussen samtidigt som BMW:n meddelat honom att den ville ha påfyllning av bränsle. Chefen hade inte tankat sedan Stockholm, när skulle han ha hunnit det?

Mardrömmen skulle ha varit att få slut på bensinen där mitt i skogen och inte kunna göra annat än titta på när den gula bussen försvann i fjärran, kanske med Bulten och Hinken och resväskan eller vilka och vad den nu innehöll.

Därför agerade Chefen med den handlingskraft han tyckte att det tillstod en kriminell klubbchef från Stockholm. Han tryckte gasen i botten, var på en sekund förbi den gula bussen, fortsatte ytterligare hundrafemtio meter innan han lade upp BMW:n i en kontrollerad bredsladd och blev stående tvärs över vägen. Därpå plockade han fram revolvern ur handskfacket och gjorde sig redo att inta det just omkörda fordonet.

Chefen var mer analytiskt lagd än sina nu döda eller emigrerade assistenter. Idén att ställa sig på tvären över grusvägen för att tvinga bussen till stopp hade förvisso sitt ursprung i det faktum att bensinen var på väg att ta slut i BMW:n, men Chefen hade i tillägg till det gjort det helt korrekta antagandet att busschauffören verkligen skulle välja att stanna. Chefens slutsats grundade sig på vetskapen att folk i allmänhet inte med flit rammade annat folk i trafiken, med risk för bådas liv och hälsa.

Och som sagt, Benny ställde sig på bromsen. Chefen hade alltså tänkt rätt.

Däremot hade han inte tänkt tillräckligt långt. Han borde i kalkylen ha vägt in risken att bussens last kunde bestå av en elefant på några ton, och han borde ha frågat sig vad det i så fall rimligen skulle få för konsekvens för bussens stoppsträcka, inte minst med tanke på att underlaget var grus, inte asfalt.

Benny gjorde verkligen sitt yttersta för att undvika en

krock, men farten var nog ändå närmare femtio km/h när den femton ton tunga bussen med elefant och allt rammade den bil som stod i dess väg, varpå bilen for likt en vante tre meter upp i luften och tjugo meter bort, där den landade hårt mot en åttio år gammal gran.

– Där rök nog nummer tre, gissade Julius.

Alla bussens tvåbenta passagerare hoppade ut (för några gick det lättare än för andra) och tog sig till den demolerade BMW:n.

Hängande över ratten, misstänkt död, satt en för vännerna okänd man, fortfarande kramande en revolver av exakt den modell buse nummer två hade hotat dem med tidigare under dagen.

– Nog är det trean alltid, sa Julius. Undrar när de tänker ta slut.

Benny protesterade lamt mot Julius lättsamma ton. Det kunde väl räcka med att ha ihjäl *en* buse om dagen, men i dag var de uppe i två och klockan var inte ens sex på kvällen. Det fanns ju tid till fler om det ville sig illa.

Allan föreslog att de skulle gömma döing nummer tre någonstans eftersom det aldrig kunde vara nyttigt att vara för tätt knuten till folk man haft ihjäl, om man nu inte ville berätta att man haft ihjäl dem och det tyckte inte Allan att vännerna hade skäl att vilja.

På det började Den sköna skälla ut döingen där han hängde över sin ratt, på temat hur han hade kunnat vara så *in i helvete* korkad att han ställt sig på tvären över vägen.

Döingen svarade med att rossla svagt och röra på ena benet.

* * *

Kommissarie Aronsson hade just inget bättre för sig än att fortsätta sin färd i samma riktning som Chefen Gerdin en

knapp halvtimme tidigare. Han hade förstås inga förhopp-
ningar om att hinna ifatt Never Again-ledaren, men det kan-
ske kunde dyka upp något intressant på vägen? För övrigt
borde väl inte Växjö ligga för långt bort, kommissarien
behövde checka in någonstans för att sammanfatta läget och
få sig några timmars sömn.

Efter en stund längs vägen upptäckte Aronsson vraket av
en ny BMW X5 klistrat mot en gran. Först tänkte Aronsson
att det inte var konstigt att Gerdin kört av vägen med tanke
på den fart han dragit upp från Sjötorp. Men en närmare
granskning gav Aronsson en annan bild.

För det första var bilen tom. Det var fullt med blod runt
förarsätet, men någon förare stod inte att finna.

För det andra var bilens högra sida onaturligt intryckt,
och här och där syntes tydliga spår efter gul färg. Något stort
och gult tycktes ha rammat bilen i full fart.

– Till exempel en gul Scania K113, årsmodell 1992, mum-
lade kommissarie Aronsson.

Det var redan från början ingen avancerad gissning, lät-
tare blev det när det visade sig att den gula Scanians främre
registreringsplåt satt stadigt intryckt i BMW:ns högra bak-
dörr. Aronsson hade bara att jämföra siffror och bokstäver
med det som stod i Vägverkets bekräftelse på ägarbyte för
att vara säker på sin sak.

Kommissarie Aronsson kunde fortfarande inte begripa
vad det var som höll på att ske. Men en sak verkade mer och
mer tydlig för honom, om än otrolig: hundraårige Allan
Karlsson och hans följe tycktes vara duktiga på att ha ihjäl
folk och sedan trolla bort liken.

KAPITEL 13

1947–1948

BEKVÄMARE NÄTTER ÄN den liggande på mage på ett lastbilsflak på väg mot Teheran hade Allan bestämt haft. Kallt var det också, och det fanns ingen specialbehandlad getmjölk att värma sig med. Hans händer var ju för övrigt ändå bakbundna.

Inte undra på att Allan kände sig nöjd när resan tydligen var till ända. Det var sen förmiddag när lastbilen stannade utanför huvudentrén till en stor brun byggnad i centrala huvudstaden.

Två soldater hjälptes åt att ställa främlingen på fötter och att damma av honom det värsta. Så lossade de knutarna som bakbundit Allan och återgick till att bevaka honom med gevär.

Om Allan behärskat persiska skulle han ha kunnat läsa på en liten guldgul mässingsskylt intill entrén var han hamnat. Men det kunde han inte. Och han brydde sig inte. Viktigare för honom var om det möjligen kunde vankas frukost. Eller lunch. Eller helst både och.

Däremot visste förstås soldaterna vart de fört den misstänkte kommunisten. Och när de knuffade Allan genom dörrarna sa en av soldaterna adjö till Allan med ett flin och en kommentar på engelska:

– *Good luck.*

Allan tackade så mycket för lyckönskningen även om han förstod att den var ironisk, och så tänkte han att han kanske trots allt gjorde bäst i att engagera sig i vad som skulle komma därnäst.

Officeren i den grupp som gripit Allan gjorde en ordentlig överlämning till jämbördig motsvarighet på stället där Allan nu hamnat. När Allan var vederbörligt inskriven flyttades han till en häkteslokal en liten bit in i närmaste korridor.

Häktet var rena Shangri-La jämfört med vad Allan på sistone vant sig vid. Fyra sängar på rad, dubbla filtar på varje säng, elektriskt lyse i taket, ett handfat med rinnande vatten i ena bortre hörnet och i det andra en potta i vuxenstorlek med lock. Dessutom hade Allan fått med sig ett rejält fat med gröt och en hel liter vatten att släcka hunger och törst med.

Tre av sängarna var obesatta, men på den fjärde låg en man på rygg, med knäppta händer och ögonen slutna. När Allan släpptes in i lokalen vaknade mannen ur sin slummer och reste sig upp. Han var lång och mager och hade en vit prästkrage som bröt av den i övrigt svarta klädseln. Allan sträckte fram handen för att presentera sig och sa beklagande att han inte behärskade det lokala språket, men att herr prästen kanske förstod ett och annat ord på engelska?

Det förklarade den svartklädde att han gjorde, eftersom han var både född, uppvuxen och utbildad i Oxford. Den svartklädde presenterade sig som Kevin Ferguson, anglikansk pastor som sedan tolv år befann sig i Iran i jakt på vilsna själar att värva till den rätta tron. Hur hade förresten herr Karlsson det med det religiösa?

Allan svarade att han rent fysiskt inte hade kontroll på var han befann sig, men att han för den skull inte kände sig vilsen i själen. Allan hade alltid resonerat som så kring tron att om man ändå inte med säkerhet *visste*, då var det ju föga lönt att gå omkring och gissa.

Nu såg Allan att pastor Ferguson var på väg att ta sats, därför tillade han snabbt att pastorn skulle vara så god och respektera Allans innerliga önskan att slippa bli anglikan eller för den delen något annat.

Men pastor Ferguson var inte den som utan vidare tog ett

nej för ett nej. Likväl tvekade han just den här gången. Han kanske inte skulle gå för hårt fram med den ende förutom Gud som möjligen kunde rädda honom ur situationen han försatt sig i?

Det hela fick bli en kompromiss. Pastor Ferguson gjorde en halvhjärtad ansats om att det väl inte kunde skada herr Karlsson om pastorn i alla fall fick belysa *treenighetsläran* lite grand. Just treenigheten råkade vara den första av de 39 artiklarna i den anglikanska trosbekännelsen.

Allan svarade att pastorn nog inte kunde ana hur ointresserad Allan var av just treenigheten.

– Av alla enigheter här på jorden är nog treenigheten den jag är minst intresserad av, sa Allan.

Det där tyckte pastor Ferguson var så dumt sagt att han lovade att han skulle lämna herr Karlsson i fred avseende det religiösa, "trots att Gud rimligen måtte ha menat något med att placera oss i samma häkte".

I stället övergick han till att förklara sin egen och Allans situation.

– Det ser inte bra ut, sa pastor Ferguson. Vi kan vara på väg att möta Skaparen både du och jag, och hade jag nu inte lovat så skulle jag ha lagt till att det just därför kunde vara hög tid för herr Karlsson att bekänna sig till den rätta tron.

Allan gav prästen en sträng blick men sa inget. I stället lät han prästen fortsätta med att berätta att de båda just nu befann sig i en hälteslokal hos myndigheten för inre underrättelse och säkerhet, eller kort och gott *säkerhetspolisen*. Det kanske herr Karlsson tyckte lät tryggt och bra, men sanningen var den att säkerhetspolisen månade om *shahens* säkerhet, ingen annans, och fanns egentligen till för att hålla den iranska befolkningen i lagom mängd skräck och respekt, samt för att i görligaste mån jaga livet ur socialister, kommunister, islamister och misshagliga element i största allmänhet.

– Som anglikanska pastorer? undrade Allan.

Pastor Ferguson svarade att anglikanska pastorer inte

hade något att frukta, för det rådde ändå religionsfrihet i Iran. Men just den här anglikanske pastorn hade nog gått för långt trodde han själv.

– Prognosen är inte god för någon som hamnar i säkerhetspolisens klor, och för egen del är jag rädd att det här är ändhållplatsen, sa pastor Ferguson och såg plötsligt mycket ledsen ut.

Allan kom genast att tycka synd om sin nya häkteskamrat, trots att han var präst. Och så sa han tröstande att de båda nog skulle komma på ett sätt att ta sig därifrån men att allt hade sin tid. Nu ville han först veta vad det var pastorn gjort för att hamna i detta bryderi.

Pastor Kevin Ferguson snörvlade till och ryckte upp sig. Det var inte det att han var rädd för att dö, förklarade han, han tyckte bara att han hade så mycket kvar att uträtta på vår jord. Pastorn lade som alltid sitt liv i Guds händer, men om herr Karlsson, i väntan på att Gud skulle bestämma sig, kunde finna på någon råd för sig själv och pastorn, var pastorn säker på att Gud inte skulle ta illa upp.

Så började pastorn sin berättelse. Herren hade talat till honom i en dröm när pastorn var alldeles nyutexaminerad. "Ge dig ut i världen på mission", hade Herren sagt, men sedan hade han inte sagt mer så pastorn fick själv fundera ut vart han skulle bege sig.

Av en engelsk vän och biskop hade han då fått tips om Iran – ett land där den rådande religionsfriheten missbrukades å det grövsta. Till exempel var antalet anglikaner i Iran inte mätbart, medan det vimlade av shiiter, sunniter, judar och folk som bekände sig till rena hokuspokusreligioner. I den utsträckning det fanns kristna alls, så var de armenier eller assyrier och det visste ju var och en att armenierna och assyrierna hade fått det mesta om bakfoten.

Allan sa att han faktiskt inte vetat det, men att han visste det nu och det tackade han för.

Pastorn fortsatte sin berättelse. Iran och Storbritannien

stod ju på god fot med varandra och med hjälp av en av kyrkans högt uppsatta politiska kontakter hade pastorn lyckats få lift till Teheran med ett brittiskt diplomatplan.

Detta hände sig ett drygt decennium tidigare, runt 1935. Sedan dess hade han betat av religion efter religion, i en allt vidare båge runt huvudstaden. I början siktade han in sig på de olika religiösa ceremonierna. Han smög sig in i moskéer, synagogor och tempel av allehanda slag och inväntade lämpligt ögonblick innan han helt enkelt avbröt aktuell ceremoni för att med tolk till hjälp förkunna den *sanna* läran.

Allan berömde sin nya häkteskamrat och sa att pastorn bestämt var en mycket modig man. Frågan var bara hur han hade det med förståndet, för det där kunde väl sällan ha slutat väl?

Pastor Ferguson erkände att det faktiskt inte slutat väl en enda gång. Han hade aldrig fått prata till punkt, han och tolken hade alltid blivit utslängda och för det mesta hade båda två åkt på stryk. Inget av detta hade dock hindrat pastorn från att fortsätta sin kamp. Han visste att han planterade små anglikanska frön i själen hos alla han mötte.

Till slut hade dock ryktet om pastorn spridit sig så pass att det började bli svårt att få tolkhjälp. Ingen tolk hade ju dittills ställt upp mer än en gång, och efter en tid hade de visst börjat skvallra för varandra.

Därför gjorde pastorn paus och skyndade i stället på sina studier i persiska. Under dessas gång skissade han på hur han skulle förfina sin taktik och en dag kände han sig så trygg i språket att han sjösatte sin nya plan.

I stället för att söka sig till tempel och ceremonier, besökte han marknadsplatser där han visste att respektive irrlära hade kraftig representation bland besökarna, och så ställde han sig på en medhavd trälåda och begärde uppmärksamhet.

Detta förfaringssätt hade visserligen inte resulterat i lika mycket stryk som under de första åren, men antalet räddade själar var alltjämt inte alls vad pastor Ferguson tänkt sig.

Allan frågade hur många konvertiter pastor Ferguson de facto var orsak till och fick till svar att det berodde på hur man såg på saken. Å ena sidan hade nämligen pastor Ferguson fått *exakt* en styck konvertit från varje religion han bearbetat, det vill säga inalles åtta. Å andra sidan hade det så sent som några månader tidigare gått upp för honom att alla åtta i själva verket kunde vara säkerhetspolisens spioner, utskickade att hålla koll på den missionerande prästen.

– Mellan noll och åtta, alltså, sa Allan.

– Förmodligen närmare noll än åtta, svarade pastor Ferguson.

– På tolv år, sa Allan.

Pastorn erkände att det känts tungt när han förstått att det redan magra resultatet i själva verket var magrare ändå. Och han förstod att han med samma arbetssätt aldrig någonsin skulle lyckas i det här landet, för hur gärna iranierna än ville konvertera så skulle de inte våga. Säkerhetspolisen fanns ju överallt och att byta religion skulle med säkerhet innebära att det skapades en dossier med ens namn på i dess arkiv. Och från dossier i arkivet till att man en dag spårlöst försvann var steget sällan långt.

Allan sa att det i tillägg till allt det andra kanske också var som så att det fanns en och annan iranier som alldeles oavsett pastor Ferguson eller säkerhetspolisen gick omkring och var allmänt nöjd med den religion han redan hade, trodde inte pastorn det?

Pastor Ferguson svarade att han sällan hört ett så okunnigt prat, men att han var förhindrad att gå i svaromål eftersom herr Karlsson förbjudit alla anglikanska utläggningar. Kunde herr Karlsson därför tänka sig att lyssna på resten av pastorns berättelse utan att avbryta mer än nödvändigt?

Fortsättningen var den att pastor Ferguson med sina nyvunna insikter om hur säkerhetspolisen infiltrerat pastorns mission började tänka *nytt*, började tänka *stort*.

Sålunda skakade pastorn först av sig sina åtta förmodat spionerande lärjungar, därpå kontaktade han den underjordiska kommunistiska rörelsen för ett möte. Han hälsade att han var brittisk representant för Den Sanna Läran som ville träffas för att diskutera framtiden.

Det tog sin tid att få ett möte arrangerat, men till slut satt han i alla fall med fem herrar i ledningen för kommunisterna i provinsen Razavikhorasan. Egentligen hade han velat träffa Teherankommunisterna för pastor Ferguson tänkte att det nog var de som bestämde, men det här mötet kunde också fungera.

Eller inte.

Pastor Ferguson presenterade sin idé för kommunisterna, som i korthet var den att anglikanismen skulle bli statsreligion i Iran den dag kommunisterna tog över. Om kommunisterna gick med på detta, så lovade pastor Ferguson att han skulle tacka ja till jobbet som kyrkominister och som sådan se till att det redan från början fanns tillräckligt med biblar att tillgå. Kyrkor fick byggas upp efterhand, inledningsvis kunde ju stängda synagogor och moskéer användas för ändamålet. Hur långt borta trodde förresten herrar kommunisterna att den kommunistiska revolutionen var?

Kommunisterna hade inte reagerat med samma entusiasm, eller åtminstone nyfikenhet, som pastor Ferguson tänkt. I stället fick pastor Ferguson klart för sig att det minsann inte skulle bli någon anglikanism eller för den delen någon annan ism vid sidan om kommunismen när den rätta dagen var kommen. På det fick pastorn en skopa ovett för att han under falska förespeglingar bett att få detta möte till stånd. Värre slöseri med tid hade kommunisterna aldrig varit med om.

Med röstsiffrorna 3–2 bestämdes därpå att pastor Ferguson skulle ha sig en omgång med stryk innan han sattes på tåget tillbaka till Teheran, och med 5–0 beslutades att det var bäst för pastorns hälsa om han inte gjorde sig besvär med att komma tillbaka.

Allan log och sa att han på intet vis ville utesluta möjligheten att pastorn inte var riktigt klok, om pastor Ferguson ursäktade. Att försöka sig på en religiös överenskommelse med kommunisterna var förstås helt utsiktslöst, kunde inte pastorn begripa det?

Pastorn svarade att hedningar som herr Karlsson gjorde bäst i att inte döma kring klokt och oklokt. Fast visst hade pastorn förstått att chanserna att lyckas varit små.

– Men tänk, herr Karlsson, tänk om det hade gått i lås. Tänk att få telegrafera ärkebiskopen i Canterbury och rapportera *femtio miljoner nya anglikaner* i ett enda slag.

Allan erkände att skillnaden mellan galenskap och genialitet kunde vara hårfin, att han inte med säkerhet kunde säga vilket som var vilket i det här fallet, men att han hade sina misstankar.

Hur som helst visade det sig att shahens fördömda polis hade avlyssning på Razavikhorasankommunisterna, och pastor Ferguson hann inte mer än kliva av tåget i huvudstaden förrän han var gripen och tagen till förhör.

– Och där erkände jag allt och lite till, sa pastor Ferguson, för min magra kropp är inte skapt att genomlida tortyr. En rejäl portion med stryk är en sak, tortyr en annan.

I och med det omedelbara och överdrivna erkännandet hade pastor Ferguson forslats till den här häkteslokalen, och här hade han fått vara i fred i snart två veckor för chefen, vice premiärministern, var på tjänsteresa till London.

– *Vice premiärministern?* undrade Allan.

– Ja, eller chefsmördaren, sa Kevin Ferguson.

Det sades om säkerhetspolisen att man inte kunde tänka sig en mer toppstyrd organisation. Att sätta skräck i befolkningen på mer rutinmässig basis, eller att ha ihjäl kommunister, socialister eller islamister, krävde förstås inte högste chefens välsignelse. Men så fort något gick det minsta utanför ramarna, då var det han som bestämde. Av shahen hade han fått titeln *vice premiärminister*, men i sak var han en mördare, menade pastor Ferguson.

– Och enligt häktesvakten gör man bäst i att stryka "vice"

när man titulerar honom, om det nu skulle gå så illa att man behöver träffa honom vilket det i både ditt och mitt fall ser ut att göra.

Kanske hade pastorn hunnit med att umgås mer med underjordiska kommunister än han själv ville erkänna, tänkte Allan, för pastor Ferguson fortsatte:

– Ända sedan världskriget tog slut har amerikanska CIA varit här och byggt upp shahens hemliga polis.

– CIA? sa Allan.

– Ja, de heter så nu. De hette OSS innan, men det är samma smutsiga verksamhet. Det är de som har lärt iranska polisen alla tricks och all tortyr. Hur kan den människa vara skapt som tillåter CIA att förstöra världen på det viset?

– Du menar den amerikanske presidenten?

– Harry S Truman kommer att brinna i helvetet, sanna mina ord, sa pastor Ferguson.

– Jaså, du tror det, sa Allan.

* * *

Dagarna gick i säkerhetspolisens häkte i centrala Teheran. Allan hade berättat sin egen livshistoria för pastor Ferguson, utan att utelämna just någonting. På det blev pastorn alldeles tyst, slutade prata med Allan när det gick upp för pastorn vilken relation häkteskamraten hade till den amerikanske presidenten och – ännu värre! – bomberna över Japan.

I stället vände sig pastorn till Gud och bad om råd. Var det Herren som hade sänt honom herr Karlsson till hjälp, eller var det tvärtom djävulen som låg bakom?

Men Gud svarade med tystnad, han gjorde det ibland, och det tolkade alltid pastor Ferguson som att han borde tänka själv. I och för sig hade det inte alltid slutat väl när pastorn klurat på egen hand, men man kunde ju inte ge upp för det.

Efter två dagar och två nätter av väganden för och emot hade pastor Ferguson kommit fram till att han tills vidare skulle sluta fred med hedningen i sängen intill. Och han meddelade Allan att han nu tänkte börja tala med herr Karlsson igen.

Allan sa att det visserligen varit lugnt och skönt medan pastorn tigit still, men att det nog ändå på sikt var att föredra om de svarade varandra på tilltal.

– Dessutom ska vi väl försöka ta oss härifrån på något sätt och kanske allra helst innan den där chefsmördaren kommer tillbaka från London. Då duger det ju inte om vi sitter i varsitt hörn och tjurar, eller vad säger pastorn?

Jo, det höll förstås pastor Ferguson med om. När chefsmördaren var på plats igen väntade nog ett kort förhör följt av att man helt enkelt försvann. Det var så pastor Ferguson hört att det var.

Häkteslokalen var visserligen inget riktigt fängelse med allt vad det hade inneburit i form av dubbla reglar överallt. Tvärtom hände det att vakterna ibland inte ens brydde sig om att låsa dörren ordentligt. Men det var ändå aldrig färre än fyra vakter vid byggnadens in- och utgång och ingen av dem skulle nog bara stå och titta på om Allan och pastorn fick för sig att försöka smita ut.

Kunde det gå att skapa tumult på något vis? funderade Allan. Och att sedan slinka iväg i den allmänna oredan? Tålde att tänkas på.

Nu ville Allan ha arbetsro och gav därför pastorn i uppdrag att via häktesvakterna reda ut hur lång tid de hade på sig. Det vill säga exakt när skulle chefsmördaren vara tillbaka? *När skulle allt vara för sent?*

Pastorn lovade att fråga så fort han fick chans därtill. Kanske rent av med en gång, för det rasslade i dörren. Det var den yngste och snällaste av häktesvakterna som stack in huvudet och såg medlidsam ut när han sa:

– Nu är *premiärministern* tillbaka från England och det är dags för förhör. Vem av er vill börja?

* * *

Chefen för myndigheten för inrikes underrättelse och säkerhet satt på sitt kontor i Teheran och han var på ett uselt humör.

Han hade just varit på resa till London där han blivit uppläxad av britterna. Han, premiärminister (så gott som), myndighetschef, en av det iranska samhällets viktigaste beståndsdelar *hade blivit uppläxad av britterna!*

Shahen gjorde ju inte annat än såg till att hålla de förnäma engelsmännen nöjda. Oljan var i britternas händer, och själv såg han till att rensa ut bland alla dem som verkade för en annan ordning i landet. Och det var ingen lätt sak, för vilka var egentligen nöjda med shahen? Inte islamisterna, inte kommunisterna och definitivt inte de lokala oljearbetarna som bokstavligt slet livet ur sig för motsvarande ett brittiskt pund i veckan.

Och för detta hade han nu fått ovett i stället för beröm!

Polischefen visste att han gjort en miss när han en tid tidigare varit lite hårdhänt med en inplockad provokatör av oklart ursprung. Provokatören hade vägrat säga annat än att han krävde att få bli släppt eftersom det enda han gjort sig skyldig till var att insistera på att kön i charkuteributiken skulle gälla alla, inklusive anställda inom statens säkerhetspolis.

När provokatören framlagt sin sak lade han armarna i kors och bemötte alla frågor om vem han var med tystnad. Polischefen tyckte inte om provokatörens uppsyn (den var sannerligen provocerande), så han plockade fram och praktiserade ett par av CIA:s nyaste tortyrmetoder (polischefen beundrade amerikanernas uppfinningsrikedom). Först då hade det framkommit att provokatören var assistent på brittiska ambassaden och det var ju förstås hemskt olyckligt.

Lösningen fick bli att först snygga till assistenten så gott det gick, därefter släppa honom, men bara för att genast se till att han blev omsorgsfullt överkörd av en lastbil som därefter försvann från platsen. Det är så man undviker diplomatiska kriser, hade polischefen resonerat och var nöjd med sig själv.

Men britterna plockade ihop det som fanns kvar av den där assistenten, skickade alltihop till London och gick igenom liket med lupp. Därefter hade polischefen kallats dit och ombetts att ge en förklaring till att den assistent från ambassaden i Teheran som först var försvunnen i tre dagar plötsligt dök upp på en gata utanför säkerhetspolisens huvudkontor där han omedelbart blev så illa överkörd att det nästan inte gick att upptäcka den tortyr han dessförinnan utsatts för.

Polischefen hade förstås i sten förnekat all kännedom om saken, det var så det diplomatiska spelet fungerade, men den här assistenten råkade vara son till någon lord som i sin tur var god vän med nyligen avgångne premiärministern Winston Churchill och nu skulle britterna bestämt *markera*.

Därför hade myndigheten för inrikes underrättelse och säkerhet fråntagits ansvaret för det besök nämnde Churchill skulle genomföra i Teheran om bara ett par veckor. I stället skulle amatörerna i shahens egen livvaktsstyrka ta hand om visiten. Det var förstås långt över deras kompetens. Detta var en prestigeförlust av stora mått för polischefen. Och det distanserade honom från shahen på ett sätt som inte kändes bra.

För att skingra sina bittra tankar hade polischefen låtit kalla på den förste av de båda samhällsfiender som visst väntade i häktet. Han räknade med ett kort förhör, snabb diskret avrättning och traditionell kremering av liket. Sedan lunch och på eftermiddagen skulle han nog hinna med den andre också.

* * *

Allan Karlsson hade anmält sig som frivillig först ut. Polischefen mötte honom i dörren till sitt kontor, tog i hand, bad herr Karlsson sitta ner och erbjöd en kopp kaffe, och kanske en cigarrett?

Allan tänkte att han visserligen aldrig mött någon chefs-mördare tidigare, men att han nog ändå trott att de skulle vara otrevligare i sättet än vad den här chefsmördaren verkade vara. Och så tackade han ja till kaffet medan han helst avstod cigarretten om *herr premiärministern* tyckte det gick an?

Polischefen brukade alltid försöka inleda sina förhör på ett belevat sätt. Bara för att man strax skulle ha ihjäl någon behövde man ju inte bete sig som en drummel. Dessutom roade det polischefen att se hur det tändes en låga av hopp i ögonen på hans offer. Folk i allmänhet var så naiva.

Just det här offret såg inte så förskräckt ut, inte än. Och han hade titulerat polischefen precis på det sätt han ville bli titulerad. En intressant och bra början.

I förhöret kring vem han var gav Allan, i brist på genom-arbetad överlevnadsstrategi, valda bitar av den senare delen av sin historia: nämligen att han var sprängämnesexpert som av president Harry S Truman skickats på omöjligt uppdrag till Kina för att bekämpa kommunister, att han sedan inlett sin långa promenad hem till Sverige och att han nu bekla-gade att Iran för det ändamålet legat i vägen, att Allan känt sig nödgad att utan vederbörlig visering ta sig in i landet, men också att han genast lovade lämna detsamma om *herr premiärministern* bara lät honom göra så.

Polischefen hade ställt en rad följdfrågor, inte minst kring det faktum att Allan Karlsson varit i sällskap med iranska kommunister vid gripandet. Allan hade svarat ärligt att han och kommunisterna träffats av en slump och strax kommit överens om att hjälpa varandra över Himalayas berg. Och så tillade Allan att om herr premiärministern planerade en lik-nande promenad, då borde han inte vara för kitslig med vem han tog hjälp av för de där bergen var hiskeligt höga när de var på det humöret.

Polischefen hade inga planer på att korsa Himalaya till fots, lika lite som han tänkte släppa människan framför sig fri. Men en tanke hade fötts i honom. Man kanske skulle kunna ha nytta av den här internationellt erfarne spräng-ämnesexperten innan man lät honom försvinna för gott? Med en röst som kanske lät något för ivrig frågade nu polis-chefen vad herr Karlsson hade för historia när det gällde att i lönndom ta berömt och hårdbevakat folk av daga.

Sådant där hade ju Allan aldrig sysslat med, att med vett och vilja sitta och planera att ta livet av en människa som vore hon en bro. Och han hade heller ingen längtan därtill. Men nu gällde det att tänka sig för. Kunde den storrökande chefsmördaren mitt emot ha någonting i åtanke?

Allan klurade i några sekunder till, letade i minnet och hit-tade i hastigheten inget bättre än:

– Glenn Miller.

– Glenn Miller? upprepade polischefen.

Allan mindes från Los Alamos-basen i New Mexico ett par år tidigare hur det blivit allmän bestörtning kring nyhe-ten om att den unge jazzlegendaren Glenn Miller saknades sedan hans US Army Force-plan försvunnit utanför Englands kust.

– Just det, bekräftade Allan och lät hemlig på rösten. Ordern var att det skulle se ut som en flygolycka och det lyckades jag ju med. Jag såg till att båda motorerna brann upp, och han störtade någonstans mitt i Engelska kanalen. Ingen har sett till honom sedan dess. Ett öde värdigt en nazistisk överlöpare om herr ministern frågar mig.

– Var Glenn Miller *nazist*? sa polischefen häpet.

Allan nickade bekräftande (och bad tyst Glenn Millers alla efterlevande om ursäkt). Polischefen, å sin sida, försökte hämta sig från uppgiften om att hans stora jazzhjälte sprung-it Hitlers ärenden.

Nu tänkte Allan att det kanske var bäst att ta befälet i dia-logen innan chefsmördaren började ställa en massa följdfrågor kring det där med Glenn Miller.

– Om herr premiärministern vill är jag redo att med maximal diskretion röja vem som helst ur vägen, i utbyte mot att vi därefter skiljs som vänner.

Polischefen var fortfarande i obalans efter det tråkiga avslöjandet kring mannen bakom *Moonlight Serenade*, men för den skull körde man inte med honom hur som helst. Några förhandlingar kring Allan Karlssons framtid tänkte han sannerligen inte ge sig in på.

– Om jag vill ska du röja den jag vill ur vägen, i utbyte mot att jag *eventuellt överväger möjligheten* att låta dig leva, sa polischefen och sträckte sig över bordet för att fimpa sin cigarrett i Allans halvdruckna kaffe.

– Ja, det var så jag egentligen menade, sa Allan, fast jag uttryckte mig lite grumligt.

* * *

Just den här förmiddagens förhör hade tagit en annan vändning än polischefen var van vid. I stället för att röja undan den förmodade samhällsfienden hade han ajournerat mötet för att i lugn och ro låta den nya situationen smälta in. Efter lunch träffades polischefen och Allan Karlsson igen och planerna tog form.

Det handlade om att ta livet av Winston Churchill medan denne var under skydd av shahens livvaktsstyrka. Men det måste ske på ett sådant sätt att ingen skulle kunna göra den minsta koppling till myndigheten för inrikes underrättelse och säkerhet, än mindre till dess chef. Eftersom man lugnt kunde räkna med att britterna skulle utreda händelsen minutiöst fick det inte slarvas på någon punkt. Om projektet lyckades skulle konsekvenserna på alla tänkbara sätt vara till polischefens fördel.

Först och främst skulle det ju täppa till truten på de överlägsna britterna, som fråntagit polischefen säkerhetsansvaret för besöket. Vidare skulle polischefen helt visst få shahens uppdrag att rensa i livvaktsstyrkan, efter styrkans misslyckande. Och när röken var skingrad skulle polischefens position vara kraftigt förstärkt, i stället för som nu – försvagad.

Polischefen och Allan satt och lade pussel tillsammans som vore de bästa vänner. Dock fimpade polischefen i Allans kaffe varje gång han kände att stämningen blev för personlig.

Polischefen kom så småningom med informationen att Irans enda skottsäkra bil stod i myndighetens garage en halv trappa ner, det var en specialbyggd DeSoto Suburban. Den var vinröd och mycket stilig, meddelade polischefen. Med synnerligen stor sannolikhet skulle livvaktsstyrkan strax höra av sig angående bilen, för hur skulle de annars transportera Churchill från flygplatsen till shahens palats?

Allan sa då att en välproportionerad sprängladdning i bilens underrede kanske kunde vara lösningen på det hela. Men mot bakgrund av herr premiärministerns behov av att inte lämna några spår som kunde leda till honom själv, föreslog Allan två speciella åtgärder.

Den ena skulle vara att sprängladdningen bestod av exakt de ingredienser som Mao Tse Tungs kommunister använde i Kina. Allan råkade ha full kunskap om den saken och han var säker på att han just därför kunde få det hela att se ut som ett kommunistdåd.

Den andra åtgärden skulle vara att laddningen ifråga byggdes in och doldes i den främre delen av DeSotons chassi, men att den med den fjärrladdning som Allan också råkade veta hur man byggde inte skulle detonera direkt, utan i stället lossna från sin plats för att smälla någon tiondels sekund senare när den tog mark.

Under den tiondelen skulle laddningen ha hunnit hamna rakt under bilens bakre tredjedel, det vill säga där Winston Churchill med säkerhet satt och sög på sin cigarr. Laddningen skulle riva hål i bilens golv och skicka Churchill in i evigheten, men den skulle också orsaka en stor grop i marken.

– På så sätt får vi folk att tro att laddningen låg nergrävd i gatan i stället för att någon försåtminerat bilen. Den lilla dimridån måtte väl passa herr premiärministern som hand i handske?

Polischefen fnissade av glädje och iver och råkade skicka en alldeles nytänd cigarrett ner i Allans nyupphällda kaffe. Allan sa att herr premiärministern förstås gjorde som han önskade med sina cigarretter och med Allans kaffe, men också att om det var som så att herr ministern inte var riktigt nöjd med den askkopp som herr ministern hade vid sin sida, och om herr ministern kunde tänka sig att ge Allan en kortare permission, skulle Allan ge sig ut på stan och skaffa en ny och fin askkopp till herr ministern.

Polischefen brydde sig inte om Allans prat om askkoppar, i stället godkände han genast det andra och begärde en komplett lista på vad herr Karlsson behövde för att på kortast möjliga tid kunna rigga bilen ifråga.

Allan visste precis, och han antecknade namnet på de nio ingredienser som ingick i formeln. Dessutom lade han till en tionde – nitroglycerin – som han tänkte kunde komma till nytta. Och en elfte – en burk med bläck.

Vidare begärde Allan att han skulle få låna en av herr premiärministerns mest förtrogna medarbetare att ha som assistent och inköpschef, samt att herr premiärministern lät Allans häkteskamrat, pastor Ferguson, fungera som tolk.

Polischefen muttrade att han nog allra helst velat röja undan den där pastorn med en gång för präster tyckte han inte om, men för all del, här gällde det ju att inte förspilla någon tid. Därpå fimpade han på nytt i Allans kaffe, för att meddela att mötet var slut och för att än en gång påminna Allan om vem det var som bestämde.

* * *

Dagarna gick, och allt löpte på enligt plan. Chefen för livvaktsstyrkan hade mycket riktigt hört av sig och meddelat att han avsåg att komma och hämta DeSoton nästkommande onsdag. Polischefen kokade av ilska. Chefen för livvaktsstyrkan hade *meddelat* att han skulle hämta bilen, han hade inte *frågat*. Polischefen var så arg över det att han för ett ögonblick glömde att det hela egentligen var perfekt. För tänk om livvaktsstyrkan *inte* hört av sig om bilen? Och chefen för livvaktsstyrkan skulle ju ändå snart få sitt straff.

Nu visste dessutom Allan hur lång tid han hade på sig att färdigställa mineringen. Tyvärr hade det då också gått upp för pastor Ferguson vad som var på väg att hända. Inte nog med att han skulle bli medskyldig till mord på förre premiärministern Churchill. Han hade dessutom anledning att tro att hans eget liv skulle ta slut strax därpå. Att möta Herren när man just mördat var inget pastor Ferguson längtade efter.

Men Allan lugnade pastorn med att han faktiskt hade en plan för både det ena och det andra. Med det ena avsåg Allan att han såg vissa utsikter för att pastorn och han själv skulle kunna avvika, och med det andra att det inte nödvändigtvis måste ske på herr Churchills bekostnad.

Men hela paketet krävde att pastorn gjorde som Allan bestämde när det rätta tillfället kom, och det lovade pastorn att göra. Herr Karlsson var ju det enda hopp om livet som pastor Ferguson hade, Gud svarade nämligen fortfarande inte på tilltal. Det hade varat i snart en månad nu. Var han måhända arg på pastorn för idén att liera sig med kommunisterna?

* * *

Så blev det onsdag. DeSoton var riggad och klar. Laddningen i bilens underrede råkade bli överdimensionerad för uppgiften, likväl var den helt dold för den som till äventyrs skulle leta efter några konstigheter.

Allan visade polischefen hur fjärrkontrollen fungerade,

och förklarade mer i detalj hur själva slutresultatet skulle bli när det väl small. Polischefen log och såg lycklig ut. Samt fimpade dagens artonde cigarrett i Allans kaffe.

Allan tog då fram en ny kopp, en som han hade gömd bakom verktygslådan, och placerade den strategiskt vid bordet intill den halvtrappa som ledde till korridor, häkteslokal och entré. Utan att göra något väsen av sig tog så Allan pastorn under armen och lämnade garaget, medan polischefen gick varv efter varv runt DeSoton, bolmande på dagens nittonde cigarrett, njutande av tanken på det som komma skulle.

Pastorn förstod på det fasta grepp Allan hade runt hans arm att det nu var allvar. Dags att lyda herr Karlsson blint.

Promenaden gick förbi häktesrummet och fortsatte mot receptionen. Väl där brydde sig inte Allan om att stanna vid de beväpnade vakterna, utan fortsatte självsäkert rakt förbi dem, fortfarande med pastorn i ett stadigt grepp.

Vakterna hade vant sig vid Karlsson och pastorn och de hade inte sett någon risk för flyktförsök, därför var det mest med förvåning som vaktchefen ropade:

– Stopp där! Vart tror ni att ni är på väg någonstans?

Allan stannade med pastorn precis på tröskeln till friheten och lade upp ett förvånat ansikte.

– Vi är ju fria att gå. Har inte herr premiärministern meddelat det?

Pastor Ferguson var skräckslagen, men tvingade i sig lite syre genom näsan för att inte svimma.

– *Stanna exakt där ni är*, sa vaktchefen med bestämd röst. Ni går ingenstans förrän jag har fått herr premiärministerns bekräftelse på det ni säger.

De tre vaktassistenterna avdelades till att hålla noggrann kontroll på pastorn och herr Karlsson, medan vaktchefen själv tog korridoren till garaget för att höra sig för. Allan log uppmuntrande mot pastorn vid sin sida och sa att nu kommer det alldeles strax att ordna sig med allt. Om det inte tvärtom gick åt skogen förstås.

Eftersom polischefen för det första inte alls gett Allan och pastorn tillåtelse att avvika och för det andra inte hade några planer på att göra det, så reagerade han kraftfullt.

– Vad är det du säger? Står de vid entrén och ljuger dig rakt upp i ansiktet? Nä nu jävlar...

Det var sällan polischefen svor. Han hade alltid varit mån om att hålla en viss stil. Men nu var han upprörd. Och sin vana trogen tryckte han ner en cigarrett i den fördömde Karlssons kaffe innan han med bestämda steg fortsatte de få trappstegen upp mot korridoren.

Eller det vill säga, han kom inte längre än till kaffekoppen. För just den här gången innehöll den inte kaffe, utan rent nitroglycerin uppblandat med svart bläck. Det small till ordentligt när vice premiärministern och hans vaktchef slets i bitar. Ett vitt moln rusade ut ur garaget och tog sin väg genom korridoren i vars andra ände Allan, pastorn och de tre vakterna stod.

– Nu går vi, sa Allan till pastorn och så gick de.

Alla tre vakterna var tillräckligt alerta för att hinna tänka tanken att de nog borde hindra Karlsson och pastorn, men bara några tiondelar av en sekund senare detonerade – som en logisk konsekvens av att garaget nu var ett hav av eld – också den laddning under DeSoton som ju varit avsedd för Winston Churchill. Och därmed bevisade den för Allan att den med mycket god marginal skulle ha räckt för sitt ändamål. Hela byggnaden satte sig genast på sned, och bottenplanet var i full brand när Allan justerade sin order till pastorn:

– Låt oss springa så smått i stället.

Två av de tre vakterna hade slungats in i en vägg av tryckvågen och fattat eld. Den tredje kunde omöjligt samla sina tankar tillräckligt för att prioritera sina fångar. Först undrade han i några sekunder vad som hänt, men sedan sprang han därifrån för att slippa sluta som sina kamrater. Allan och pastorn hade gett sig av åt ena hållet. Den ende återstående vakten sprang nu åt det andra.

* * *

Sedan Allan på sitt speciella vis ordnat pastorn och sig själv
bort från säkerhetspolisens huvudkontor, var det pastorns
tur att göra nytta. Han visste nämligen var de flesta diplo-
matiska beskickningarna var belägna och han ledsagade
Allan hela vägen till svenska ambassaden. Där gav han Allan
en rejäl kram som tack för allt.

Allan undrade vad pastorn själv tänkt göra nu. Var låg
förresten den brittiska ambassaden?

Den var inte så långt borta, sa pastorn, men vad skulle
han där att göra? Där var ju alla redan anglikaner. Nej, pas-
torn hade funderat ut en ny strategi. Var det någonting den
senaste utvecklingen lärt honom, så var det att allt tycktes
börja och sluta med myndigheten för inrikes underrättelse
och säkerhet. Det gällde alltså att bearbeta den organisatio-
nen inifrån. När väl säkerhetspolisens alla medarbetare och
medlöpare var anglikaner – då skulle resten gå lätt som en
plätt.

Allan sa att han kände till ett bra dårhus i Sverige om pas-
torn framöver skulle komma till någon form av insikt. Pas-
torn svarade att han inte ville verka otacksam, inte på något
vis. Men han hade ju en gång för alla sitt kall och nu var det
dags att ta farväl. Pastorn tänkte försöka börja med att hitta
den där vakten som överlevde, han som sprang sin väg åt
andra hållet. Det var i grunden en snäll och mjuk pojke,
honom skulle det nog gå att få till den rätta tron.

– Farväl! sa pastorn högtidligt och promenerade bort.

– Hej på dig, sa Allan.

Allan tittade långt efter pastorn och tänkte att världen var
tillräckligt konstig för att pastorn skulle överleva även det
han nu var på väg in i.

Men i det hade Allan fel. Pastorn hittade vakten, irrande
omkring i Park-e Shahr i centrala Teheran med brännska-
dade armar och en osäkrad automatkarbin i händerna.

– Men se där är du ju, min son, sa pastorn och gick fram
för att omfamna honom.

– Du! skrek vakten. Det är ju *du*!

Och så sköt han ihjäl pastorn med tjugotvå skott i bröstet.
Det skulle ha blivit fler om inte patronerna tagit slut för
honom.

* * *

Allan blev insläppt på svenska ambassaden med hjälp av sin
sörmländska. Men sedan blev det krångligt, för Allan hade
ju ingen dokumentation som visade vem han var. Alltså kun-
de inte ambassaden utan vidare skriva ut ett pass till honom,
än mindre bistå honom med resa till Sverige. Dessutom, sa
tredjesekreterare Bergqvist, hade Sverige just infört speciella
personnummer och om det stämde som herr Karlsson sa att
han hade varit utomlands i många år, då fanns väl inte ens
herr Karlsson med i det svenska systemet där hemma.

På det svarade Allan att alldeles oavsett om alla svenskars
namn nu blivit nummer i stället så var och förblev han Allan
Karlsson från Yxhult utanför Flen och nu ville han att herr
tredjesekreteraren skulle vara så god och ordna med doku-
mentationen.

Tredjesekreterare Bergqvist var för tillfället högste ansva-
rig på ambassaden. Han var den ende som inte fått följa med
på den pågående diplomatkonferensen i Stockholm. Natur-
ligtvis skulle då allt hända på en gång. Inte nog med att vissa
delar av centrala Teheran tydligen stod i brand sedan en
knapp timme tillbaka. Nu trillade det dessutom in en främ-
mande människa hävdande att han var svensk. Visserligen
fanns det indikationer på att mannen talade sanning, men
här gällde det att hålla på reglerna om inte karriären skulle
ta tvärt slut. Så tredjesekreterare Bergqvist upprepade sitt
beslut om att det inte blev något pass försåvitt herr Karlsson
inte gick att identifiera.

Allan sa att han tyckte att tredjesekreterare Bergqvist var i envisaste laget, men att det hela kanske skulle gå att ordna om bara tredjesekreteraren hade en telefon att tillgå.

Jo, det hade tredjesekreteraren, men det var ju dyrt att ringa. Vart hade herr Karlsson tänkt att samtalet skulle gå?

Allan började nu tröttna på trilskande tredjesekreteraren så han svarade inte, utan frågade i stället tillbaka:

– Är det fortfarande Per Albin som är statsminister där hemma?

– Va? Nej, sa den förvånade tredjesekreteraren. Han heter Erlander. Tage Erlander. Statsminister Hansson gick bort i fjol. Men varför...

– Kan han vara tyst nu på sig en stund så ska det här snart vara avklarat.

Allan lyfte luren och ringde till Vita huset i Washington, presenterade sig och fick tala med presidentens chefssekreterare. Hon kom mycket väl ihåg herr Karlsson och hon hade dessutom hört så mycket trevligt om honom från presidenten och om herr Karlsson verkligen ansåg att det var viktigt så skulle hon se om det inte gick att väcka presidenten, klockan var inte mer än drygt åtta i Washington förstod herr Karlsson, och president Truman var sällan rask ur sängen på morgnarna.

En kort stund senare svarade den nyväckte president Truman och han och Allan hade ett flera minuter långt, hjärtligt samtal där båda uppdaterades på varandra innan Allan till sist kom till sitt ärende. Om Harry möjligen kunde ha vänligheten att slå den nye svenske statsministern Erlander en signal och gå i god för vem Allan var, på det att Erlander i sin tur kanske kunde ringa tredjesekreterare Bergqvist på svenska ambassaden i Teheran och meddela att Allan utan dröjsmål skulle tilldelas ett pass.

Allt detta skulle Harry Truman naturligtvis ordna, han ville först bara få den där tredjesekreterarens namn bokstaverat för sig så att det blev rätt.

– President Truman vill veta hur du stavar ditt namn, sa Allan till tredjesekreterare Bergqvist. Kan du ta det direkt med honom för enkelhetens skull?

Sedan tredjesekreterare Bergqvist närmast i trance bokstaverat korrekt stavning av sitt namn för Förenta staternas president, lade han på luren och sa ingenting på åtta minuter. Det var precis så lång tid det tog innan statsminister Tage Erlander ringde upp och beordrade tredjesekreterare Bergqvist att 1) omedelbart tilldela Allan Karlsson ett pass med diplomatstatus, och 2) utan dröjsmål se till att ordna med transport av herr Karlsson till Sverige.

– Men han har ju inget personnummer, försökte tredjesekreterare Bergqvist.

– Jag föreslår att herr tredjesekreteraren löser uppgiften, sa statsminister Erlander. Försåvitt han inte önskar bli fjärde eller femtesekreterare i stället?

– Fjärde- och femtesekreterare finns inte, försökte tredjesekreteraren.

– Och vad drar han för slutsatser av det?

* * *

Krigshjälten Winston Churchill hade 1945 lite överraskande förlorat det brittiska premiärministervalet, större än så var inte det brittiska folkets tacksamhet.

Men Churchill planerade för revansch och i väntan på den reste han omkring i världen. Det skulle inte förvåna den tidigare premiärministern om den labourklåpare som nu ledde Storbritannien införde planekonomi parallellt med att han delade ut imperiet till folk som inte kunde hantera det.

Ta bara Brittiska Indien som nu var på väg att falla i bitar. Hinduer och muslimer kunde förstås inte hålla sams, och i mitten satt den fördömde Mahatma Gandhi med benen i kors och slutade äta så fort han var missnöjd med något. Vad var det för krigsstrategi? Hur långt skulle det ha räckt mot nazisternas bombanfall över England?

Lika illa var det inte i Brittiska Östafrika, inte än, men det var en tidsfråga innan också negrerna ville bli sina egna herrar.

Churchill förstod att allt inte kunde bli vid vad det varit, men likväl behövde britterna nu en härförare som med stadig röst talade om vad som gällde, inte en smygsocialist som Clement Attlee (Winston Churchill tillhörde dem som ansåg att kommunala pissoarer var lika med socialism).

När det gällde Indien var slaget förlorat, det förstod Churchill. Utvecklingen hade gått åt det hållet i många år, och under kriget hade det till slut blivit nödvändigt att sända självständighetssignaler till indierna för att inte mitt i kampen för överlevnad också behöva hantera ett inbördeskrig.

Men på många andra håll var det fortfarande gott om tid att göra halt. Churchills plan för hösten var att åka till Kenya och informera sig på plats. Men först tog han en sväng till Teheran i avsikt att dricka te med shahen.

Oturligt nog hade han hamnat i ett kaos. Dagen innan hade något exploderat på myndigheten för inrikes underrättelse och säkerhet. Hela byggnaden rasade samman och brann upp. Idioten till polischef strök visst med, han som klumpigt nog tidigare låtit sina hårda nypor inkludera oskyldig personal från brittiska ambassaden.

Så långt ingen större skada skedd, men i och med det där hade tydligen shahens enda skottsäkra bil brunnit inne, och det hela hade slutat med ett betydligt kortare möte shahen och Churchill emellan än vad som varit tänkt, dessutom hölls det av säkerhetsskäl på flygplatsen.

Det var ändå bra att visiten blivit av. Läget var enligt shahen under kontroll. Explosionen på säkerhetspolisens huvudkontor kändes besvärande för honom, det gick så här långt inte att säga något om orsaken. Att chefen omkommit i smällen kunde däremot shahen leva med. Det hade ändå verkat som om han var på väg att tappa greppet.

Stabilt politiskt läge, alltså. Ny chef för säkerhetspolisen på gång. Och rekordresultat för Anglo-Iranian Oil Company. Olja berikade både England och Iran å det grövsta. Mest England, om sanningen skulle fram, men det var ju inte mer än rätt för det enda Iran bidrog med i projekten var billig arbetskraft. Ja, och själva oljan då förstås.

– Frid och fröjd med det mesta i Iran, sammanfattade Winston Churchill medan han hälsade på den svenske militärattaché som tilldelats en plats i planet på väg tillbaka till London.

– Roligt att höra att herr Churchill är nöjd, svarade Allan. Och att han ser ut att må bra.

* * *

Via London landade till sist Allan på Bromma flygplats och beträdde svensk mark för första gången på elva år. Det var sent på hösten 1947 och vädret var därefter.

I ankomsthallen väntade en yngling på Allan, meddelade att han var assistent till statsminister Erlander och att denne önskade träffa herr Karlsson utan vidare dröjsmål, om det gick för sig?

Det tyckte Allan att det gjorde, och han följde villigt med assistenten som stolt bjöd Allan att sitta i den alldeles nya regeringsbilen, en svart, klarlackad Volvo PV 444.

– Har herr Karlsson sett något stiligare? sa den bilintresserade assistenten. Fyrtiofyra hästkrafter!

– Jag såg en rätt fin vinröd DeSoto i förra veckan, svarade Allan. Men din bil är i bättre skick.

Färden gick från Bromma in mot Stockholm och Allan tittade sig intresserat omkring. Skam till sägandes hade han aldrig varit i huvudstaden förut. En vacker stad, minsann, med vatten och osprängda broar överallt.

Väl framme vid regeringskansliet ledsagades Allan genom korridorerna hela vägen till statsministerns kontor. Statsministern hälsade Allan välkommen med ett "Herr Karlsson!

Jag har hört så mycket om er!", varpå han knuffade assistenten ut ur rummet och stängde dörren.

Allan sa det inte men han tänkte att han i gengäld inte hört just någonting om Tage Erlander. Allan visste inte ens om statsministern var vänster eller höger. Det ena eller andra var det med säkerhet, för om det var något livet lärt Allan så var det att folk envisades med att tycka antingen si eller så.

Nåväl, statsministern fick vara vad han ville. Nu gällde det att lyssna på vad han hade att säga.

Statsministern hade, visade det sig, ringt tillbaka till president Truman lite senare på dagen för Trumans del och fört ett längre samtal om Allan. Därmed visste nu statsministern allt om...

Men så tystnade statsminister Erlander. Han hade mindre än ett år på posten bakom sig och det fanns mycket kvar att lära. Dock visste han en sak redan nu och det var att det i vissa lägen var bäst att inte veta, alternativt att det inte skulle gå att föra i bevis att man visste det man visste.

Därför fullföljde aldrig statsministern sin mening. Vad president Truman gett för informationer rörande Allan Karlsson stannade för evig tid dem två emellan. I stället gick statsministern rakt på sak:

– Jag har förstått att du inte har någonting att luta dig tillbaka mot här i Sverige, därför har jag ordnat med en kontant ersättning för utförda gärningar i nationens tjänst... på sätt och vis... Här får du hur som helst tiotusen kronor.

Och så räckte statsministern över ett tjockt kuvert med sedlar mot att Allan skrev under en kvittens på mottagandet. Ordning och reda.

– Tack så hemskt mycket, herr statsministern. Det slår mig nu att jag i och med detta fina bidrag kommer att ha råd med nya kläder och rena lakan på hotell i natt. Man kanske till och med skulle ta och borsta tänderna för första gången sedan augusti –45.

Statsministern avbröt Allan när denne var på väg att beskriva för statsministern i vilket skick Allans underbyxor befann sig och meddelade vidare att summan förstås var ovillkorad, men att han likväl ville avslöja för herr Karlsson att det pågick viss kärnklyvningsrelaterad verksamhet i Sverige som statsministern gärna såg att herr Karlsson tog sig en titt på.

Sanningen var den att statsminister Erlander visste varken ut eller in i en rad viktiga frågor som han så plötsligt fått ärva när Per Albins hjärta bara stannat hösten innan. En av dem var hur Sverige skulle ställa sig till det faktum att det nu fanns något som hette atombomb. Överbefälhavare Jung var på honom på temat att landet måste skydda sig mot kommunismen, det var ju bara lilla Finland som buffert mellan Sverige och Stalin.

Den saken hade två sidor. Å ena sidan hade överbefälhavare Jung råkat gifta sig rikt och fint och det var allmänt känt att han satt och drack grogg om fredagskvällarna med gamle kungen. Socialdemokraten Erlander stod inte ut med tanken på att Gustaf V ens skulle *inbilla sig* att han var med och påverkade svensk säkerhetspolitik.

Å andra sidan kunde Erlander inte utesluta att ÖB och kungen faktiskt hade rätt. Stalin och kommunisterna gick ju inte att lita på, och skulle de få för sig att bredda sin intressesfär västerut låg Sverige otäckt nära till.

Försvarets forskningsanstalt, FOA, hade just låtit flytta all sin (begränsade) kärnenergikunskap till nystartade AB Atomenergi. Där satt nu experterna och försökte reda ut exakt vad det var som hänt i Hiroshima och Nagasaki. Till det hade de ett mer allmänt hållet uppdrag: att *analysera den nukleära framtiden ur ett svenskt perspektiv.* Det sades aldrig rakt ut, det var bäst så, men statsminister Erlander hade förstått att den grumligt formulerade uppgiften i klartext skulle ha låtit:

Hur fan bygger vi själva en atombomb, om det skulle behövas?

Och nu satt svaret på frågan mitt emot statsministern. Det

visste Tage Erlander, men framför allt visste han att han inte ville att andra skulle veta att han visste. Politik handlade om att sätta ner fötterna rätt.

Därför hade statsminister Erlander dagen innan kontaktat forskningschefen på AB Atomenergi, doktor Sigvard Eklund, och bett honom ta emot Allan Karlsson på anställningsintervju och att noga höra sig för om herr Karlsson kunde vara till nytta i AB Atomenergis verksamhet. Detta förutsatt att herr Karlsson var intresserad, vilket statsministern skulle få veta dagen därpå.

Doktor Eklund var inte alls förtjust i att statsministern lade sig i vilka Eklund anställde i atomprojektet. Han misstänkte rent av att Allan Karlsson kunde vara ditskickad för att regeringen skulle ha en socialdemokratisk spion på plats. Men han lovade i alla fall att han skulle ta emot Karlsson på en intervju, trots att statsministern märkligt nog inte ville säga något om mannens kvalifikationer. Erlander hade bara upprepat ordet *noga*. Doktor Eklund borde *noga* höra sig för om herr Karlssons bakgrund.

Allan å sin sida sa att han inte hade något emot att träffa doktor Eklund eller vilken doktor som helst, om han med det gjorde statsministern nöjd.

* * *

Tiotusen kronor var nästan ohälsosamt mycket pengar, tyckte Allan och tog in på det dyraste hotell han kunde hitta.

Portieren på Grand Hôtel var tveksam till den smutsige, och illa klädde mannen, ända tills Allan legitimerade sig med svenskt diplomatpass.

– Naturligtvis har vi rum till herr militärattachén, meddelade portieren. Vill herr attachén betala kontant eller ska vi sända faktura till utrikesdepartementet.

– Kontant blir bra, sa Allan. Vill han ha betalt i förskott?

– Oh nej, herr attachén. Fattas bara! bugade portieren.

Om portieren kunnat se in i framtiden skulle han med säkerhet ha svarat annorlunda.

* * *

Följande dag tog doktor Eklund emot en nyduschad och någorlunda uppklädd Allan Karlsson på sitt Stockholmskontor. Doktorn bad Allan slå sig ner och erbjöd både kaffe och cigarrett, precis som chefsmördaren i Teheran brukat göra (däremot valde Eklund att fimpa i egen askkopp).

Doktor Eklund var ju missnöjd över att statsministern lagt sig i Eklunds rekryteringsverksamhet, det här var något *vetenskapen* hade att sköta, inte politikerna – och definitivt inte socialdemokratiska dito!

Faktum var att doktor Eklund hunnit med att dryfta problemet med överbefälhavaren över telefon och hade dennes moraliska stöd i ryggen. Det vill säga om mannen som statsministern sänt över inte höll måttet, då skulle han heller inte anställas. Punkt slut!

Allan å sin sida kände de negativa vågorna i rummet och kom för ett ögonblick att tänka på hur det hade varit när han första gången mötte Song Meiling ett par år tidigare. Folk fick väl vara hur de ville i sättet, men Allan tyckte och tänkte att det rent allmänt var onödigt att vara vresig om man ändå hade möjligheten att låta bli.

Mötet männen emellan blev kort:

– Statsministern har bett mig att *noga* höra mig för om herr Karlsson kanske skulle passa för en position i vår organisation. Och det tänker jag nu göra, med herr Karlssons tilllåtelse förstås?

Jodå, Allan tyckte det var helt i sin ordning om doktorn ville veta mer om Allan och noggrannhet var en dygd så doktorn skulle inte för Allans skull tänka på att spara på någon fråga.

– Nåväl, sa doktor Eklund. Om vi börjar med herr Karlssons studier...

– Inte mycket att hänga i julgranen, sa Allan. Tre år bara.

– Tre år? utbrast doktor Eklund. Med bara tre års akademiska studier kan väl herr Karlsson knappast vara vare sig fysiker, matematiker eller kemist?

– Nej, tre år totalt alltså. Jag slutade i skolan när jag skulle fylla nio.

Nu behövde doktor Eklund hämta sig en aning. Karlen hade alltså ingen utbildning! Kunde han ens läsa eller skriva? Men statsministern hade ju bett honom att...

– Har herr Karlsson då någon yrkeserfarenhet som skulle kunna tänkas vara relevant för den verksamhet herr Karlsson kanske föreställer sig att vi bedriver inom AB Atomenergi?

Jo, det kunde man nog säga, menade Allan. Han hade ju arbetat mycket i USA, på Los Alamos-basen i New Mexico.

Nu sken doktor Eklunds ansikte upp. Erlander kanske hade haft sina skäl trots allt. Vad som åstadkommits på Los Alamos var numera allmänt känt. Vad hade herr Karlsson arbetat med där?

– Jag serverade kaffe, svarade Allan.

– Kaffe? Doktor Eklunds ansikte slocknade igen.

– Ja, och te vid enstaka tillfällen. Jag var hjälpreda och servitör.

– Herr Karlsson var alltså *hjälpreda* på Los Alamos... Har herr Karlsson över huvud taget varit delaktig i några som helst kärnklyvningsrelaterade beslut?

– Nej, svarade Allan, det närmaste var väl den där gången jag råkade yttra mig på ett möte där jag egentligen skulle servera kaffe och i övrigt inte lägga mig i.

– Herr Karlsson råkade yttra sig på ett möte där han egentligen var servitör... och vad hände sedan?

– Tja, vi blev avbrutna... och så blev jag bjuden ut ur rummet.

Doktor Eklund satt stum inför Allan. Vad var det statsministern skickat på honom? Trodde den där Erlander att en servitör som hoppade av skolan innan han fyllt nio år skulle

sättas att bygga atombomber åt Sverige? Även för en social-
demokrat måtte det väl finnas en bortre gräns för hur långt
man kan driva den enfaldiga tesen om allas lika värde?

Doktor Eklund sa först till sig själv att det vore en sensa-
tion om den där nybörjaren till statsminister satt kvar på sin
post ens året ut, sedan sa han till Allan att om herr Karlsson
inte hade något att tillägga kunde deras möte vara slut nu.
Doktor Eklund trodde inte att det i nuläget fanns plats för
herr Karlsson. Den hjälpreda som kokade kaffe åt akademi-
kerna på AB Atomenergi hade visserligen aldrig varit på Los
Alamos, men doktor Eklund tyckte att den delen likväl fun-
gerade tillfredsställande. Dessutom hann Greta med att stä-
da lokalerna också och det fick ju anses som ett plus.

Allan satt tyst en stund och övervägde om han trots allt
skulle avslöja att han till skillnad från doktor Eklunds alla
akademiker och för den delen säkert också Greta visste hur
man bygger en atombomb.

Men så bestämde sig Allan för att doktor Eklund inte för-
tjänade den hjälpen om han nu inte hade förstånd att ställa
Allan frågan. Dessutom smakade Gretas kaffe blask.

* * *

Allan fick inget jobb på AB Atomenergi, därtill ansågs hans
meriter alltför klena. Men han var nöjd ändå där han satt på
en parkbänk utanför Grand Hôtel, med fin utsikt över kung-
ens slott på andra sidan viken. Och hur skulle han kunna
vara annat? Han hade fortfarande det mesta kvar av peng-
arna som statsministern så vänligt försett honom med, han
bodde flott, han åt gott på restaurang varje kväll och just
denna tidiga januaridag värmde en låg eftermiddagssol upp
både kropp och själ.

Visst var det kallt om rumpan där han satt och just därför
var det kanske lite överraskande att ytterligare en person
slog sig ner på samma bänk, intill Allan.

– God eftermiddag, sa Allan artigt.

– *Good afternoon*, mr Karlsson, svarade mannen vid hans sida.

KAPITEL 14

Måndag 9 maj 2005

NÄR KOMMISSARIE ARONSSON rapporterat senaste nytt till åklagare Conny Ranelid i Eskilstuna beslutade strax åklagaren att anhålla Allan Karlsson, Julius Jonsson, Benny Ljungberg och Gunilla Björklund i deras frånvaro.

Aronsson och förundersökningsledaren hade haft löpande kontakt ända sedan hundraåringen klättrade ut genom fönstret och försvann, och åklagarens intresse hade hela tiden stegrats. Nu funderade han på den spektakulära möjligheten att få Allan Karlsson fälld för mord eller åtminstone dråp trots att det inte gick att hitta något offer. Det fanns en handfull exempel i svensk rättshistoria på att det kunde gå. Men det krävdes exceptionell bevisning och en synnerligen skicklig åklagare. Det sistnämnda hade åklagare Conny Ranelid inga problem med, och för det förstnämnda avsåg han att bygga en *indiciekedja*, där den första länken skulle vara den starkaste och där ingen länk skulle vara riktigt svag.

Kommissarie Aronsson kom på sig själv med att känna besvikelse över utvecklingen. Det skulle ha varit roligare att lyckas rädda en åldring ur klorna på ett gäng kriminella, än som nu att misslyckas med att rädda de kriminella från åldringen.

– Kan vi verkligen binda Allan Karlsson och de andra till Bylunds, Hulténs och Gerdins död så länge vi inte har några kroppar? sa Aronsson och hoppades att svaret skulle vara "nej".

– Nu ska du inte misströsta, Göran, svarade åklagare Conny Ranelid. Så fort du fångat in gubbstrutten åt mig ska du se att han berättar allt. Och är han för senil för det har vi de andra som kommer att motsäga varandra så det sjunger om det.

Och så gick åklagare Ranelid igenom fallet igen med sin kommissarie. Först förklarade han strategin. Han trodde inte att han kunde låsa in allihop för mord, men efter mord kom ju i det här fallet dråp, medhjälp till det ena och andra, vållande till annans död samt skyddande av brottsling. Till och med brott mot griftefriden kunde komma på fråga, men för det behövde åklagaren mer betänketid.

Ju senare någon av de nu anhållna trätt in i handlingen, desto svårare skulle det bli att få honom eller henne fälld för något grövre (såvitt vederbörande inte erkände, förstås), därför avsåg åklagaren att ha fokus på den som varit med hela tiden, hundraårige Allan Karlsson.

– I hans fall ska vi nog se till att det blir livstid i ordets rätta bemärkelse, skrockade åklagare Ranelid.

Med gubben var det som så att han för det första hade ett *motiv* att döda först Bylund och därpå Hultén och Gerdin. Motivet var att han annars riskerade att det skulle bli tvärtom, det vill säga att Bylund, Hultén och Gerdin skulle ha ihjäl gubben. Att de tre från organisationen Never Again var våldsbenägna hade åklagare Ranelid båda färska och, om det skulle behövas, historiska vittnesmål på.

Men gubben skulle för den skull inte kunna hävda nödvärn, för mitt emellan Karlsson å ena sidan och de tre offren å den andra stod en resväska med för åklagaren okänt innehåll. Det var ju väskan allt tycktes handla om från början, alltså hade gubben ett alternativ till att ta livet av andra – och det var att låta bli att stjäla väskan eller åtminstone lämna tillbaka den om den nu trots allt råkat bli stulen.

Vidare kunde åklagaren åberopa flera *geografiska kopplingar* mellan herr Karlsson – gubbstrutten – och offren. Det första offret hade *precis som herr Karlsson* klivit av vid Byringe station, om än inte samtidigt. *Precis som herr Karls-*

son hade offer nummer ett åkt dressin, dessutom samtidigt som herr Karlsson. Och *till skillnad från herr Karlsson* och hans kumpan hade offer nummer ett inte synts till efter dressinresan. Däremot har "någon" lämnat likspår efter sig. Vem denne någon var tycktes uppenbart. Både gubbstrutten och småtjuven Jonsson hade ju bevisligen varit i livet senare samma dag.

Den geografiska kopplingen mellan Karlsson och offer nummer två var inte lika stark. De hade till exempel inte setts tillsammans. Men en silverfärgad Mercedes å ena sidan och en kvarlämnad revolver å den andra sa åklagare Ranelid – och säkert strax också tingsrätten – att herr Karlsson och offret Hultén, han som kallades Hinken, båda befunnit sig på Sjötorp i Småland. Hulténs fingeravtryck på revolvern var ännu inte bekräftade, men det ansåg åklagaren var en tidsfråga.

Revolverns uppdykande var en skänk från ovan. Förutom att den skulle komma att binda Hinken Hultén till Sjötorp, stärkte den *motivet* att ta även offer nummer två av daga.

När det gällde Karlsson fanns ju den fantastiska uppfinningen dna att ta till. Sådant hade förstås gubben spridit omkring sig överallt i Mercedesen och på det där stället i Småland. Alltså förelåg formeln: Hinken + Karlsson = Sjötorp!

Dna användes förstås också för att säkerställa att blodet i den kvaddade BMW:n tillhörde just trean, Per-Gunnar Gerdin, han som kallades Chefen. Strax kunde en noggrannare genomgång av den demolerade bilen företas, och då skulle det helt säkert visa sig att Karlsson och hans kumpaner varit också där och klampat. Hur fick de annars ut liket ur bilen?

Alltså hade åklagaren motiv och koppling i tid och rum mellan å ena sidan Allan Karlsson och å andra sidan alla de tre döda busarna.

Kommissarien dristade sig att fråga hur åklagaren kunde vara så säker på att alla tre offren verkligen var just offer, det vill säga döda? Åklagare Ranelid fnyste och sa att det när det gällde ettan och trean knappast behövdes ytterligare förklaring. Avseende tvåan avsåg Ranelid att luta sig mot tingsrätten – för när domstolen gått med på att ettan och trean gått hädan, då hamnade ju tvåan som en länk i den berömda kedjan av indicier.

– Eller kommissarien kanske tror att tvåan helt frivilligt lämnade ifrån sig revolvern till dem som just tagit livet av hans vän, innan han tog ömt farväl och gav sig av utan att invänta sin chefs ankomst några timmar senare? sa åklagare Ranelid syrligt.

– Näe, det tror jag nog inte, sa kommissarien defensivt.

Åklagaren erkände för kommissarie Aronsson att det hela kunde vara tunt, men att det som sagt var *kedjan av händelser* som gjorde fallet starkt. Åklagaren saknade offer och han saknade mordvapen (förutom den gula bussen). Men planen var att få Karlsson fälld för offer nummer ett i första hand. Bevisen kring offer nummer tre och – framför allt – två räckte inte i sig, men de fyllde en utomordentlig stödfunktion i att få Karlsson fälld för det första offret. Som sagt, kanske inte för mord...

– Men det minsta jag ska ha gubbstrutten inlåst för är dråp eller medhjälp. Och när jag väl fällt gubben faller de andra på köpet – i olika grad, men faller gör de!

Åklagaren kunde förstås inte anhålla ett antal personer utifrån tesen att de i förhör skulle motsäga varandra så pass att det strax gick att begära hela bunten häktad. Likväl var den saken något han hade i bakfickan, för de var ju amatörer allihop. En hundraåring, en småtjuv, en gatuköksföreståndare och en kärring. Hur i hela friden skulle de kunna stå emot i ett förhörsrum?

– Åk nu till Växjö, Aronsson, och ta in på ett vettigt hotell. Jag läcker nyheten i kväll om att hundraåringen är en förmodad mördarmaskin och i morgon bitti har du så många tips om var han finns att du kan plocka in honom före lunch, jag lovar.

KAPITEL 15

Måndag 9 maj 2005

– HÄR HAR DU tre miljoner kronor, käre bror. Jag vill också passa på att be om ursäkt för hur jag betett mig kring arvet efter farbror Frasse.

Benny gick rakt på sak när han mötte Bosse för första gången på trettio år. Han överräckte en kasse med pengarna redan innan de båda hann skaka hand med varandra. Och han fortsatte, med allvarlig röst, medan storebror fortfarande i någon mån kippade efter andan:

– Och nu ska du veta två saker. Den ena är att vi verkligen behöver din hjälp, för vi har ställt till det ordentligt. Och den andra är att pengarna du fått är dina och du har förtjänat dem. Måste du köra iväg oss så får du göra det, pengarna stannar hur som helst med dig.

Bröderna stod i skenet av det enda fungerande framlyset till den gula flyttbussen, alldeles utanför entrén till Bosses rejäla boning Klockaregård, på Västgötaslätten en knapp mil sydväst om Falköping. Bosse samlade tankarna så gott det gick, och sedan sa han att han hade några frågor om det kunde gå bra att ställa dem? Utifrån svaren lovade han att sedan ta ställning till hur det skulle bli med gästfriheten. Benny nickade och sa att han tänkte svara sanningsenligt på storebrors alla frågor.

– Då börjar vi, sa Bosse. Är pengarna jag just fått ärliga?

– Inte det minsta, sa Benny.

– Har ni polisen efter er?

– Förmodligen både tjuvar och poliser, sa Benny. Men mest tjuvar.

– Vad har hänt med bussen? Den är ju alldeles förstörd i fronten.

– Vi rammade en tjuv i full fart.

– Dog han?

– Nej, tyvärr. Han ligger i bussen med hjärnskakning, brutna revben, bruten högerarm och ett rejält öppet sår i högerlåret. Tillståndet är allvarligt men stabilt som det heter.

– Ni har med honom hit?

– Så illa är det.

– Vad är det mer jag behöver veta?

– Tja, kanske att vi haft ihjäl ett par andra tjuvar på vägen, kompisar till den halvdöde i bussen. De envisas alla med att vilja ha tillbaka de femtio miljoner som råkat hamna hos oss.

– Femtio miljoner?

– Femtio miljoner. Minus diverse omkostnader. För bussen här, bland annat.

– Varför kör ni omkring i en buss?

– Vi har med oss en elefant där bak.

– En elefant?

– Hon heter Sonja.

– En elefant?

– Asiatisk.

– En elefant?

– En elefant.

Bosse stod tyst en stund. Sedan sa han:

– Är elefanten också stulen?

– Njae, det kan man nog inte säga.

Bosse var tyst igen. Sedan sa han:

– Grillad kyckling med stekt potatis till kvällsmat. Skulle det passa?

– Det tror jag bestämt, sa Benny.

– *Ingår det något att dricka?* hördes en åldrig röst inifrån bussen.

* * *

När det visade sig att döingen fortfarande levde där i sitt bil-
vrak beordrade Benny genast iväg Julius att hämta förbands-
lådan bakom förarsätet i bussen. Benny sa att han visste att
han ställde till saker och ting för gruppen, men också att han
i egenskap av nästan-läkare hade sin nästan-läkaretik att
tänka på. Det var alltså uteslutet att låta döingen sitta där
och förblöda.

Tio minuter senare fortsatte färden mot Västgötaslätten.
Halvdöingen hade lirkats ut från sitt bilvrak, Benny hade
undersökt, ställt diagnos och med hjälp av förbandslådan
gett relevant vård; framför allt hade han sett till att stoppa
det kraftiga blodflödet från halvdöingens ena lår, samt stagat
upp frakturen på höger underarm.

Därpå fick Allan och Julius flytta bak till Sonja, för att ge
plats till halvdöingen liggande på tvären i bussens förarhytt,
med Den sköna som sjuksyster på vak. Benny konstaterade
dessförinnan att puls och blodtryck var i rimlig ordning.
Med lagom mängd kemiskt morfin såg Benny dessutom till
att halvdöingen somnade, trots allt det onda.

Så snart det stod klart att vännerna verkligen var välkomna
att stanna hos Bosse, började Benny med ny undersökning
av patienten. Halvdöingen sov fortfarande djupt av morfinet
och Benny beslutade att de skulle vänta med att flytta på
honom.

Så anslöt Benny till gruppen i Bosses rymliga kök. Medan
värden pysslade med den mat som strax skulle serveras redo-
gjorde vännerna i tur och ordning för de senaste dagarnas
dramatik. Allan började, sedan Julius, därpå Benny med vis-
sa instick från Den sköna och så Benny igen när det kom till
rammandet av buse nummer tres BMW.

Trots att Bosse just fått höra i detalj om hur två männi-
skor mist livet och hur sakerna dolts i strid med svensk lag

och rätt, var det bara en sak han ville ha repeterad:

– Få se nu om jag har förstått det här rätt... Ni har alltså en *elefant* i bussen utanför dörren?

– Ja, men i morgon bitti ska hon ut i det fria, sa Den sköna.

I övrigt tyckte inte Bosse att det var mycket att haka upp sig på. Lagen säger ofta en sak medan moralen kan säga en annan, menade han och tyckte att han inte behövde gå längre än till sin egen lilla verksamhet för att hitta exempel på hur juridiken kan läggas åt sidan så länge man håller huvudet högt.

– Ungefär som hur du hanterade vårt arv, fast tvärtom, råkade Bosse säga till Benny.

– Åja, vem var det som slog sönder min nya motorcykel? kontrade Benny.

– Men det var ju för att du hoppade av svetskursen, sa Bosse.

– Och det gjorde jag ju för att du hela tiden körde med mig, sa Benny.

Bosse såg ut att ha svar på Bennys svar på Bosses svar, men Allan avbröt bröderna med att han hade varit ute och sett sig omkring i världen och om det var någonting han lärt sig så var det att de allra största och till synes mest omöjliga konflikterna på vår jord byggde på plattformen: *"Du är dum, nej det är du som är dum, nej det är du som är dum."* Lösningen, sa Allan, var många gånger att man klämde en sjuttiofemma brännvin tillsammans och blickade framåt. Men nu var det ju så olyckligt med Benny att han var nykterist. Allan kunde förstås ta hand om Bennys del av brännvinet, men han trodde inte att det skulle bli samma sak.

– Så en sjuttiofemma brännvin skulle lösa Israel-Palestinakonflikten? undrade Bosse. Den sträcker ju sig ända tillbaka till Bibeln.

– Till just den konflikt du nämner är det inte omöjligt att det skulle gå åt mer än en flaska, svarade Allan. Men principen är densamma.

– Kan det inte fungera även om jag dricker något annat? frågade Benny och kände sig som en världsförstörare i sin absolutism.

Allan var nöjd med utvecklingen. Bråket bröderna emellan hade kommit av sig. Detta meddelade han också och tillade att brännvinet ifråga just därför gärna kunde få användas till andra ting än att lösa konflikter.

Spriten fick vänta, tyckte Bosse, för nu var maten klar. Nygrillad kyckling och ugnsstekt potatis med pilsner till de vuxna och saft till lillebror.

Medan middagen i köket just skulle ta sin början vaknade Per-Gunnar "Chefen" Gerdin. Han hade huvudvärk, det gjorde ont när han andades, ena armen var nog bruten för den var uppbunden i mitella, och det började blöda från ett sår i högerlåret när Chefen hasade sig ner från bussens hytt. Dessförinnan hade han märkligt nog hittat sin egen revolver i hyttens handskfack. Tänk att alla i hela världen tycktes vara idioter utom han själv.

Morfinet hade fortfarande sitt inflytande på honom, därför kunde han uthärda allt det onda, men han hade också svårt att sortera sina tankar. Han haltade i alla fall runt Klockaregård och kikade in genom diverse fönster, tills han var säker på att husets alla invånare var samlade i köket, inklusive en schäferhund. Köksdörren ut i trädgården var dessutom olåst. Genom den haltade Chefen in, med stor beslutsamhet och revolvern i vänsterhanden, och inledde med:

– Lås genast in hunden i skafferiet, annars skjuter jag den direkt. Efter det har jag fem patroner kvar i magasinet, en till var och en av er.

Chefen överraskade sig själv med hur kontrollerad han var i sin vrede. Den sköna såg mer olycklig än rädd ut när hon ledsagade Buster ut i skafferirummet och stängde dörren om honom. Buster blev förvånad och lite orolig, men framför allt nöjd. Han fann sig just vara instängd i ett skafferi; värre hundliv kunde man tänka sig.

De fem vännerna var nu uppställda på rad. Chefen meddelade att resväskan där borta i hörnet tillhörde honom och att han avsåg att ta med sig den när han gick. Eventuellt levde då en eller flera av personerna framför honom, beroende på vilka svar Chefen strax skulle få på sina frågor och på hur mycket av väskans innehåll som var försvunnet.

Allan var den som bröt tystnaden från vännernas sida. Han sa att det visserligen fattades några miljoner i väskan, men att herr revolvermannen kanske kunde nöja sig ändå eftersom det på grund av olika omständigheter blivit som så att två av revolvermannens kollegor gått och dött och att det därför blev färre att dela innehållet med för herr revolvermannen.

– Är Bulten och Hinken döda? sa Chefen.

– Gäddan?! utbrast plötsligt Bosse. Det är ju *du*! Det var inte i går!

– Bosse Bus!? utbrast Per-Gunnar "Gäddan" Gerdin tillbaka.

Och så möttes Bosse Bus och Gäddan Gerdin mitt på köksgolvet i en kram.

– Jag tror bestämt jag överlever det här också, sa Allan.

* * *

Buster släpptes ut ur skafferiet, Benny lade om "Gäddan" Gerdins blödande sår och Bosse Bus dukade för ytterligare en person vid bordet.

– Det räcker med gaffel, sa Gäddan, högerarmen kan jag ändå inte använda.

– Du var ju annars rätt bra med kniv när det begav sig, sa Bosse Bus.

Gäddan och Bosse Bus hade varit väldigt goda vänner, men också kompanjoner i livsmedelsbranschen. Gäddan var hela tiden den otåligare av dem, den som alltid ville driva sakerna ett steg längre. Till sist hade de gått åt varsitt håll när Gäddan insisterat på att kamraterna skulle importera svenska köttbullar från Filippinerna, behandlade med formalin för ökad hållbarhet från tre dagar till tre månader (eller tre år beroende på hur mycket man ville slösa med formalinet). Då hade Bosse sagt stopp. Han sa att han inte ville vara med om att preparera mat med sådant som folk kunde dö av. Gäddan tyckte att Bosse överdrev. Han menade att folk inte dog av lite kemikalier i maten, och med formalin borde det väl snarare handla om motsatsen.

Vännerna skiljdes som vänner. Bosse bröt upp från trakten, flyttade till Västergötland, medan Gäddan mest på prov rånade en importfirma med sådan framgång att han lade köttbullsplanerna på hyllan för att bli rånare på heltid.

I början hade Bosse och Gäddan hörts av ett par gånger om året, men med tiden blev det glesare och till sist inte alls – förrän Gäddan en kväll helt oväntat stod och vinglade i Bosses kök, precis så hotfull som Bosse mindes att Gäddan kunde vara när han var på det humöret.

Men Gäddans ilska gick över i samma sekund som han återfann sin kompanjon och kamrat från ungdomsåren. Och nu slog han sig ner vid bordet tillsammans med Bosse Bus och hans vänner. Att de hade haft ihjäl Bulten och Hinken kunde inte hjälpas. Det där och det med resväskan och allt fick de reda ut dagen därpå. För nu skulle det njutas middag och pilsner.

– Skål! sa Per-Gunnar Gäddan Gerdin och svimmade med ansiktet rakt ner i maten.

Gäddan torkades av i ansiktet, transporterades till gästsäng och bäddades ner. Benny kollade upp aktuell medicinsk status och gav sedan sin patient en ny dos kemiskt morfin att sova på ända till nästa dag.

Därpå var det äntligen dags för Benny och de övriga att få

njuta av kyckling och stekt potatis. Och som de njöt!

– Den här kycklingen smakar sannerligen fågel! berömde Julius och alla höll med om att något mustigare hade de aldrig varit med om. Vad var hemligheten?

Bosse berättade att han importerade färska kycklingar från Polen ("inget skräp, riktiga grejor"), och sedan injicerade han varje kyckling manuellt med upp till en liter av sin egen speciella kryddvattenblandning. Sedan paketerade han om alltihop och eftersom så mycket nu var gjort på Västgötaslätten tyckte han att han likaväl kunde kalla sina kycklingar för "svenska".

– Dubbelt så goda på grund av kryddblandningen, dubbelt så tunga på grund av vattnet och dubbelt så efterfrågade på grund av ursprungsmärkningen, sammanfattade Bosse.

Helt plötsligt hade det blivit affär av det hela, trots att han var småhandlare. Och alla *älskade* hans kycklingar. Däremot sålde han av säkerhetsskäl inget till grossisterna i trakten, någon av dem kunde ju komma förbi och upptäcka att det inte gick en enda kyckling och pickade på Bosses gård.

Och det var det här han hade menat med skillnaden mellan lag och moral, fortsatte Bosse. Polackerna var väl inte sämre på att mata höns och sedan ha ihjäl dem än vad svenskarna var? Kvalitet hade väl inte med nationsgränser att göra?

– Folk är dumma i huvudet, fastslog Bosse. I Frankrike är det franska köttet bäst, i Tyskland det tyska. Samma sak i Sverige. Så för folks eget bästa undanhåller jag viss information.

– Det var gentilt av dig, sa Allan, utan ironi.

Bosse berättade vidare att han gjorde något liknande med de vattenmeloner han också importerade, dock inte från Polen utan Spanien eller Marocko. Dem kallade han gärna för spanska för ingen skulle ändå tro att de kom från Skövde. Men innan han sålde dem vidare sprutade han in en liter sockerlag i varje melon.

– De blir dubbelt så tunga – bra för mig! – och tre gånger så goda – bra för konsumenten!

– Det var också gentilt av dig, sa Allan. Fortfarande utan ironi.

Den sköna tänkte att det väl fanns en och annan konsument som av medicinska skäl absolut inte borde få i sig en hel liter med sockerlag på det där viset, men hon sa inget. Hon tyckte inte att hon eller någon av de andra runt bordet hade rösträtt i frågor om moral. Dessutom var vattenmelonen nästan lika gudomlig i smaken som kycklingen just varit.

* * *

Kommissarie Göran Aronsson satt i restaurangen på hotell Royal Corner i Växjö och åt *chicken cordon bleu*. Kycklingen, som inte kom från Västergötland, var torr och smaklös. Men Aronsson sköljde ner den med en god flaska vin.

Vid det här laget hade säkert åklagaren viskat i någon reporters öra, och dagen därpå skulle det bli fullt drag på journalisterna igen. Åklagare Ranelid hade förstås rätt i att det skulle trilla in tips om var den gula bussen med trasig front befann sig. I väntan på det kunde väl Aronsson likaväl stanna där han var. Han hade ju ändå inget annat: ingen familj, inga nära vänner, inte ens en vettig hobby. När den här märkliga jakten var över skulle han bestämt lämna in sitt liv på service.

Kommissarie Aronsson avslutade kvällen med en gin & tonic, till vilken han satt och tyckte synd om sig själv och fantiserade kring hur det skulle vara att hala upp tjänstevapnet och skjuta pianisten i baren. Om han i stället hållit sig nykter och ordentligt tänkt igenom det han faktiskt visste kring ett och annat, hade historien helt visst tagit en annan vändning.

* * *

På tidningen Expressen hade man samma kväll en kort språklig diskussion innan man fastställde nästa dags löpsedel. Till slut bestämde nyhetschefen att *en* död kunde vara mord, *två* döda kunde vara dubbelmord men *tre* döda var tyvärr inte massmord som några kring nyhetsdesken ville. Fast det blev rätt bra drag i löpet ändå:

Försvunne
HUNDRA-
ÅRINGEN
misstänkt för
TRIPPEL-
MORD

* * *

Kvällen var sen på Klockaregård och stämningen på topp. Glada historier avlöste varandra. Bosse gjorde succé när han plockade fram *Bibeln* och sa att han nu skulle berätta historien om hur han högst ofrivilligt kommit att läsa hela boken från första till sista sidan. Allan undrade vilken djävulsk tortyrmetod Bosse då blivit utsatt för, men det var inte alls så det låg till. Ingen utomstående hade tvingat Bosse till någonting, nej det var Bosses egen nyfikenhet som tagit kommandot.

– Så nyfiken blir jag nog aldrig, sa Allan.

Julius undrade om Allan kunde sluta avbryta Bosse så att de kunde få höra historien någon gång och det sa Allan att han kunde. Bosse fortsatte:

En dag några månader tidigare hade han fått samtal från en bekant på avfallsanläggningen utanför Skövde. De båda hade lärt känna varandra på Axevalla travbana där de träffades för att få sina drömmar krossade varje gång V75-

tävlingarna kom till stan. Bekantingen hade lärt sig att Bosses samvete hade visst manöverutrymme samt att Bosse alltid var intresserad av möjligheter till nya intäktsströmmar.

Nu var det som så att det just kommit en pall med femhundra kilo böcker som skulle eldas upp, eftersom de klassificerats som brännbart material i stället för litteratur. Bosses bekant hade blivit nyfiken på vad det var för sorts före detta litteratur och han sprättade upp emballaget – för att strax hålla Bibeln i sin hand (bekantingens förhoppningar hade gått i en helt annan riktning).

– Men det var inte vilken skitbibel som helst, sa Bosse och skickade runt ett exemplar för visning. Vi snackar *slimline-bibel* i äkta skinn med guldsnitt och grejer... Och kolla här: persongalleri, kartor i färg, index...

– Det var *det jävligaste*, sa Den sköna imponerat.

– Det var det väl kanske inte, rättade Bosse, men jag förstår vad du menar.

Bekantingen hade blivit lika imponerad som vännerna nu blev och i stället för att elda upp härligheten ringde han till Bosse och erbjöd sig att smuggla ut alltihop från tippen mot... säg en tusenlapp som tack för besväret.

Bosse slog till direkt och redan samma eftermiddag hade han femhundra kilo bibel stående i ladan. Men hur han än vände och vred kunde han inte hitta något fel på böckerna. Till slut höll saken på att göra honom tokig. Så han slog sig en kväll ner vid brasan i vardagsrummet och satte igång att läsa, från "I begynnelsen skapade..." och framåt. För säkerhets skull hade han sin egen konfirmationsbibel med som referens. Det *måste* ju vara feltryck någonstans, varför skulle man annars slänga något så vackert och... heligt?

Bosse läste och läste, kväll efter kväll, Gamla testamentet övergick i Nya och Bosse läste vidare, jämförde med konfirmationsbibeln – och hittade fortfarande inga fel någonstans.

Så en kväll var han framme vid sista kapitlet, och så småningom sista sidan, sista versen.

Där var det! Där var det oförlåtliga och obegripliga fel-
tryck som gjorde att böckernas ägare bestämt att de skulle
eldas upp.

Nu delade Bosse ut ett exemplar till var och en runt bor-
det, och alla fick själva bläddra fram till bokens sista vers för
att i tur och ordning falla i skratt.

Bosse nöjde sig med att feltrycket fanns där det fanns, han
brydde sig inte om att ta reda på hur det kommit dit. Nyfi-
kenheten var för Bosses del stillad, och på köpet hade han
läst sin första bok sedan skoltiden och rent av blivit småreli-
giös på köpet. Inte så att Bosse lät Gud ha synpunkter på
Klockaregårds affärsverksamhet, inte heller att Herren tilläts
närvara när Bosse sammanställde sin personliga deklaration
till Skatteverket, men i övrigt lade Bosse numera sitt liv i
Faderns, Sonens och Den Helige Andes händer. För inte kun-
de väl någon av dem ha synpunkter på att Bosse stod på
marknadsplatser i södra Sverige om helgerna och försålde
biblar med lite feltryck i? ("99 kronor stycket! Herregud, vil-
ket kap!")

Men om Bosse brytt sig, och om han mot all rimlig för-
modan lyckats bringa klarhet i saken, då skulle han i tillägg
till det andra ha kunnat berätta följande för sina vänner:

En typograf i utkanterna av Rotterdam genomgick en per-
sonlig kris. Han hade flera år tidigare rekryterats av Jehovas
vittnen, men blivit utsparkad när han upptäckte och lite för
högljutt ifrågasatte det faktum att församlingen förutspått
Jesu återkomst vid inte mindre än fjorton tillfällen mellan
1799 och 1980 – och sensationellt nog lyckats ha fel alla
fjorton gångerna.

Därpå sökte sig typografen till pentekostalismen; han gil-
lade läran om de yttersta tingen, han omfamnade idén om
Guds slutgiltiga seger över ondskan, om Jesu återkomst
(utan att pingstvännerna för den skull satte några datum för
den saken) och om hur de flesta från typografens uppväxt,
inklusive hans pappa, skulle brinna i helvetet.

Men så kördes typografen på porten också av sin nya för-samling. Orsaken den här gången var att en hel månads sam-lad kollekt hamnat på villovägar medan den var under typo-grafens beskydd. Typografen hade i sten nekat till inblandning i försvinnandet. Dessutom skulle väl kristendomen gå ut på att förlåta? Och vad hade han haft för val när bilen gick sön-der och han behövde en ny för att kunna behålla sitt jobb?

Bitter som galla tog sig typografen an den dagens uppdrag på jobbet, som ironiskt nog råkade bestå av tryckning av två-tusen biblar! Dessutom handlade det om en beställning från Sverige där, såvitt typografen visste, hans pappa alltjämt levde sedan han övergett familjen när typografen var sex år gam-mal.

Med tårar i ögonen sorterade typografen in kapitel efter kapitel i tryckeriets speciella mjukvara. När han kom till det allra sista kapitlet – Uppenbarelseboken – brast det för honom. Hur skulle Jesus *någonsin* kunna vara på väg till-baka till jorden? Här hade ju ondskan kontroll över allt! Det onda hade en gång för alla besegrat det goda, så vad fanns det för mening med någonting? Och Bibeln... den var ju ett skämt!

Så kom det sig att den nervtrasige typografen gjorde ett tillägg efter den allra sista versen i det allra sista kapitlet i den svenska bibel som just skulle gå i tryck. Typografen min-des inte mycket av pappans modersmål, men han kom i alla fall ihåg en ramsa som han nu tyckte passade väl in i sammanhanget. Sålunda blev Bibelns två sista verser plus typografens extravers så här i tryck:

20. Han som vittnar om detta säger: "Ja, jag kommer snart." Amen, kom, Herre Jesus.

21. Nåd från herren Jesus åt alla.

22. Snipp snapp snut, så var sagan slut.

Den sena kvällen blev till natt på Klockaregård. Både bränn-vin och broderskärlek hade flödat och skulle nog ha fortsatt

att göra så om inte nykteristen Benny upptäckt hur sent det redan hunnit bli. Därför avbröt han trivsamheterna och meddelade att det bestämt var hög tid att alla gick till sängs. Det var ju mycket som behövde redas ut dagen därpå och då var det bäst för var och en att vara utvilad.

– Om jag varit nyfiken av mig skulle jag nog ha undrat vilket humör han som tuppade av tänker vara på när han vaknar, sa Allan.

KAPITEL 16

1948–1953

MANNEN PÅ SAMMA parkbänk som Allan hade just sagt *Good afternoon, mr Karlsson,* och av det drog Allan ett par slutsatser. För det första att mannen inte var svensk, annars hade han nog prövat med att prata svenska. För det andra att han visste vem Allan var, eftersom han ju kallat Allan vid namn.

Mannen var prydligt klädd, i grå hatt med svart brätte, grå överrock och svarta skor. Kunde mycket väl vara affärsman. Såg vänlig ut och hade bestämt ett ärende. Så Allan sa, på engelska:

– Är måhända mitt liv på väg att ta en ny vändning nu?

Mannen svarade att den saken nog inte gick att utesluta, men tillade vänligt att det hängde på herr Karlsson själv. Hur som helst önskade mannens uppdragsgivare få träffa herr Karlsson för att erbjuda herr Karlsson arbete.

Allan svarade att han visserligen hade det rätt bra om dagarna som han hade det, men att han förstås inte kunde bli sittande på en parkbänk resten av livet. Och så frågade han om det var för mycket begärt att få veta vem herrns uppdragsgivare var. Allan menade att det var lättare att tacka ja eller nej till något om man visste vad det var man tackade ja eller nej till. Tyckte inte herrn det också?

Det höll vänlige mannen absolut med om, men uppdragsgivaren ifråga var lite speciell och skulle nog helst vilja få presentera sig själv.

– Däremot är jag redo att utan minsta dröjsmål ledsaga

herr Karlsson till uppdragsgivaren ifråga, om det kan tänkas passa herr Karlsson?

Jo, för all del, tyckte Allan, det kunde det väl göra och fick på det veta att det var en bit att resa. Om herr Karlsson ville ha med sig sina tillhörigheter från hotellrummet lovade mannen att vänta i foajén. Mannen kunde förresten skjutsa herr Karlsson tillbaka till hotellet, för mannens bil med chaufför fanns här intill.

En stilig bil var det, en röd Ford Coupé av senaste modell. Och privatchaufför! Tystlåten typ. Såg inte alls lika vänlig ut som vänlige mannen.

– Vi kan nog hoppa över hotellrummet, sa Allan. Jag är van att resa lätt.

– Då säger vi så, sa vänlige mannen och klappade sin chaufför på axeln på ett sätt som betydde "kör".

Färden gick till Dalarö, en dryg timme söderut på slingriga vägar. Allan och vänlige mannen samtalade under tiden om både det ena och det andra. Vänlige mannen förklarade *operans* oändliga storhet, medan Allan berättade hur man korsar Himalaya utan att frysa ihjäl.

Solen hade gett upp dagen när den röda Coupén gled in i det lilla samhället som på somrarna var så populärt bland skärgårdsturister, och på vintrarna så mörkt och tyst som det bara gick.

– Jaså, det är här han bor, uppdragsgivaren, sa Allan.

– Inte riktigt, sa vänlige mannen.

Vänlige mannens inte alls lika vänlige chaufför sa ingenting, han bara lämnade av Allan och vänlige mannen strax intill Dalarö hamn och gav sig därefter av. Innan dess hade vänlige mannen hunnit med att sno åt sig en pälskappa ur Fordens bagagelucka, och den svepte han vänligt över axlarna på Allan, samtidigt som han ursäktade att det nu var tvunget att bli en kortare promenad i vinterkylan.

Allan var inte den som i onödan byggde upp förväntningar (eller för den delen motsatsen) kring vad som kunde tänkas ske därnäst i livet. Det som skedde skedde ju, inte lönade det sig att grubbla över i förväg.

Likväl blev Allan överraskad när vänlige mannen ledde honom bort från centrala Dalarö och i stället ut på isen – ut i den absolut beckmörka skärgårdskvällen.

Vänlige mannen och Allan traskade på. Ibland tände vänlige mannen en ficklampa, blinkade med den ut i vintermörkret innan han använde den till att ta ut rätt riktning på sin kompass. Han konverserade inte Allan under hela promenaden, utan räknade i stället högt sina steg – på ett språk Allan inte hört tidigare.

Efter femton minuters promenad i rask takt ut i absolut ingenting sa vänlige mannen att de nu var framme. Det var mörkt omkring dem, bortsett från ett flämtande ljus på en ö långt borta. Vänlige mannen passade på att informera om att ljuset i sydostlig riktning kom från Kymmendö, som såvitt vänlige mannen visste hade svensk litteraturhistorisk betydelse. Det var inget Allan kände till, och mer än så hann inte saken diskuteras förrän marken rämnade under Allans och vänlige mannens fötter.

Vänlige mannen hade möjligen räknat lite fel. Eller så hade ubåtens befälhavare inte varit så exakt som han borde. Hur det nu var så bröt den nittiosju meter långa farkosten isen alldeles för nära Allan och vänlige mannen. Båda föll baklänges och var på vippen att hamna i det iskalla vattnet. Men sakerna redde ut sig och strax hade Allan fått hjälp att klättra ner i värmen.

– Här ser man bestämt nyttan med att inte börja sin dag med att gissa hur den ska te sig, sa Allan. Jag menar, hur länge hade inte jag fått gissa innan jag skulle ha gissat det här?

Nu tyckte vänlige mannen att allt inte behövde vara lika hemligt längre. Han berättade att han hette Julij Borisovitj

Popov, att han arbetade för Socialistiska sovjetrepublikernas union, att han var fysiker, inte politiker eller militär, att han hade skickats till Stockholm för att övertyga herr Karlsson om att denne skulle följa med till Moskva. Julij Borisovitj valdes ut till detta uppdrag eftersom man hade kunnat förvänta sig en viss motsträvighet från herr Karlssons sida, och Julij Borisovitjs bakgrund som fysiker skulle då kunna vara en framgångsfaktor eftersom herr Karlsson och Julij Borisovitj så att säga skulle tala samma språk.

– Men jag är inte fysiker? sa Allan.

– Det är möjligt, men min uppgiftslämnare säger mig att du kan något jag gärna vill kunna.

– Jaså, minsann. Vad kan det handla om, månntro?

– *Bomben*, herr Karlsson. *Bomben*.

* * *

Julij Borisovitj och Allan Emmanuel hade omgående fattat tycke för varandra. Att tacka ja till att följa med utan att veta vart han skulle, till vem och varför – det imponerade på Julij Borisovitj och det skvallrade om en sorglöshet han själv inte ägde. Allan, å sin sida, uppskattade att för en gångs skull få språka med någon som inte försökte pracka på honom politik eller religion.

Dessutom visade det sig strax att Julij Borisovitj och Allan Emmanuel båda var barnsligt förtjusta i brännvin, även om den ene av dem kallade det vodka. Julij Borisovitj hade kvällen innan fått tillfälle att pröva den svenska varianten medan han – ärligt talat – hållit ett öga på Allan Emmanuel i matsalen på Grand Hôtel. Först hade Julij Borisovitj tyckt att den var för torr, inte hade den ryska sötman, men efter ett par glas vande han sig. Och ytterligare två glas senare kom det ett uppskattande "jovars" över hans läppar.

– Fast det här är ju bättre förstås, sa Julij Borisovitj och höll upp en hel liter Stolichnaya där han och Allan Emmanuel satt och hade officersmässen för sig själva. Nu ska vi bestämt ha oss varsitt glas!

– Det var bra det, sa Allan. Sjön suger.

Redan efter det första glaset hade Allan drivit igenom en namnreform männen emellan. Att säga Julij Borisovitj till Julij Borisovitj varje gång han behövde påkalla Julij Borisovitjs uppmärksamhet, det gick förstås inte i längden. Och själv ville han inte heta Allan Emmanuel, för det hade han inte hetat sedan han döptes av prästen i Yxhult.

– Så från och med nu är du Julij och jag är Allan, sa Allan. Annars kliver jag av båten här och nu.

– Gör inte det, käre Allan, vi är på tvåhundra meters djup, sa Julij. Ta dig en sup till i stället.

Julij Borisovitj Popov var brinnande socialist och han önskade inget hellre än att få arbeta vidare i sovjetsocialismens namn. Kamrat Stalin hade stränga nypor visste Julij att berätta, men den som lojalt och övertygat tjänade systemet hade inget att frukta. Allan svarade att han inte hade några planer på att tjäna något system, men att han visst kunde ge Julij ett och annat tips om det nu var som så att det hade körts fast i atombombsproblematiken. Fast först ville Allan smaka ett glas till av den där vodkan som inte gick att uttala namnet på ens medan man var nykter. Dessutom fick Julij lova att fortsätta på den dittills inslagna vägen: nämligen att inte prata politik.

Julij tackade innerligt för Allans löfte om att hjälpa till och erkände utan omsvep att marskalk Berija, Julijs närmaste chef, tänkt erbjuda den svenske experten ett engångsbelopp om hundratusen amerikanska dollar, förutsatt att Allans hjälp ledde till en färdig bomb.

– Det blir nog bra med det, sa Allan.

Innehållet i flaskan krympte stadigt medan Allan och Julij

språkade om det mesta mellan himmel och jord (utom politik och religion). De kom också in en del på atombombsproblematiken och trots att det egentligen hörde de kommande dagarna till hann Allan med att i all enkelhet bjuda på ett par tips. Och ytterligare ett par.

– Hmm, sa chefsfysikern Julij Borisovitj Popov. Jag tror jag förstår...

– Men det gör inte jag, sa Allan. Förklara det där med opera en gång till. Är det inte bara ett väldigt gapande?

Julij log, tog sig en rejäl klunk av vodkan, ställde sig upp – och började sjunga. I ruset gav han sig inte på vilken trallande folkvisa som helst utan arian *Nessun Dorma* ur Puccinis Turandot.

– Det var som fan, sa Allan när Julij sjungit färdigt.

– Nessun dorma! sa Julij andäktigt. *Ingen får sova!*

Oavsett om någon fick sova eller ej, somnade strax både Allan och Julij i varsin koj innanför mässen. När de vaknade igen låg ubåten redan förtöjd i Leningrads hamn. Där väntade skjuts i limousine till Kreml för möte med marskalk Berija.

– Sankt Petersburg, Petrograd, Leningrad... Hur vore det om ni bestämde er? sa Allan.

– God morgon på dig själv, sa Julij.

Julij och Allan tog plats i baksätet på en Humber Pullman limousine för en dagslång färd från Leningrad till Moskva. En skjutbar fönsterruta skiljde förarplatsen från den... *salong*... där Allan och hans nyfunne vän höll till. I salongen fanns dessutom kylskåp innehållande vatten, läskedryck och all den alkohol de aktuella passagerarna för stunden klarade sig utan. Vid sidan om också en skål med geléhallon och ett helt fat med praliner i äkta choklad. Bil och inredning skulle ha varit strålande exempel på sovjetsocialistisk ingenjörskonst om allt bara inte varit importerat från England.

Julij berättade för Allan om sin bakgrund, bland annat att han studerat för Nobelpristagaren Ernest Rutherford, den nyzeeländske, legendariske kärnfysikern. Därför talade Julij Borisovitj så bra engelska. Allan å sin sida redogjorde för den allt eftersom alltmer häpne Julij Borisovitj om sina äventyr i Spanien, Amerika, Kina, Himalaya och Iran.

– Vad hände med den anglikanske pastorn sedan? undrade Julij.

– Jag vet inte, sa Allan. Antingen har han väl snart anglikaniserat hela Persien, eller så är han död. Det minst troliga är nog någonting där emellan.

– Det låter lite grand som att utmana Stalin i Sovjet, sa Julij uppriktigt. Bortsett från att det i sak vore ett brott mot revolutionen så är nog prognosen för överlevnad dålig.

Julijs uppriktighet tycktes denna dag och i aktuellt sällskap inte känna några gränser. Han berättade öppenhjärtigt om vad han ansåg om marskalk Berija, chefen för säkerhetstjänsten som hastigt och mycket mindre lustigt också blivit högste ansvarige för atombombsprojektets fortskridande. Berija hade kort sagt inget hut i kroppen. Han utnyttjade kvinnor och barn sexuellt och han lät skicka misshagliga element på straffläger om han rent av inte hade ihjäl dem.

– Förstå mig rätt, förtydligade Julij. Ett misshagligt element ska förstås sorteras iväg så fort som möjligt, men det måste ju vara misshagligt på de rätta, revolutionära grunderna. Den som inte går socialismens ärenden ska bort! Men den som inte går *marskalk Berijas* ärenden... nej usch, Allan. Marskalk Berija är ingen sann representant för revolutionen. Men det får du inte lasta kamrat Stalin för. Jag har aldrig haft ynnesten att träffa honom, men han ansvarar för ett helt land, närmast en hel kontinent. Om han i det arbetet i hastigheten gett marskalk Berija mer ansvar än vad marskalk Berija är mäktig att bära... då är det kamrat Stalins fulla rätt! Och nu – käre Allan – ska jag berätta något alldeles fantastiskt för dig. Du och jag har i eftermiddag fått audiens inte bara hos marskalk Berija, *utan också hos kamrat Stalin självl!* Han tänker bjuda på middag.

– Det ser jag verkligen fram emot, sa Allan. Men hur blir det fram till dess? Är det tänkt att vi ska leva på geléhallonen?

Julij såg till att limousinen gjorde ett stopp i en liten stad längs vägen för att införskaffa ett par smörgåsar till Allan. Så fortsatte resan, liksom det intressanta samtalet.

Allan funderade mellan tuggorna på den där marskalk Berija som utifrån Julijs beskrivning tycktes ha likheter med den för en tid sedan så hastigt bortgångne chefen för säkerhetspolisen i Teheran.

Julij, å sin sida, satt och försökte förstå sig på sin svenske kollega. Svensken skulle strax få äta middag med *Stalin* och det hade han sagt att han såg fram emot. Men Julij var tvungen att fråga om det var *middagen* Allan då i första hand avsett, inte ledaren.

– Äta bör man annars dör man, sa Allan diplomatiskt och berömde kvaliteten på de ryska smörgåsarna. Men, käre Julij, ursäktar du om jag ställer en fråga eller två?

– Absolut, käre Allan. Fråga på, jag ska göra mitt bästa för att svara.

Allan sa att han ärligt talat inte lyssnat så noga medan Julij hållit sin politiska utläggning nyss, för politiken var inte det som intresserade Allan mest på denna jord. Dessutom mindes han bestämt från kvällen innan att Julij lovat att inte segla iväg i den riktningen.

Däremot hade Allan fastnat för Julijs beskrivning av marskalk Berijas mänskliga brister. Allan trodde att han tidigare i livet stött på personer av liknande slag. Och det var här Allan inte riktigt fick ihop det. Å ena sidan var, såvitt Allan förstått det, marskalk Berija hänsynslös. Å andra sidan hade han nu sett till att Allan blev alldeles extraordinärt ompysslad, med limousine och allt.

– Det jag i all stillhet undrar är varför han inte bara lät kidnappa mig och sedan såg till att med våld vrida ur mig det han ville veta, sa Allan. Då hade han ju sparat in på både geléhallon, chokladpraliner, hundratusen dollar och en massa annat.

Julij sa att det tragiska med Allans fundering var att den ägde relevans. Marskalk Berija hade mer än en gång – i revolutionens namn, dessutom – torterat oskyldiga människor. Så visste Julij att det låg till. Men nu var saken den, sa Julij och drog lite på det, saken var den, sa Julij och öppnade kylskåpet för en stärkande öl trots att klockan inte ens hunnit bli tolv på dagen, saken var den... erkände Julij, att marskalk Berija alldeles nyligen misslyckats med den strategi Allan just målat upp. En västerländsk expert kidnappades i Schweiz och fördes till marskalk Berija, men det hela slutade i ett elände. Om Allan ursäktade så ville inte Julij berätta mer, men Allan måste tro på Julijs ord; lärdomen av det nyliga misslyckandet blev att de nödvändiga nukleära tjänsterna enligt beslut skulle *köpas* på den västerländska marknaden byggd på utbud och efterfrågan, hur vulgärt det nu än kunde vara.

* * *

Det sovjetiska atomvapenprogrammet startade med ett brev från kärnfysikern Georgij Nikolajevitj Fljorov till kamrat Stalin, där den förre i april 1942 påpekade att det inte hade hörts ett ljud och inte skrivits en rad i västerländska, allierade medier avseende *fissionstekniken* alltsedan den upptäckts 1939.

Kamrat Stalin var inte född i farstun (även om det var just där han under uppväxten fick sin dagliga omgång stryk av fadern). Stalin tänkte, precis som kärnfysikern Fljorov, att en så kompakt tystnad *i tre år* kring fissionsupptäckten inte kunde betyda annat än att det fanns mer att säga, som till exempel att någon var på väg att skapa en bomb som i ett slag skulle göra Sovjetunionen – uttryckt på ryskt bildspråk – schack matt.

Ingen tid att förlora, således, om det nu inte vore för den lilla detaljen att Hitler och Nazityskland var fullt upptagna med att inta delar av Sovjetunionen – det vill säga allt väster om Volga, vilket skulle inkludera Moskva, och det var väl illa nog, men också Stalingrad!

Slaget om Stalingrad blev, minst sagt, personligt för Stalin. Det strök visserligen med en och en halv miljon människor eller så, men Röda armén vann och började på det trycka tillbaka Hitler, så småningom hela vägen till bunkern i Berlin.

Det var först när tyskarna var på väg att ge vika som Stalin kände sig trygg i att han och hans nation hade en framtid, och då blev det äntligen fart på fissionsforskningen, som en modernare variant av den sedan länge utgångna livförsäkring som gått under namnet Ribbentrop-Molotov.

Fast nu är ju atombomber inget man skruvar ihop på en förmiddag, speciellt inte när bomben ännu inte är uppfunnen. Det sovjetiska atombombsforskandet hade pågått i ett par år utan genombrott när det en dag small – i New Mexico. Amerikanerna hade vunnit loppet, och det var ju inte så konstigt med tanke på att de börjat springa så mycket tidigare. Och efter ökenprovet i New Mexico följde två smällar som var på riktigt: en i Hiroshima, en annan i Nagasaki. Därmed hade Truman vridit om näsan på Stalin, talat om vem det var som bestämde, och man behövde inte känna Stalin väl för att förstå att det inte var något han tänkte finna sig i.

– Lös uppgiften, sa kamrat Stalin till marskalk Berija. Eller om jag nu ska uttrycka mig tydligt: Lös uppgiften!

Marskalk Berija förstod att hans egna fysiker, kemister och matematiker hade kört fast, och det skulle för den skull inte löna sig att skicka hälften av dem till Gulag. Dessutom hade marskalken inga indikationer på att agenterna på fältet var på väg att dyrka sig in i det allra heligaste på Los Alamos-basen i USA. Att helt enkelt stjäla amerikanernas rit-ningar lät sig för stunden inte göras.

Lösningen fick bli att *importera* kunskap, att på ett avgö-rande sätt komplettera den som redan fanns på forsknings-centret i den hemliga staden Sarov några timmars bilfärd sydost om Moskva. Eftersom endast det bästa var gott nog för marskalk Berija sa han till chefen för den internationella agentverksamheten:

– Se till att plocka hit Albert Einstein.

– Men... *Albert Einstein...*, sa den chockade agentchefen.

– Albert Einstein är världens skarpaste hjärna. Avser du att göra som jag säger eller har du dödslängtan? sa marskalk Berija.

Agentchefen hade just träffat en ny kvinna i livet och det fanns ingen på jorden som doftade så gott som hon, så någon dödslängtan hade han inte alls. Men innan agentche-fen hann meddela marskalk Berija den saken, sa marskalk Berija:

– Lös uppgiften. Eller om jag nu ska uttrycka mig tydligt: *Lös uppgiften!*

Nu var det inte bara att plocka in Albert Einstein så där och skicka honom i paket till Moskva. Först måste han ju lokali-seras. Han föddes i Tyskland, men flyttade till Italien och vidare till Schweiz och Amerika, och sedan dess hade han farit fram och tillbaka mellan alla möjliga olika ställen och av alla möjliga olika skäl.

För stunden hade han sitt hem i New Jersey, men enligt agenterna på plats tycktes hemmet vara tomt. Dessutom vil-le marskalk Berija att kidnappningen om möjligt skulle ske i Europa. Att smuggla berömdheter ut ur USA och över Atlan-ten hade ju sina komplikationer.

Men var befann sig karlen? Han meddelade sig sällan eller aldrig inför en resa och han var känd för att kunna komma flera dagar för sent till viktiga och avtalade möten.

Agentchefen gjorde en lista på en handfull platser med rimligt nära koppling till Einstein, och så satte han en agent att bevaka var och en av platserna. Det handlade om hemmet i New Jersey, förstås, och bäste vännens villa i Genève. Dessutom Einsteins publicist i Washington och två övriga vänner, den ene i Basel, den andre i Cleveland, Ohio.

Det tog några dagar av tålmodigt väntande, men sedan kom belöningen – i form av en man i grå rock, uppfälld krage och hatt. Mannen kom gående på gatan utanför villan i Genève där Albert Einsteins bäste vän Michele Besso bodde. Han ringde på och blev hjärtligt och innerligt välkomnad av Besso själv, men också av ett äldre par, som krävde närmare utredning. Den bevakande agenten kallade på den kollega som stod i samma ärende i Basel tjugofem mil bort, och efter timmar av avancerad fönstertitt och jämförelser med medhavt fotogalleri kunde de båda agenterna tillsammans konstatera att det mycket riktigt var Albert Einstein som just kommit på besök till sin bäste vän. Det äldre paret torde dessutom ha varit Michele Bessos svåger Paul och dennes hustru Maja, tillika Albert Einsteins syster. Rena familjefesten!

Albert stannade i två noga bevakade dagar hos vännen och med systern och hennes man, innan han åter tog på sig överrock, handskar och hatt och gav sig iväg, lika diskret som han kommit.

Dock hann han inte längre än runt hörnet förrän han angreps bakifrån och snabbt som ögat skickades in i baksätet på en bil där han sövdes med kloroform. Därifrån forslades han via Österrike till Ungern som ju var tillräckligt vänligt sinnat till den sovjetiska socialistiska republiken för att inte ställa en massa frågor när Sovjet uttryckte önskan om att få landa på militärflygplatsen i Pécs för att tanka, plocka upp två Sovjetmedborgare och en mycket sömnig man därtill, och omedelbart lyfta igen för färd mot okänt mål.

Dagen därpå inleddes förhören med Albert Einstein i säkerhetstjänstens lokaler i Moskva, under ledning av marskalk Berija. Frågan var om Einstein skulle välja att samarbeta, för sin egen hälsas skull, eller obstruera till nytta för ingen.

Tyvärr visade det sig handla om det sistnämnda. Albert Einstein ville inte tillstå att han hade ägnat kärnklyvningstekniken en tanke (trots att det var allmänt känt att han redan 1939 kommunicerat med president Roosevelt i saken och att det i sin tur ledde till Manhattanprojektet). Faktum var att Albert Einstein inte ens ville tillstå att han var Albert Einstein. Han hävdade med dåraktig envishet att han i stället var Albert Einsteins yngre bror *Herbert* Einstein. Det var bara det att Albert Einstein inte hade någon bror, han hade en syster och inget annat. Så det tricket gick förstås marskalk Berija och hans förhörsledare inte på, och man var just i färd med att ta till våld när något synnerligen märkligt hände sig på sjunde avenyn i New York, flera tusen mil därifrån.

Där, i Carnegie Hall, höll nämligen *Albert Einstein* ett populärvetenskapligt föredrag om relativitetsteorin, inför tvåtusen åttahundra speciellt inbjudna gäster, varav minst tre var rapportörer åt Sovjetunionen.

Två Albert Einstein var en för mycket för marskalk Berija, även om den ene av dem befann sig på andra sidan Atlanten. Ganska raskt gick det att reda ut att den i Carnegie Hall var den riktige, så *vem i helvete* var den andre?

Under hot om att bli utsatt för sådant ingen människa vill bli utsatt för lovade den falske Albert Einstein att klargöra allt för markskalk Berija.

– Herr marskalken ska få hela bilden klar för sig, bara han inte avbryter mig, för då blir jag så nervös.

Marskalk Berija lovade att inte avbryta med någonting annat än ett skott i tinningen på den falske Einstein, och det skulle han vänta med tills det var ställt utom allt tvivel att det han hörde var ljug och inget annat.

– Så varsågod att börja. Låt inte mig störa, sa marskalk Berija och osäkrade sin pistol.

Mannen som tidigare hävdat att han var Albert Einsteins okände bror Herbert, tog ett djupt andetag och inledde med... att vidhålla den saken (där var det nära att skottet brann av).

Därpå följde en historia som om den var sann var så sorglig att marskalk Berija inte omgående kunde komma sig för att avrätta berättaren.

Det Herbert Einstein förtäljde var att Hermann och Pauline Einstein mycket riktigt fått två barn: först sonen Albert och därpå dottern Maja. Så långt hade herr marskalken haft alldeles rätt. Men nu var det som så att pappa Einstein inte riktigt kunnat hålla fingrar och annat borta från sin vackra men mycket begränsat begåvade sekreterare på den elektrokemiska fabrik han drev i München. Resultatet av det hade blivit Herbert, Alberts och Majas hemlige och inte alls legitime bror.

Precis som marskalkens agenter redan kunnat konstatera var Herbert närmast en kopia av Albert, trots att han var tretton år yngre. Det som förstås inte gick att se från utsidan var att Herbert olyckligtvis fått ärva all moderns begåvning. Eller avsaknaden av densamma.

När Herbert var två år gammal, 1895, flyttade familjen Einstein från München till Milano. Herbert kom med i flyttlasset, men inte hans mor. Pappa Einstein hade förstås erbjudit henne en passande lösning, men Herberts mamma var inte intresserad. Hon kunde inte tänka sig att byta ut bratwurst mot spagetti, och tyskan mot... vad nu språket kunde heta i Italien. Dessutom hade det varit mest besvär med den där bebisen; han skrek ju bara efter mat och bajsade dessutom på sig! Om någon ville ta Herbert någon annanstans vore det bra, men själv tänkte hon stanna där hon var.

Herberts mor fick en rejäl slant av pappa Einstein att leva på. Det som sedan lär ha hänt var att hon träffade en äkta greve som övertalade henne att investera alla sina pengar i hans nästan helt färdigställda maskin för produktion av ett *livselixir* som botade alla sjukdomar som fanns. Men så hade greven försvunnit, och han tog tydligen elixiret med sig för Herberts utblottade mamma dog något år senare, i tuberkulos.

Herbert växte sålunda upp tillsammans med storebror Albert och storasyster Maja. Men för att undvika skandal hade pappa Einstein bestämt att Herbert skulle kallas *brorson*, inte son. Herbert kom aldrig sin bror speciellt nära, men älskade sin syster innerligt även om han tvingades kalla henne kusin.

– Sammanfattningsvis, sa Herbert Einstein, är jag övergiven av min mor, förnekad av min far – och lika intelligent som en säck potatis. Jag har inte gjort ett nyttigt handtag i hela mitt liv, bara levt på fadersarvet, och jag har inte tänkt en begåvad tanke.

Marskalk Berija hade under berättelsens gång sänkt sin pistol och säkrat den igen. Historien ägde ju möjlig riktighet och marskalken kände att han rent av kunde beundra den självinsikt den korkade Herbert Einstein visade sig besitta.

Hur skulle han agera nu? Marskalken reste sig eftertänksamt upp från stolen i förhörsrummet. Rätt och fel lade han för säkerhets skull åt sidan, i revolutionens namn. Han hade sannerligen nog med problem, han behövde inte ett till på halsen. Ja, så fick det bli. Marskalken vände sig till de båda vakterna vid dörren:

– Gör er av med honom.

Därpå lämnade han rummet.

* * *

Herbert Einstein-fadäsen skulle förstås inte bli munter att redogöra för kamrat Stalin, men marskalk Berija hade tur som en drucken, för innan han hann hamna i onåd skedde ett genombrott på Los Alamos-basen i New Mexico.

Genom åren hade mer än hundratrettiotusen människor engagerats i det som kallades Manhattanprojektet, och naturligtvis var mer än en av dem lojal med den socialistiska revolutionen. Men ingen hade lyckats baxa sig så långt in i de hemligaste korridorerna att Sovjet den vägen kunnat komma över atombombens innersta hemlighet.

Men nu visste man något nästan lika bra. Man visste att det var en *svensk* som knäckt gåtan, och man visste vad han hette!

Efter att ha aktiverat hela det svenska spionnätverket tog det inte mer än en halv dag att reda ut att *Allan Karlsson* bodde på Grand Hôtel i Stockholm, samt att han inte företog sig just någonting om dagarna sedan det hemliga men av Sovjet (förstås) infiltrerade svenska atomvapenprogrammet genom sin chef meddelat Karlsson att man inte behövde hans tjänster.

– Frågan är vem som innehar världsrekordet i dumhet, sa marskalk Berija till sig själv. Chefen för det svenska atomvapenprogrammet eller Herbert Einsteins morsa...

Den här gången valde marskalk Berija en annan taktik. I stället för att plocka till sig mannen med våld skulle Allan Karlsson övertalas att bidra med det han visste, mot rundlig ersättning i amerikanska dollar. Och den som skulle stå för övertalandet i första skedet var en vetenskapsman som Allan Karlsson själv, inte någon kantig och klumpig agent. Agenten ifråga hamnade i stället (för säkerhets skull) bakom ratten som privatchaufför till Julij Borisovitj Popov, den väldigt sympatiske och nästan lika väldigt kompetente fysikern från marskalk Berijas innersta atomvapengrupp.

Och nu rapporterades det att allt hade gått enligt plan, att Julij Borisovitj var på väg tillbaka till Moskva, att han hade Allan Karlsson med sig – och att Karlsson uttryckt sig positiv till att hjälpa till.

Marskalk Berija hade sitt Moskvakontor innanför Kremls murar, det var kamrat Stalin som önskade ha det så. Marskalken mötte själv Allan Karlsson och Julij Borisovitj när de trädde in i foajén.

– Hjärtligt välkommen, herr Karlsson, sa marskalk Berija och skakade hans hand.

– Tack för det, herr marskalk, sa Allan.

Marskalk Berija var inte den som kunde sitta och småprata i evigheter kring ingenting. Därtill tyckte han att livet var för kort (han var för övrigt socialt inkompetent). Därför sa han till Allan:

– Har jag förstått rapporterna rätt, herr Karlsson, att ni är villig att assistera den socialistiska sovjetrepubliken i nukleära frågor i utbyte mot en ersättning om hundratusen dollar.

Allan svarade att han inte hade tänkt så mycket på det där med pengarna, men att han gärna gav Julij Borisovitj ett handtag om det var något han behövde hjälp med och det verkade det ju vara. Däremot vore det bra om herr marskalken kunde vänta med atombomben till dagen därpå, för det hade varit ett väldigt resande på sistone.

Marskalk Berija svarade att han förstod att färden tagit på herr Karlssons krafter, att det strax skulle bli middag tillsammans med kamrat Stalin och att herr Karlsson därefter skulle få vila ut i den allra finaste gästvåning Kreml kunde bjuda.

Kamrat Stalin snålade inte på maten. Det var laxrom och sill och saltgurka och köttsallad och grillade grönsaker och borsjtj och pelmeni och blinier med kaviar och flodforell och rullader och lammkotlett och piroger med glass. Till det serverades vin i olika färger och förstås vodka. Och ännu mer vodka.

Runt bordet satt kamrat Stalin själv, Allan Karlsson från Yxhult, kärnfysikern Julij Borisovitj Popov, chefen för den sovjetiska statens säkerhet marskalk Lavrentij Pavlovitj Berija samt en liten, nästan osynlig ung man utan namn och utan något att vare sig äta eller dricka. Han var tolk, och han ansågs inte finnas.

Stalin var på ett strålande humör redan från början. Lavrentij Pavlovitj levererade alltid! Visst hade Stalins öra nåtts av klavertrampet med Einstein, men det var historia nu. Einstein (den riktige alltså) hade ju dessutom bara sin hjärna; Karlsson hade den exakta och detaljerade kunskapen!

Inte blev det sedan sämre med saker och ting när Karlsson verkade vara en så trevlig figur. Han hade berättat för Stalin om sin bakgrund, om än i yttersta korthet. Hans far hade kämpat för socialismen i Sverige och sedan farit till Ryssland i samma ärende. I sanning lovvärt! Sonen hade å sin sida stridit i spanska inbördeskriget och Stalin tänkte inte vara ofin nog och fråga på vilken sida. Efter det hade han farit till Amerika (han fick väl fly, antog Stalin) och så hade det slumpat sig som så att han hamnade i de allierades tjänst... och det kunde man ju ursäkta, Stalin hade under senare delen av kriget på sätt och vis gjort detsamma.

Redan några minuter in på huvudrätterna hade Stalin fått lära sig sjunga *"Helan går, sjunghoppfaderallanlallanlej"* varje gång det var dags att höja glaset. Det hade i sin tur fått Allan att berömma Stalins sångröst på vilket Stalin berättade att han i sin ungdom både sjungit i kör och uppträtt som solist på bröllop, och så reste han sig upp och förde saken i bevis genom att skutta omkring på golvet och sprätta med armar och ben åt alla håll till en sång som Allan tyckte lät nästan... indisk... men bra!

Allan kunde inte sjunga, han kunde just ingenting av kulturellt värde, insåg han, men stämningen tycktes kräva att han ändå företog sig något mer än Helan går, och det han i all hast kunde komma ihåg var den dikt av Verner von Heidenstam som Allans folkskollärare tvingat barnen att lära sig utantill i andra klass.

Sålunda satte sig Stalin ner, medan Allan reste på sig och sa:

Sverige, Sverige, fosterland,
vår längtans bygd, vårt hem på jorden
Nu spela källorna, där härar lysts av brand
och dåd blev saga, men med hand vid hand
svär än ditt folk som förr de gamla trohetsorden

Allan hade som åttaåring inte förstått vad det var han läste, och nu när han läste det igen, med imponerande inlevelse, insåg han att han trettiosju år senare fortfarande inte begrep. Men han hade läst det han läste på svenska, så den rysk-engelska, ickeexisterande tolken satt tyst på sin stol och existerade mindre än någonsin.

Däremot berättade Allan (när applåderna klingat av) att det var just Verner von Heidenstam han deklamerat. Det är möjligt att Allan hållit inne med den informationen, alternativt justerat sanningen en smula, om han vetat hur kamrat Stalin skulle reagera.

Saken var nämligen den att kamrat Stalin från början var poet, dessutom en högst duglig sådan. Tidsandan hade emellertid gjort honom till en revolutionär kämpe i stället; nog så poetiskt kan tyckas och intresset för poesi hade Stalin alltjämt kvar tillsammans med sin kunskap om samtidens främsta poeter.

Retligt nog för Allan kände Stalin mycket väl till Verner von Heidenstam. Och till skillnad från Allan hade han full kännedom om Verner von Heidenstams kärlek till – Tyskland. Dessutom var kärleken besvarad. Hitlers högra hand, Rudolf Hess, hade på trettiotalet varit och hälsat på hemma hos Heidenstam, och strax därefter blev Heidenstam hedersdoktor vid universitetet i Heidelberg.

Allt detta förändrade kamrat Stalins humör helt dramatiskt.

– Sitter herr Karlsson och förolämpar den generösa värd som tagit emot honom med öppna armar? sa Stalin.

Det försäkrade Allan att han inte gjorde. Om det var Heidenstam som upprört herr Stalin så bad Allan så mycket om ursäkt. Att Heidenstam var död sedan flera år kunde kanske i så fall vara en tröst?

– Och det där *"sjunghoppfaderallanlallanlej"*, vad betyder det egentligen? Är det en hyllning till revolutionens fiender, som ni dessutom fick Stalin att själv uttala? sa Stalin som alltid talade om sig själv i tredje person när han blev upprörd.

Allan svarade att han nog behövde betänketid för att översätta *"sjunghoppfaderallanlallanlej"* till engelska, men att herr Stalin kunde vara lugn för att det inte var något annat än ett glatt utrop.

– Glatt utrop? sa kamrat Stalin med höjd röst. Tycker herr Karlsson att Stalin ser glad ut?

Allan började så smått tröttna på Stalins kitslighet. Gubben var alldeles röd om kinderna, så upprörd var han, och i allt väsentligt för ingenting. Stalin fortsatte:

– Och hur var det egentligen med spanska inbördeskriget? Det är kanske bäst att fråga *herr Heidenstamälskaren* för vilken sida han stred?

Hade han ett sjätte sinne också, fanskapet? tänkte Allan. Nåväl, han var ju redan så arg som han rimligen kunde bli, så det var väl lika bra att säga som det var.

– Jag stred inte egentligen, herr Stalin, men jag hjälpte först republikanerna innan jag mot slutet av lite slumpartade skäl bytte sida och blev god vän med general Franco.

– General Franco? skrek nu Stalin och ställde sig upp så att stolen bakom honom trillade omkull.

Tydligen gick det att bli lite argare ändå. Det hade ju hänt några gånger i Allans händelserika liv att man vrålat åt honom, men han hade aldrig någonsin vrålat tillbaka, och han hade inga planer på att göra så inför Stalin. Fast det betydde inte att han var oberörd av situationen. Tvärtom hade han raskt lärt sig att tycka illa om den lille gaphalsen på andra sidan bordet. Allan bestämde sig för att gå till mot-attack, på sitt eget lilla vis.

– Inte bara det, herr Stalin. Jag har varit i Kina i avsikt att kriga mot Mao Tse Tung också, innan jag tog mig till Iran och avstyrde ett attentat mot Churchill.

– Churchill? Den feta grisen! skrek Stalin.

Stalin tog igen sig en sekund medan han svepte ett helt dricksglas med vodka. Allan tittade avundsjukt på, han ville gärna själv ha påfyllning, men tänkte att det just då kanske inte var rätta tillfället att framlägga önskemål av det slaget.

Marskalk Berija och Julij Borisovitj sa ingenting. Men de hade olika ansiktsuttryck. Medan Berija blängde argt på Allan såg Julij bara olycklig ut.

Stalin ruskade av sig den vodka han just svept och så sänkte han faktiskt rösten till normal nivå. Arg var han allt-jämt.

– Har Stalin förstått det hela rätt? sa Stalin. Du har stått på Francos sida, du har bekämpat kamrat Mao, du har... räddat livet på grisen i London och du har satt världens död-ligaste vapen i händerna på ärkekapitalisterna i USA.

– Kamrat Stalin har möjligen spetsat till det hela, men i allt väsentligt är det korrekt. Far min anslöt sig förresten till tsaren det sista han gjorde om herr Stalin vill lägga också det emot mig.

– Kunde jag ge mig fan på, mumlade Stalin och glömde i ilskan bort att prata i tredje person. Och nu är du här för att sälja dig till Sovjetsocialismen? Hundratusen dollar, är det priset för din själ? Eller har det blivit dyrare under kvällens lopp?

Allan hade just tappat lusten att hjälpa till. Visserligen var Julij fortfarande en bra man och det var ju han som behövde hjälpen i sak. Men det gick inte att komma ifrån att resulta-tet av Julijs arbete skulle hamna i händerna på kamrat Stalin, och han var ju ingen kamrat att tala om. Tvärtom verkade han labil, och det var nog lugnast om han inte hade den där bomben att leka med.

– Njae, sa Allan, det här var från början aldrig en fråga om peng...

Längre kom inte Allan förrän Stalin exploderade på nytt.

– Vem tror du att du är, din förbannade råtta? skrek Stalin. Tror du att *du*, en representant för fascismen, för den vidriga Amerikakapitalismen, för allt det på vår jord som Stalin föraktar så intensivt, att du, *du*, kan komma till Kreml, *till Kreml*, och köpslå med Stalin, *köpslå med Stalin*?

– Varför säger du allting två gånger? undrade Allan, medan Stalin fortsatte:

– Sovjetunionen är redo att gå ut i krig igen, det ska du veta! Det blir krig, det ska bli krig *oundvikligen* fram till det att Amerikaimperialismen är förintad.

– Jaså, det säger du, sa Allan.

– För att strida och vinna behöver vi inte din förbannade atombomb! Det som behövs är *socialistiska själar och hjärtan!* Den som känner att han aldrig kan besegras, han kan heller aldrig besegras!

– Försåvitt inte någon släpper en atombomb över honom, sa Allan.

– Jag ska krossa kapitalismen! Hör du det? Jag ska krossa varje enskild kapitalist! Och jag ska börja med dig, din hund, om du inte hjälper oss med bomben!

Allan konstaterade att han hunnit med att vara både råtta och hund inom loppet av någon minut. Och att Stalin bestämt inte var riktigt frisk, för nu tänkte han tydligen nyttja Allans tjänster i alla fall.

Men Allan ville inte sitta där och ta emot otidigheter längre. Han hade kommit till Moskva för att hjälpa till, inte bli utskälld. Nu fick Stalin klara sig själv.

– Jag har tänkt på en sak, sa Allan.

– Vadå? sa Stalin argt.

– Skulle du inte ta och raka av dig den där mustaschen?

Därmed var middagen över, för tolken svimmade.

* * *

Planerna ändrades i all hast. Allan inkvarterades aldrig i Kremls finaste gästvåning, utan i en fönsterlös cell i källaren hos landets säkerhetspolis. Kamrat Stalin hade till sist bestämt att Sovjetunionen skulle bli med atombomb antingen genom att de egna experterna räknade ut hur det skulle gå till eller med hederligt spionage. Det skulle *inte* kidnappas några fler västerlänningar och det skulle definitivt inte köpslås med kapitalister eller fascister eller både och.

Julij var djupt olycklig. Inte bara för att han hade lurat den trevlige Allan till Sovjet där nu döden med säkerhet väntade honom, utan också därför att kamrat Stalin visat upp sådana mänskliga brister! Den store ledaren var intelligent, allmänbildad, en bra dansare och han hade fin sångröst. *Och så var han alldeles vettlös!* Allan hade råkat citera fel poet och på några sekunder hade en trevlig middag förvandlats till... katastrof.

Med risk för eget liv försökte Julij försiktigt, försiktigt tala med marskalk Berija om Allans kommande avrättning och huruvida det trots allt kunde finnas ett alternativ.

Men där hade Julij missbedömt marskalken. Visserligen våldförde han sig på både kvinnor och barn, visserligen lät han tortera och avrätta såväl skyldiga som oskyldiga, visserligen detta och mycket mer därtill... men hur vidriga hans metoder många gånger än var så arbetade marskalk Berija målmedvetet för Sovjetunionens bästa.

– Var inte orolig, käre Julij Borisovitj, herr Karlsson ska inte dö. Åtminstone inte än.

Marskalk Berija förklarade att han avsåg ha Allan Karlsson undanstoppad som reserv, för den händelse Julij Borisovitj och hans forskarkollegor tänkte fortsätta misslyckas med Bomben längre än vad som gick att acceptera. I den förklaringen fanns ett inbyggt hot, och det var marskalk Berija mycket nöjd med.

* * *

I väntan på rättegång satt Allan där han satt, i en av säkerhetspolisens många celler. Det enda som hände förutom ingenting var att Allan varje dag serverades en limpa bröd, trettio gram socker och tre lagade mål mat (grönsakssoppa, grönsakssoppa och grönsakssoppa).

Maten hade bestämt varit godare i Kreml än den nu var i häktet. Men Allan tänkte att även om soppan smakade som den gjorde fick han i alla fall avnjuta den i fred, utan att någon stod och gapade på honom av skäl som inte gick att begripa.

Den nya dieten varade i sex dagar innan säkerhetstjänstens specialkollegium kallade till domstolsförhandling. Rättegångssalen låg precis som Allans cell i säkerhetstjänstens enorma byggnad vid Lubjankatorget, fast några våningar högre upp. Allan sattes på en stol framför en domare bakom en pulpet. Till vänster om domaren satt åklagaren, en man med buttert utseende, och till höger Allans försvarare, en annan man med buttert utseende.

Först sa åklagaren något på ryska som Allan inte förstod. Sedan sa advokaten något annat på ryska som Allan heller inte förstod. På det nickade domaren till synes eftertänksamt innan han för säkerhets skull öppnade och läste en komihåg-lapp innan han meddelade dom:

– Specialkollegium beslutar döma Allan Emmanuel Karlsson, medborgare i konungariket Sverige, som ett element farligt för det sovjetiska socialistiska samhället till trettio år i förbättringsläger i Vladivostok.

Domaren informerade den dömde om att domen kunde överklagas; det skulle i så fall ske till Högsta sovjet och inom tre månader från innevarande dag. Men Allan Karlssons advokat meddelade å Allan Karlssons vägnar att något överklagande inte var aktuellt. Allan Karlsson var tvärtom tacksam över den milda domen.

Allan tillfrågades visserligen aldrig om huruvida han var tacksam eller inte, men domen hade onekligen sina snälla sidor. För det första att den åtalade fick behålla livet, det var sällsynt när man klassats som farligt element. Och för det andra att han hamnade i Gulaglägret i just Vladivostok, med Sibiriens absolut mest uthärdliga klimat. Vädret där var inte mycket tjurigare än det hemma i Sörmland, medan det längre norrut och inåt landet kunde bli både femtio, sextio och sjuttio grader kallt.

Allan hade alltså haft tur, och nu trycktes han in i en dragig järnvägsvagn med ett trettiotal lika lyckligt lottade nydömda dissidenter. Just den här lasten hade dessutom tilldelats inte mindre än tre filtar per fånge sedan kärnfysikern Julij Borisovitj Popov mutat fångvaktaren och dennes närmaste chef med en hel bunt med rubel. Fångvaktarchefen tyckte det var märkligt att en så prominent medborgare engagerade sig i en simpel Gulagtransport och han övervägde att rapportera saken uppåt, men så kom han på att han ju faktiskt tagit emot de där pengarna och då var det bäst att inte röra upp något damm.

Det var inte lätt för Allan att hitta någon att språka med i fångtransporten, nästan alla talade bara ryska. Men en man i femtiofemårsåldern kunde italienska och eftersom Allan ju talade flytande spanska förstod de båda varandra någorlunda väl. Tillräckligt väl för att Allan skulle begripa att mannen var djupt olycklig och helst ville ta livet av sig, om han, enligt egen utsago, bara inte varit en sådan ynkrygg i tillägg till allt annat. Allan tröstade så gott det gick, sa att det kanske skulle ordna sig av sig självt när tåget kom till sibiriska inlandet, för där trodde Allan att tredubbla filtar kunde vara i minsta laget om vädret var på det humöret.

Italienaren snörvlade och ryckte upp sig. Så tackade han Allan för stödet och tog i hand. Han var förresten inte italienare från början, utan tysk. Herbert, hette han. Efternamnet tyckte han kunde kvitta.

* * *

Herbert Einstein hade aldrig haft någon tur i livet. På grund av en administrativ miss hade han precis som Allan dömts till trettio års förbättringsläger i stället för den död han så innerligt längtade till.

Och inte frös han ihjäl på den sibiriska tundran heller, det såg de extra filtarna till. Dessutom var just januarimånaden 1948 den mildaste på år och dag. Men Allan lovade att det framöver skulle dyka upp nya möjligheter för Herbert. Det var ju ett arbetsläger de var på väg till, om inte annat kanske han kunde *arbeta* ihjäl sig, vad trodde han om det?

Herbert suckade och sa att han nog var för lat för den saken, han visste inte så noga för han hade aldrig arbetat i hela sitt liv.

I det såg Allan bestämt en öppning. För på arbetsläger dög det inte att bara gå och drälla, då skulle nog vakterna skicka en kulsvärm på honom.

Herbert tyckte om tanken och rös åt den på samma gång. En kulsvärm, gjorde inte det hemskt ont?

* * *

Allan Karlsson hade inga märkvärdiga krav på tillvaron. Han ville ha en säng, rejält med mat, något att göra och med jämna mellanrum en skvätt brännvin. Fick han allt det kunde han fördra det mesta. Lägret i Vladivostok erbjöd allt det Allan önskade, utom brännvinet.

Hamnen i Vladivostok bestod under denna tid av en öppen och en sluten del. Den slutna var omgärdad av ett två meter högt stängsel, innanför vilket Gulags förbättringsläger var placerat i fyrtio bruna baracker på rad och i fyrdubbla led. Stängslet ledde ända ner till kajen. De fartyg som skulle lastas eller lossas av Gulagfångar lade till på insidan om stängslet, övriga på utsidan. Nästan allt hanterades för övrigt av fångarna, det var bara små fiskebåtar med besättning som fick klara sig själva, plus en och annan oljetanker av större modell.

Med få undantag såg dagarna på förbättringslägret i Vladivostok likadana ut. Det var väckning i baracken klockan sex, frukost kvart över. Arbetet varade i tolv timmar, mellan halv sju och halv sju, med trettio minuters lunchrast från klockan tolv. Omedelbart efter arbetsdagens slut vidtog kvällsmat, därefter dags för inlåsning till nästa morgon.

Dieten var rejäl: mest fisk visserligen, men sällan i form av soppa. Fångvaktarna var väl inte direkt vänliga, men de sköt i alla fall inte ihjäl folk i onödan. Till och med Herbert Einstein hade fått behålla livet, om än i strid med hans egen ambition. Visst drog han benen efter sig värre än någon annan av fångarna, men eftersom han samtidigt höll sig alldeles intill den hårt arbetande Allan var det inget som märktes.

Allan hade inget emot att arbeta för två. Däremot införde han strax regeln att Herbert inte fick stå och gnälla hela dagarna över hur eländigt hans liv var, för den saken hade Allan redan förstått och han hade inget fel på minnet. Att upprepa saken igen och igen tjänade därför ingenting till.

Herbert lydde och då var det bra med det, precis som det var bra med det mesta.

Om det nu inte vore för det här med brännvinet. Allan stod ut i exakt fem år och tre veckor. Sedan sa han:

– Nu vill jag ha mig en sup. Och här finns ingen sup. Alltså är det dags att röra på sig.

KAPITEL 17

Tisdag 10 maj 2005

VÅRSOLEN FLÖDADE FÖR nionde dagen i rad och även om morgonen var kylig dukade Bosse upp till frukost ute på verandan.

Benny och Den sköna ledde Sonja ut ur bussen och vidare på grönbete bakom boningshuset. Allan och Gäddan Gerdin satt tillsammans i hammocken och gungade försiktigt. Den ene var hundra år och den andre kände sig som något liknande. Huvudet värkte, och de brutna revbenen gjorde det jobbigt att andas, högerarmen hängde inte alls med, och så det värsta – köttsåret i högerbenet. Benny tittade förbi, föreslog att de skulle lägga om bandaget runt benet en stund senare, men att det kanske var bäst att börja med ett par rejäla värktabletter. Morfinet kunde de ju plocka fram till kvällen om det skulle behövas.

Därpå återvände Benny till Sonja och lämnade Allan och Gäddan för sig själva. Allan tänkte att det nog var tid för ett allvarligare samtal männen emellan. Han började med att beklaga att... hette han Bulten?... att Bulten hade gått åt där i Sörmlandsskogen och att... Hinken?... råkat hamna under Sonja strax därefter. Både Bulten och Hinken hade ju varit minst sagt hotfulla och det kunde möjligen vara en förmildrande omständighet, tyckte inte herr Gäddan det?

Gäddan Gerdin svarade att det var tråkigt att höra att pojkarna var döda, men att det på sätt och vis inte förvånade honom att de hade blivit övermannade av en hundraårig gubbe, om än med lite assistans, för båda hade varit makalöst korkade. Den ende som kunde slå dem i dumhet var klubbens fjärde medlem, Caracas, men han hade just flytt landet och var på god väg hem till Sydamerika någonstans, Gäddan kunde inte riktigt säga varifrån han kom.

Så blev Gäddan Gerdin sorgsen i rösten, tycktes tycka synd om sig själv, för det var ju Caracas som hade kunnat prata med kokainhandlarna i Colombia; nu hade Gäddan varken tolk eller hantlangare för att fortsätta sina affärer. Här satt han med, han visste inte hur många brutna ben i kroppen, och utan en aning om vad han skulle göra med sitt liv.

Allan tröstade och sa att det nog fanns annat knark som herr Gäddan kunde sälja. Allan var inte så hemma i hur det fungerade med just knarket, men kunde inte herr Gäddan och Bosse Bus odla något eget här på ägorna?

Gäddan svarade att Bosse Bus var hans bäste vän i livet, men också att Bosse hade sin förbannade moral. Vore det inte för den kunde Gäddan och Bosse ha varit Europas kött-bullekungar vid det här laget.

Bosse avbröt den allmänna melankolin i hammocken med att meddela att frukosten var serverad. Äntligen fick Gäddan smaka på världens saftigaste kyckling, och till det en vatten-melon som tycktes direktimporterad från himmelriket.

Efter frukosten lade Benny om Gäddans köttsår i låret och sedan förklarade Gäddan att han behövde ta sig en förmid-dagslur, om vännerna ursäktade? Det gjorde vännerna be-stämt.

De följande timmarna på Klockaregård utvecklades enligt följande:

Benny och Den sköna möblerade om i ladan för att rigga ett värdigt och mer permanent stall åt Sonja.

Julius och Bosse begav sig till Falköping för proviantering, där de blev varse tidningarnas löpsedlar och krigsrubriker avseende den hundraåring med följe som tydligen löpte amok genom landet.

Allan återvände efter frukost till hammocken, med den självpåtagna huvuduppgiften att inte förta sig. Gärna i sällskap med Buster.

Och Gäddan låg och sov.

Men när Julius och Bosse kom tillbaka från sin shopping kallade de genast till möte i köket. Till och med Gäddan Gerdin tvingades upp ur sin säng för att närvara.

Julius inledde med att berätta vad han och Bosse sett i form av löpsedlar överallt i Falköping, samt tagit del av i tidningarna. Den som ville kunde ju läsa själv i lugn och ro efter mötet, men sammanfattningsvis gick det ut på att alla i rummet var anhållna i sin frånvaro utom Bosse som inte var nämnd någonstans och Gäddan som enligt artiklarna var död.

– Det där sista var väl inte helt sant, men krasslig är jag ju, sa Gäddan Gerdin.

Julius fortsatte med att det förstås var allvarligt att vara misstänkt för mord, även om det till slut ändå kunde komma att kallas något annat. Och så lämnade han ordet fritt. Skulle de självmant ringa polisen, tala om var de befann sig och låta rättvisan ha sin gång?

Innan någon annan hann säga sin mening i saken röt Gäddan Gerdin ifrån och sa att över hans halvdöda kropp att någon frivilligt ringde och anmälde sig till polisen.

– Ska det vara på det viset letar jag rätt på min revolver igen. Var gjorde ni av den förresten?

Allan svarade att han hade gömt revolvern på ett säkert ställe, med tanke på alla de konstiga mediciner Benny tryckte i herr Gäddan. Och tyckte inte herr Gäddan att den lika så gott kunde få vara gömd ett tag till?

Nja, det kunde väl Gäddan gå med på, om bara han och herr Karlsson kunde ta och lägga bort titlarna med varandra någon gång.

– Det är jag som är Gäddan, sa Gäddan och skakade vänsterhand med hundraåringen.

– Och det är jag som är Allan, sa Allan. Trevligt att träffas.

Gäddan hade alltså under vapenhot (fast utan vapen) bestämt att det inte skulle erkännas någonting för polis och åklagare. Hans erfarenhet var att rättvisan sällan var så rättvis som den borde. De andra höll med, inte minst med tanke på hur illa det skulle sluta för dem redan om rättvisan den här gången skulle visa sig vara rättvis.

Konsekvensen av den korta överläggningen blev att den gula bussen omedelbart gömdes i Bosses industrilager, tillsammans med en herrans massa ännu obehandlade vattenmeloner. Men också att det bestämdes att den ende som fick lämna gården utan gruppens tillstånd var Bosse Bus – det vill säga den av allihop som inte var antingen efterlyst eller förmodat död.

Frågan om vad som i övrigt skulle gälla för framtiden, som till exempel resväskan med pengar och det som delats ut till höger och vänster ur densamma, bestämde gruppen att bordlägga tills vidare. Eller som Gäddan Gerdin sa:

– Jag får ont i huvudet när jag tänker på det, och ont i bröstet när jag andas in för att berätta att jag får ont i huvudet av att tänka på det. Jag betalar just nu femtio miljoner för en värktablett om jag måste.

– Här har du två, sa Benny. Och de är gratis ska du veta.

* * *

Dagen var hektisk för kommissarie Aronsson. Tack vare medieuppmärksamheten haglade det in tips om var den förmodade trippelmördaren och hans kumpaner kunde hålla hus. Men det enda som kommissarie Aronsson ville sätta tilltro till var det som kom från biträdande länspolismästaren i Jönköping, Gunnar Löwenlind. Han hade hört av sig och berättat att han på E4 söder om Jönköping, i höjd med Råslätt, hade mött en gul flyttbuss av Scaniamodell, med trasig front och endast ett fungerande halvlyse. Hade det inte varit för att sonsonen just då börjat kräkas i sin babystol i bilen skulle nog Löwenlind ha ringt och tipsat trafikpolis-kollegorna, men nu var det som det var med allt.

Kommissarie Aronsson satt för andra kvällen i rad i pia-nobaren på hotell Royal Corner i Växjö och hade återigen det dåliga omdömet att analysera situationen med alkohol i kroppen.

– E4 norrut, funderade kommissarien. Är ni på väg till-baka till Sörmland? Eller tänker ni gömma er i Stockholm?

Och så bestämde han sig för att checka ut från hotellet nästa dag och bege sig hemåt, till sin deprimerande trea i centrala Eskilstuna. Expeditör Ronny Hulth i Malmköping hade åtminstone en katt att krama. Göran Aronsson hade ingenting, tänkte Göran Aronsson och tömde kvällens sista grogg.

KAPITEL 18

1953

PÅ FEM ÅR och tre veckor hade förstås Allan lärt sig ryska ordentligt, men också fräschat upp sin kinesiska. Hamnen var ju en livlig plats och Allan etablerade kontakt med återkommande sjömän som höll honom uppdaterad på vad som hände i världen.

Det som bland annat hänt var att Sovjetunionen smällt av en egen atombomb ett och ett halvt år efter Allans möte med Stalin, Berija och den sympatiske Julij Borisovitj. I väst hade man misstänkt spioneri, för bomben tycktes vara byggd enligt exakt samma princip som den amerikanska trinity-laddningen. Men Allan försökte i stället dra sig till minnes hur mycket ledtrådar Julij egentligen fått redan där i ubåten medan det började drickas vodka direkt ur flaska.

– Jag tror bestämt du kan konsten att supa och lyssna samtidigt, käre Julij Borisovitj, sa han.

Det Allan snappat upp i övrigt var att USA, Frankrike och Storbritannien slagit ihop sina ockupationszoner och bildat en tysk förbundsrepublik. På det kontrade genast arge Stalin och bildade ett eget Tyskland, så nu hade väst och öst varsitt, och det tyckte Allan lät praktiskt.

Och så hade den svenske kungen gått och dött, det hade Allan kunnat läsa en notis om i en brittisk dagstidning som av oklar anledning hamnat i händerna på en kinesisk sjöman, som i sin tur tänkte på den svenske fånge i Vladivostok han brukade språka med och därför tog tidningen med sig. Kungen hade visserligen varit död i nästan ett helt år när det kom till Allans kännedom, men det gjorde ju inte så mycket. En ny kung hade dessutom omedelbart satts in i hans ställe, så det gick ju ingen nöd på landet.

Det som det annars pratades mest om bland sjömännen i hamnen var kriget i Korea. Och det var inte så konstigt. Korea låg ju bara tjugo mil bort.

Som Allan förstod det hade ungefär följande hänt:

Koreahalvön blev liksom över i och med att världskriget tog slut. Stalin och Truman ockuperade broderligt varsin del och lät den trettioåttonde breddgraden skilja nord från syd. Därefter företogs evighetslånga förhandlingar om hur Korea skulle kunna få styra sig självt, men eftersom Stalin och Truman inte hade riktigt samma politiska värderingar (inte alls, faktiskt) slutade det ungefär som med Tyskland. Först såg USA till att bilda ett Sydkorea, varpå Sovjet kontrade med Nordkorea. Och så lämnade både USA och Sovjet koreanerna åt sig själva.

Fast det hade inte gått så bra. Kim Il Sung i nord och Syngman Rhee i syd tyckte båda två att de var bäst skickade att styra över hela halvön. Och så hade de börjat kriga om saken.

Men efter tre år, och kanske fyra miljoner döda, hade absolut ingenting hänt (mer än att folk hade dött). Nord var fortfarande nord, syd var syd. Och trettioåttonde breddgraden skiljde dem fortfarande åt.

När det gällde den där supen, det vill säga huvudskälet till att rymma från Gulaglägret, vore förstås det naturliga att smita ombord på något av alla de fartyg som lade till och skeppade ut från hamnen i Vladivostok. Men detsamma hade minst sju av Allans vänner i fångbaracken tänkt genom åren, och alla sju hade blivit upptäckta och avrättade. Varje gång det skedde sörjde de övriga i baracken. Allra mest Herbert Einstein, tycktes det. Det vara bara Allan som förstod att Herbert satt och ojade sig över att det inte varit han den här gången heller.

Problemen med att äntra ett fartyg var dels något så enkelt som att varje fånge hade sin typiska svartvita fångdräkt. Det var omöjligt att på något vis smälta in i mängden. Därtill var ju en smal landgång lättbevakad, och välutbildade vakthundar såg till att nosa på varje last som med kran lyftes ombord på ett skepp.

Lägg till det att det inte var helt lätt att hitta skepp där Allan som fripassagerare utan vidare skulle accepteras. Många transporter gick till Fastlandskina, andra till Wonsan på den nordkoreanska östkusten. Det fanns anledning att tro att en kinesisk eller nordkoreansk kapten som hittade en Gulagfånge i lasten, antingen skulle vända tillbaka med honom eller kasta honom överbord (med samma slutresultat men med mindre byråkrati).

Nej, sjövägen skulle bli svårt, om man nu ville fly, och det ville man ju. Landvägen kändes i och för sig inte så mycket lättare. Norrut in i Sibirien och kylan på riktigt var förstås ingen lösning. Eller västerut in i Kina.

Återstod söderut, och där fanns Sydkorea, där man säkert skulle ta hand om en Gulagflykting tillika förmodad fiende till kommunismen. Synd bara att Nordkorea låg emellan.

Nog fanns det ett och annat att snubbla över längs vägen, det insåg Allan redan innan han hunnit snickra på något som ens liknande en plan för flykt landvägen söderut. Men det var ju inte lönt att grubbla ihjäl sig för det, för då skulle det ju absolut inte bli något brännvin.

Skulle han försöka själv, eller tillsammans med någon? Det skulle i så fall vara Herbert, den olyckan. Allan trodde att han faktiskt kunde ha nytta av Herbert i förberedelsearbetet. Plus att det säkert var roligare att vara två på rymmen än bara en.

– Fly? sa Herbert Einstein. Landvägen? Till Sydkorea? Via Nordkorea?

– Ungefär så, sa Allan. Det är i alla fall arbetshypotesen.

– Det kan ju inte vara mer än mikroskopiska möjligheter att vi klarar oss, sa Herbert.

– Nej, det kan det inte, sa Allan.

– Jag är med! sa Herbert.

Efter fem år var det känt på lägret hur lite som rörde sig i huvudet på fånge 133, och att det som trots allt rörde sig på något sätt verkade krocka med sig självt där inne.

Det hade i sin tur skapat en viss förlåtande inställning från fångvaktarna gentemot Herbert Einstein. Om vilken fånge som helst inte stod som han skulle i matkön när han skulle det, blev det i bästa fall åthutning, i näst bästa fall fick han en gevärskolv i magen medan det i sämsta fall innebar tack och adjö.

Men Herbert hittade fortfarande inte – efter fem år – rätt bland barackerna. De var ju lika bruna allihop och hade samma storlek, det blev ett enda virrvarr för honom. Maten serverades alltid mellan barack tretton och fjorton, men 133:an kunde lika gärna hittas irrande vid barack sju. Eller nitton. Eller tjugofem.

– För fan, Einstein, kunde man höra vakterna säga. Matkön är där borta. Nej, inte där, *där!* Där den har varit hela jävla tiden!

Detta rykte tänkte Allan att han och Herbert skulle ha nytta av. Visst gick det att rymma i fångdräkt, men att sedan hålla sig vid liv i samma fångdräkt i mer än någon minut, det skulle bli svårare. Allan och Herbert behövde varsin soldat-uniform. Och den ende av fångarna som skulle kunna närma sig soldaternas klädförråd utan att vid upptäckt omedelbart bli skjuten – det var 133:an Einstein.

Därför instruerade Allan sin vän om vad det var han skul-le uträtta. Det handlade om att "gå fel" när det vankades lunch för då var det ju matrast också för personalen på kläd-förrådet. Under den halvtimmen bevakades förrådet bara av soldaten bakom kulsprutan i vakttorn fyra. Han kände som alla andra till fånge 133:s egenheter och skulle vid upptäckt förmodligen ställa sig att ryta på Herbert snarare än att skjuta honom full med bly. Och om Allan hade fel i den saken vore ju inte det hela världen med tanke på Herberts eviga dödslängtan.

Herbert tyckte att Allan räknat ut det bra. Men vad var det han skulle göra nu igen?

Naturligtvis blev det tokigt. Herbert gick vilse på riktigt och hamnade därför för första gången på länge helt rätt i matkön. Där stod redan Allan som suckade och vänligt föste iväg Herbert i klädförrådets riktning. Fast det hjälpte inte, det blev fel på nytt och innan Herbert visste ordet av befann han sig i tvättstugan. Och vad hittade han där om inte en hel bunt med nytvättade och nystrukna soldatuniformer!

Han tog två stycken, gömde dem innanför rocken och begav sig ut bland barackerna. Strax upptäcktes han mycket riktigt av soldaten i vakttorn fyra, som inte ens brydde sig om att vråla. Vakten tyckte att det verkade som om idioten faktiskt var på väg till sin egen barack, dessutom.

– Sensation, muttrade han och återgick till det han just hållit på med, nämligen att drömma sig bort.

Nu hade Allan och Herbert varsin soldatuniform som skulle skvallra om att de var stolta rekryter i Röda armén. Återstod bara resten.

På senare tid hade Allan märkt en kraftig ökning av antalet skepp på väg till nordkoreanska Wonsan. Sovjet var ju officiellt inte med i kriget på nordkoreanernas sida, men krigsutrustning i massor hade börjat komma med tåg till Vladivostok där de lastades ombord på fartyg som alla hade samma destination. Inte för att det stod på dem vart de skulle, men enskilda sjömän hade ju mål i mun, och Allan hade förstånd att fråga. I vissa fall gick det dessutom att se vad lasten bestod av, till exempel terrängfordon eller rent av stridsvagnar, medan det i andra fall handlade om neutrala containrar i trä.

Det Allan funderat på var en avledande manöver liknande den i Teheran sex år tidigare. Enligt den gamla romerska sanningen att skomakaren helst bör bliva vid sin läst, tänkte Allan att ett litet fyrverkeri kanske kunde göra susen. Och det var där containrarna till nordkoreanska Wonsan kom in i bilden. Allan kunde inte veta, men han anade att flera av dem innehöll explosivt material och om en sådan container kunde ta fyr där i hamnområdet och om det på det kunde börja smälla lite okontrollerat åt olika håll... ja, då kanske Allan och Herbert skulle få utrymme att smita runt ett hörn och byta till de sovjetiska uniformerna... och... ja, sedan gällde att få tag i en bil... och den skulle förstås ha nycklarna i låset och bränsletanken full, plus att bilens ägare inte skulle göra anspråk på den. Och så skulle de bevakade grindarna öppnas på Allans och Herberts order, och väl utanför hamn- och Gulagområdet skulle ingen ana något konstigt alls, ingen skulle sakna den stulna bilen och ingen skulle följa efter dem. Och allt detta innan de båda ens var i närheten av bekymmer som hur de skulle ta sig in i Nordkorea och – framför allt – hur de därefter skulle förflytta sig från nord till syd.

– Nu är ju jag rätt långsam i huvudet, sa Herbert. Men det känns som om din plan inte är helt färdig.

– Inte är du långsam i huvudet, protesterade Allan. Ja, jo, lite kanske, men i den här saken har du hur som helst alldeles rätt. Och ju mer jag tänker på det, desto mer tycker jag att vi låter det vara som det är, så ska du se att det blir som det blir, för det brukar det bli. Nästan alltid, faktiskt.

Flyktplanens första och enda del bestod alltså i att i smyg tända eld på lämplig container. För den saken behövdes 1) lämplig container, samt 2) något att tända eld med. I väntan

på att fartyg avsett för det förstnämnda skulle lägga till
skickade Allan återigen iväg den erkänt dumme Herbert Ein-
stein på uppdrag. Och Herbert hann förtjänstfullt sno åt sig
en lysraket att gömma i sina byxor innan en sovjetisk vakt
upptäckte honom på ett ställe där Herbert inte alls hade rätt
att vara. Men i stället för att avrätta eller åtminstone kropps-
visitera fången skällde vakten ut honom på temat att 133:an
efter fem år rimligen snart borde sluta gå vilse. Herbert
ursäktade sig och trippade iväg på osäkra fötter. För skåde-
spelets skull åt fel håll.

– Baracken ligger åt *vänster*, Einstein, röt vakten efter
honom. Hur dum får man bli?

Allan berömde Herbert för väl utfört arbete och gott skå-
despeleri. Herbert rodnade av berömmet samtidigt som han
viftade undan det med kommentaren att det ju inte var så
svårt att spela dum när man var det. Allan sa att han inte
visste hur svårt det kunde vara, för de dumskallar Allan dit-
tills mött i livet hade alla försökt spela motsatsen.

Så kom då det som verkade vara den rätta dagen. Det var en
kall morgon, den 1 mars 1953, när ett tåg anlände med fler
vagnar än Allan, eller åtminstone Herbert, kunde räkna till.
Transporten var uppenbart militär, och allt skulle lastas om
till inte mindre än tre fartyg, alla med Nordkorea som mål.
Åtta T34-stridsvagnar ingick i lasten, det gick ju inte att döl-
ja, men i övrigt var allt inpackat i kraftiga träcontainrar utan
varudeklaration. Däremot var det inte tätare mellan plan-
korna än att en lysraket lätt kunde skickas ner i en av dem.
Och det var precis vad Allan gjorde när han efter en halv
dags lastande äntligen fick tillfälle.

Naturligtvis började det ryka ur containern, men lämpligt
nog dröjde det några sekunder innan det bröt ut, så Allan
hann därifrån och blev inte omedelbart misstänkt. Strax
hade också själva träcontainern börjat brinna, det var ingen-
ting de femton minusgraderna i luften kunde hindra.

Enligt planen skulle det nu smälla sedan elden fått fatt i en inpackad handgranat eller så. På det skulle vakterna förvandlas till yra höns, och Allan och Herbert skulle kunna ta sig till den egna baracken för att svida om.

Problemet var att det aldrig small. Rökutvecklingen var däremot enorm, och värre blev det sedan fångvaktare som själva inte ville gå i närheten beordrade fångar att hälla vatten över den brinnande containern.

Det fick i sin tur tre av fångarna att i skydd av röken börja klättra över det två meter höga stängslet för att nå den öppna sidan av hamnen. Men soldaten i vakttorn två upptäckte vad som var på gång. Han satt redan bakom sin kulspruta och nu skickade han kulsvärm efter kulsvärm genom röken mot de tre fångarna. Eftersom han använde sig av spårljusammunition träffade han strax alla tre med ett stort antal skott och männen föll döda ner till marken. Och var de inte redan döda dog de med säkerhet en sekund senare, för vakten i tornet hade inte bara perforerat fångarna med sin kulspruta, utan också den container som stod oskadd till vänster om den som Allan Karlsson satt eld på. Allans container innehöll femtonhundra militärfiltar. Containern intill femtonhundra handgranater. Spårljus innehåller fosfor och när en första kula hade träffat en första granat brann den av, och tog tiondelar av en sekund senare med sig de fjortonhundranittionio syskongranaterna. Explosionen blev så kraftig att de fyra följande containrarna lyfte från sin plats och flög mellan trettio och åttio meter in i lägret.

Container nummer fem i raden innehöll sjuhundra landminor och strax följde en explosion lika kraftig som den första, med påföljd att innehållet i ytterligare fyra containrar spreds åt alla håll.

Kaos var vad Allan och Herbert önskat, och kaos var vad de fick. Likväl hade det hela bara börjat. För nu fångade elden in container efter container. En av dem innehöll diesel och bensin och det är inget man i första hand släcker bränder med. En annan bestod av ammunition som började leva sitt eget liv. Två av vakttornen och åtta av barackerna stod i full brand redan *innan* pansarskotten trädde in i handlingen. Det första skottet sänkte vakttorn tre, det andra satt mitt i lägrets entrébyggnad och tog av bara farten med sig vägbom och allt.

Fyra fartyg låg vid kaj för lastning och de följande pansarskotten satte alla fyra i brand.

Så exploderade ännu en container med handgranater och startade en ny kedjereaktion som till sist fångade in även den container som låg allra längst bort i raden. Det råkade vara en ny last med pansarskott, och dessa for nu iväg åt andra hållet, bort mot den öppna delen av hamnen där en tanker med sextiofemtusen ton olja var på väg att lägga till. En direktträff av kommandobryggan gjorde tankern herrelös, och ytterligare tre träffar i fartygets långsida startade en brasa större än det som dittills åstadkommits sammanlagt.

Den våldsamt brinnande oljetankern drev nu längs kajkanten in mot stadens centrala delar. Under denna sista resa antände den samtliga hus längs vägen, en sträcka om 2,2 kilometer. I tillägg till allt annat kom vinden från sydost denna dag. Det tog således inte mer än ytterligare tjugo minuter förrän – bokstavligt talat – hela Vladivostok stod i lågor.

* * *

Kamrat Stalin höll just på att avsluta en trevlig middag med undersåtarna Berija, Malenkov, Bulganin och Chrusjtjov i residenset i Krylatskoje, när han nåddes av beskedet att Vladivostok i stort sett inte längre fanns, sedan en brand i en container med filtar urartat.

Beskedet gjorde Stalin... alldeles konstig.

Stalins nye favorit, den handlingskraftige Nikita Sergejevitj Chrusjtjov frågade om han fick avge ett gott råd i saken, och Stalin svarade lamt att det fick Nikita Sergejevitj absolut.

– Käre kamrat Stalin, sa Chrusjtjov. Jag föreslår att det som hänt i detta fall inte har hänt. Jag föreslår att Vladivostok omedelbart stängs för världen, att vi därpå tålmodigt bygger upp staden igen och gör den till bas för vår Stilla havs-flotta, precis som kamrat Stalin tidigare planerat. Men framför allt – *det som hänt har inte hänt*, för motsatsen skulle visa på en svaghet vi inte har råd att visa upp. Förstår kamrat Stalin vad jag menar? Håller kamrat Stalin med?

Stalin kände sig fortfarande konstig. Berusad var han ju dessutom. Men han nickade och sa att Stalins önskan var att Nikita Sergejevitj själv skulle ansvara för att det som hänt... inte hade det. På det sa han att det nu var dags för Stalin att dra sig tillbaka, han mådde bestämt inte riktigt bra.

Vladivostok, tänkte marskalk Berija. Var det inte dit jag lät skicka den där svenske, fascistiske experten att ha i reserv ifall vi inte fixade Bomben på egen hand? Honom glömde jag alldeles bort, borde ju ha sett till att likvidera fanskapet när Julij Borisovitj Popov så förtjänstfullt knäckte gåtan på egen hand. Nåväl, nu hade han kanske ändå brunnit upp. Fast han hade ju inte behövt ta en hel stad med sig.

Vid dörren till sin sängkammare meddelade Stalin att han inte på några villkors vis ville bli störd. Och så stängde han om sig, satte sig på kanten till sängen och knäppte upp skjortan medan han funderade.

Vladivostok... Staden som Stalin ju hade bestämt skulle bli den sovjetiska Stilla havs-flottans bas! *Vladivostok*... som skulle spela en så viktig roll i den stundande offensiven i Koreakriget! *Vladivostok*...

Fanns inte mer!

Stalin hann fråga sig hur i helvete en container med filtar kunnat börja brinna i femton–tjugo minusgrader. Någon måste vara ansvarig... och den jäveln... ska... ska...

Stalin trillade framstupa ner på golvet. Där blev han liggande med sin stroke i ett helt dygn, för om kamrat Stalin sagt att han inte ville bli störd, då störde man inte.

Allans och Herberts barack var en av de första att ta eld, och vännerna fick omedelbart skrinlägga planerna på att smita in och byta till uniform.

Men stängslet till lägret hade redan rämnat och i den utsträckning det fanns några vakttorn kvar stod det ingen kvar i dem och vaktade. Att ta sig ut från lägret var alltså inte något bekymmer. Problemet var vad som skulle hända därnäst. Att stjäla någon av militärbilarna lät sig inte göras, för de stod i brand allihop. Att ta sig till själva staden för att där hitta en flyktbil var heller inte att tänka på. Av någon anledning brann hela Vladivostok.

De flesta av de lägerfångar som överlevt elden och explosionerna stannade i grupp ute på landsvägen, på säkert avstånd från granater och pansarskott och allt vad det nu var som fortfarande for omkring i luften. Några enstaka lycksökare gav sig av, allihop i nordvästlig riktning, för det var det enda rimliga hållet för en ryss att fly åt. I öster var det ju vatten, i söder Koreakrig, i väster låg Kina och rakt norrut var en stad i full färd med att brinna både upp och ner. Återstod vägen rakt in i det riktiga och riktigt kalla Sibirien. Men soldaterna räknade förstås ut samma sak och hade innan dagen var slut fått tag i rymlingarna och skickat in dem i evigheten allihop.

Undantagen från det ovanstående hette Allan och Herbert. De lyckades ta sig till en kulle, *sydväst* om Vladivostok. Där slog de sig ner för kort vila och för att titta på förödelsen.

– Bra drag i den där lysraketen, sa Herbert.

– Det är snudd på att en atombomb inte hade gjort ett bättre jobb, sa Allan.

– Vad gör vi nu då? undrade Herbert och längtade i kylan nästan tillbaka till det läger som inte längre fanns.

– Nu ska vi till Nordkorea, min vän, sa Allan. Och eftersom det inte finns några bilar i närheten får vi promenera. Det håller värmen uppe.

* * *

Kirill Afanasievitj Meretskov var en av Röda arméns skick-ligaste och mest dekorerade befälhavare. Bland allt annat var han "Sovjetunionens hjälte" och han hade belönats med Leninorden inte mindre än sju gånger.

Som chef över fjärde armén stred han framgångsrikt mot tyskarna runt Leningrad, och efter niohundra fasansfulla dagar kunde belägringen av staden hävas. Inte undra på att Meretskov utnämndes till "Marskalk av Sovjetunionen", i tillägg till alla andra ordnar, titlar och medaljer.

När Hitler var tillbakatryckt en gång för alla gav sig Meretskov i stället österut, niohundrasextio mil med tåg. Han behövdes för att leda första Fjärran östern-fronten, i avsikt att jaga iväg japanerna från Manchuriet. Till ingens förvåning lyckades han också med den saken.

Så tog världskriget slut, och Meretskov själv var sliten. Eftersom han inte hade någon som väntade på honom i Mosk-va blev han kvar i öster. Han hamnade bakom ett militärt skrivbord i Vladivostok. Ett fint skrivbord var det. I äkta teak.

På senvintern 1953 var han femtiosex år gammal och satt allt-jämt kvar bakom sitt bord. Därifrån administrerade han den sovjetiska ickenärvaron i Koreakriget. Både Meretskov och kamrat Stalin ansåg att det var strategiskt viktigt att Sovjet *just nu* inte stred direkt mot amerikanska soldater. Båda hade visserligen Bomben, men amerikanerna låg före. Allting hade sin tid, detta var tid för att inte provocera – vilket ju inte hind-rade att Koreakriget kunde eller till och med borde vinnas.

Men som den marskalk Meretskov nu var, tillät han sig att ta det lite lugnt mellan varven. Bland annat hade han en jakt-stuga utanför Kraskino ett par timmar söder om Vladivos-tok. Den besökte han så ofta han kom åt, helst på vintern. Och allra helst ensam. Förutom adjutanten då, marskalkar körde ju inte bil själva, hur skulle det se ut?

Marskalk Meretskov och hans adjutant hade nästan en hel timmes resa kvar från Kraskino till Vladivostok när de från den slingriga kustvägen för första gången såg en svart rökpelare i norr. Vad var det som hade hänt? Var det något som brann?

Avståndet var för stort för att det skulle vara lönt att plocka fram kikaren ur bagaget på den ståndsmässiga bilen. Marskalk Meretskov beordrade full fart framåt, med tillägget att adjutanten inom tjugotalet minuter skulle söka rätt på parkeringsmöjlighet med klar sikt över viken. *Vad kunde det vara som hade hänt?* Det var bestämt något som brann...

Allan och Herbert hade promenerat längs landsvägen en god stund när en stilig och militärgrön Pobeda närmade sig söderifrån. Rymlingarna gömde sig bakom en snödriva medan bilen passerade. Men strax saktade bilen in och stannade mindre än femtio meter bort. Ut klev en medaljprydd officer och hans adjutant. Adjutanten plockade fram den medaljpryddes kikare ur bagaget varpå såväl den medaljprydde som adjutanten lämnade bilen för att söka sig bättre utsikt över den vik på vilkens andra sida Vladivostok till alldeles nyss legat.

Därför var det rysligt enkelt för Allan och Herbert att smyga sig fram till bilen, lägga beslag på den medaljpryddes pistol och adjutantens automatkarbin för att därpå uppmärksamma den medaljprydde och hans adjutant på att de lite oturligt just hade hamnat i en besvärlig situation. Eller som Allan sa:

– Mina herrar, får jag vänligen be att ni tar av er kläderna.

Marskalk Meretskov var upprörd. Så här behandlade man inte en marskalk av Sovjetunionen, inte ens om man var lägerfånge. Menade herrarna att han – marskalk Kirill Afanasievitj Meretskov – skulle komma promenerande in i Vladivostok i bara kalsongerna? Allan svarade att det nog kunde bli svårt eftersom hela Vladivostok just nu var i färd med att brinna ner till grunden, men i övrigt var det ungefär så

han och vännen Herbert tänkt det. Herrarna kunde förstås
få ett par svartvita fångdräkter i utbyte och ju närmare de
kom Vladivostok – eller vad man nu skulle kalla rökmolnet
och ruinerna där borta – desto varmare blev det ju.

Därpå klädde sig Allan och Herbert i de nystulna uniform-
erna och lämnade fångdräkterna i en hög på marken.
Allan tänkte att det kanske var lugnast om han själv körde
bilen, så Herbert fick bli marskalk, Allan hans adjutant.
Herbert intog passagerarsätet medan Allan satte sig bakom
ratten. Till avsked hälsade Allan att han tyckte att marskal-
ken inte behövde se så arg ut, för det var Allan ganska säker
på inte skulle nytta något till. Dessutom var det ju snart vår
och våren i Vladivostok... Nä, visst nä. Allan uppmanade
likväl marskalken att tänka positivt, men tillade att det för-
stås var marskalkens sak att avgöra. Ville han bestämt gå där
i sina kalsonger och se mörkt på tingens tillstånd så fick han
göra det.

– Adjö nu på sig, marskalken. Och adjutanten, förstås, sa
Allan.

Marskalken svarade inte, han bara fortsatte att titta argt,
medan Allan vände på Pobedan. Och så gav sig han och Her-
bert av söderut.

Nordkorea nästa.

* * *

Gränsövergången mellan Sovjetunionen och Nordkorea blev
en problemfri och rask historia. Först gjorde de sovjetiska
gränsvakterna honnör med stram rygg och nacke, därpå
gjorde de nordkoreanska samma sak. Utan att ett ord hade
utväxlats öppnades bommarna för den sovjetiske marskal-
ken (Herbert) och hans adjutant (Allan). Den mest hängivne
av de båda nordkoreanska gränsvakterna blev dessutom
glansig i ögonen när han tänkte på vilket personligt engage-
mang det tydde på. Korea kunde bestämt inte ha en bättre

granne än den sovjetiska socialistiska republiken. Marskalken var säkert på väg till Wonsan för att se till att materielleveranserna från Vladivostok anlände som de skulle och togs om hand som det var tänkt.

Men det var inte sant. Just den här marskalken hade inte en tanke på Nordkoreas väl och ve. Det är inte ens säkert att han visste i vilket land han befann sig. Han var fullt upptagen med att försöka begripa sig på hur man öppnade handskfacket i bilen.

Det Allan snappat upp bland sjömännen i hamnen i Vladivostok var att Koreakriget gått i stå, att parterna var tillbaka på varsin sida om trettioåttonde breddgraden. Det hade han också förmedlat till Herbert som målat upp en bild av att det enda som krävdes för att ta sig från nord till syd var att ta sats och hoppa (om bara den där breddgraden inte var för bred). Visserligen fanns väl risken att man skulle bli skjuten i själva hoppet, men det vore i så fall inte hela världen.

Men nu visade det sig, med flera mil kvar till skiljelinjen, att det redan var fullt krig runt omkring dem. Amerikanska plan cirkulerade i luften och de tycktes ge sig på att bomba allt de såg. Allan förstod att en rysk, militärgrön, lyxig personbil nog skulle anses som en god träff, så han lämnade huvudvägen söderut (utan att först fråga sin marskalk om lov) och begav sig inåt landet, på mindre vägar och med snabbare och bättre skydd varje gång det mullrade över deras huvuden.

Allan fortsatte i sydvästlig riktning, medan Herbert underhöll honom genom att ljudligt gå igenom marskalkens plånbok, som han hittat i innerfickan på sin uniform. Den innehöll en försvarlig mängd rubel, men också information om vad marskalken hette samt viss korrespondens av vilken det gick att dra slutsatser om vad han hade pysslat med i Vladivostok medan staden ännu hade hälsan i behåll.

– Undrar om han inte rent av chefade över den där järnvägstransporten, funderade Herbert.

Allan berömde Herbert för den funderingen, den tyckte han verkade klok, och Herbert rodnade igen. Det var sannerligen inte så dumt att säga något som inte var så dumt.

– Tror du förresten att du kan memorera marskalk Kirill Afanasievitj Meretskovs namn? sa Allan. Det vore praktiskt för framtiden.

– Det är jag ganska säker på att jag inte kan, sa Herbert.

När det började skymma svängde Allan och Herbert in på gården till något som såg ut som ett välmående lantbruk. Bonden, hans hustru och deras två barn stod strax uppställda inför de celebra gästerna och den fina bilen. Adjutant Allan ursäktade på både ryska och kinesiska att han själv och marskalken trängde sig på, men undrade om det möjligen kunde finnas något att äta? De gjorde gärna rätt för sig, men det fick allt bli i rubel, något annat hade de inte att erbjuda.

Bonden och hans fru hade inte förstått ett ord av det Allan sagt. Men äldste sonen, i tolvårsåldern, läste ryska i skolan och han översatte åt sin far. Därefter tog det inte många sekunder innan adjutant Allan och marskalk Herbert bjudits in till familjen.

Fjorton timmar senare var Allan och Herbert redo att fortsätta sin resa. Först hade det blivit middag med bonden, frun och barnen. Det bjöds på chili- och vitlöksinspirerat griskött med ris, och till det – halleluja! – koreanskt risbrännvin. Nu smakade ju inte det koreanska brännvinet som det svenska precis, men efter fem år och tre veckor i ofrivillig nykterhet dög det mer än väl.

Efter middagen hade såväl marskalk som adjutant inkvarterats hos familjen. Marskalk Herbert fick överta stora sängkammaren medan mor och far sov med barnen. Adjutant Allan hamnade på golvet i köket.

När morgonen kom blev det frukost med ångkokta grönsaker, torkad frukt och te innan bonden fyllde tanken på marskalkens bil med bensin som han hade i ett fat i ladan.

Avslutningsvis hade bonden vägrat ta emot den av marskalken erbjudna bunten med rubel, ända tills marskalken rutit ifrån, på tyska:

– Nu tar du pengarna, *bondjävel*!

Det hade gjort bonden så förskräckt att han gjorde som Herbert sa, utan att ha förstått vad han sagt.

Det vinkades vänligt adjö och så fortsatte resan i sydvästlig riktning, utan någon annan trafik på den slingriga vägen, men med hotfullt muller från bombplan i fjärran.

I takt med att ekipaget närmade sig Pyongyang tyckte Allan att det kunde vara dags att börja slipa på en ny plan. Den gamla ägde ju inte längre mycket relevans. Allans bedömning var att det var uteslutet att försöka ta sig till Sydkorea från där han och Herbert befann sig.

Planen fick i stället bli att försöka få till ett möte med premiärministern Kim Il Sung. Herbert var ju ändå sovjetisk marskalk, och det borde väl räcka?

Herbert ursäktade att han lade sig i planerandet, men han undrade vad vitsen med att träffa Kim Il Sung skulle vara?

Allan svarade att han inte visste det ännu, men att han lovade att fundera på saken. Det skäl han redan nu kunde ge Herbert var att ju närmare de höga herrarna man höll sig, desto bättre tenderade maten att bli. Och brännvinet, faktiskt.

Allan förstod att det var en tidsfråga innan han och Herbert blev stoppade längs vägen och kontrollerade på riktigt. Inte ens en marskalk kunde väl tillåtas att rulla in i huvudstaden i ett krigförande land utan att någon åtminstone ställde en fråga innan. Därför hade Allan i ett par timmars tid instruerat Herbert om vad han skulle säga – en enda mening, men ack så viktig. *"Jag är marskalk Meretskov från Sovjetunionen, ta mig till er ledare!"*

Pyongyang skyddades vid den här tiden av en yttre och en inre militär ring. Den yttre, tjugo kilometer från staden, bestod av luftvärnskanoner och dubbla vägposteringar, medan den inre ringen var en ren barrikad, närmast en frontlinje, för skydd vid markanfall. Allan och Herbert fastnade sålunda först i en av de yttre posteringarna och möttes av en höggradigt berusad nordkoreansk soldat, med en osäkrad kulsprutepistol över bröstet. Marskalk Herbert hade repeterat och repeterat sin enda mening, och nu sa han:

– Jag är er ledare, ta mig till… Sovjetunionen.

Till all lycka förstod inte soldaten ryska, men väl kinesiska. Därför fick adjutant Allan tolka åt sin marskalk och då kom alla orden med, dessutom i rätt ordning.

Men soldaten hade en nästan omöjlig mängd alkohol i blodet, och redde inte på något vis ut vad han därmed skulle vidta för åtgärd. Han bjöd i alla fall in Allan och Herbert i posteringens vaktlokal och så ringde han till kollegan vid vägbommen tvåhundra meter bort. Därpå satte han sig ner i en sliten fåtölj och plockade ur innerfickan upp en flaska med risbrännvin (dagens tredje). Så tog han en klunk och började humma på en melodi för sig själv, medan han med tom och glansig blick tittade rakt igenom de sovjetiska gästerna och vidare långt bort i fjärran.

Allan var inte nöjd med Herberts insats inför vakten, och insåg att med Herbert som marskalk skulle det räcka med ett par minuter tillsammans med Kim Il Sung innan både marskalk och adjutant skulle vara alldeles väldigt arresterade. Genom fönstret såg Allan att den andre vakten närmade sig. Nu var det bråttom.

– Låt oss byta kläder med varandra, Herbert, sa Allan.

– Varför då? undrade Herbert.

– Nu, sa Allan.

Och så blev i all hast marskalken adjutant och adjutanten blev marskalk. Den omöjligt berusade soldaten flackade under tiden med blicken och gurglade något på koreanska.

Några sekunder senare trädde soldat två in i lokalen och gjorde genast honnör när han såg vad det var för prominent gäst han hade fått. Även soldat två talade kinesiska varpå Allan i marskalks skepnad på nytt framförde önskemålet om möte med premiärminister Kim Il Sung. Innan soldat två hann svara avbröt nummer ett med sitt gurglande.

– Vad säger han? undrade marskalk Allan.

– Han säger att ni just klädde av er nakna och att ni sedan klädde på er igen, svarade soldat två ärligt.

– Den spriten, den spriten, sa Allan och skakade på huvudet.

Soldat två beklagade sin kollegas uppförande och när nummer ett *insisterade* på att Allan och Herbert just klätt av och på varandra på något vis, fick han en snyting av nummer två och order om att nu hålla truten en gång för alla om han inte ville bli rapporterad för fylleri.

Soldat ett bestämde sig då för att tiga (och ta sig en klunk till) medan nummer två ringde ett par samtal innan han skrev ut en passersedel på koreanska, signerade och stämplade den på två ställen och överräckte den till marskalk Allan. Och så sa han:

– Det här visar herr marskalken upp vid nästa kontroll. Då kommer ni att ledsagas till den närmaste mannen till premiärministerns närmaste man.

Allan tackade för det, gjorde honnör och återvände till bilen, knuffande Herbert framför sig.

– Eftersom du just blivit adjutant så får du köra från och med nu, sa Allan.

– Intressant, sa Herbert. Jag har inte kört bil sedan schweiziska polisen förbjöd mig att någonsin sätta mig bakom en ratt igen.

– Jag tror det blir både lugnast och bäst om du inte berättar mer, sa Allan.

– Jag har så svårt för det här med höger och vänster, sa Herbert.

– Jag tror som sagt det blir både lugnast och bäst om du inte berättar mer, sa Allan.

Färden fortsatte med Herbert bakom ratten, och det gick mycket bättre än vad Allan möjligen kunnat tro. Med passersedelns hjälp var det dessutom inga problem att ta sig hela vägen in i staden och vidare till premiärministerns palats.

Där tog den närmaste mannens närmaste man emot och meddelade att närmaste mannen inte hade möjlighet att ge audiens än på tre dagar. I väntan på det skulle herrarna inkvarteras i palatsets gästvåning. Middag serverades för övrigt klockan åtta, om det kunde passa?

– Se där, se där, sa Allan till Herbert.

* * *

Kim Il Sung föddes i april 1912 i en kristen familj i utkanterna av Pyongyang. Den familjen, liksom alla andra koreanska familjer, lydde då under japansk överhöghet. Genom åren gjorde japanerna lite som de ville med folk från kolonin. Hundratusentals koreanska flickor och kvinnor fångades in som sexslavar åt behövande japanska kejserliga soldater. Koreanska män tvångsrekryterades till armén, för att strida för den kejsare som bland annat tvingat dem att ta japanska namn och även i övrigt gjorde sitt bästa för att det koreanska språket och kulturen skulle dö ut.

Kim Il Sungs pappa var en stillsam apotekare, men också tillräckligt högljutt kritisk mot de japanska fasonerna för att dra på sig så pass med japanskt missnöje att familjen en dag gjorde bäst i att flytta norrut, till kinesiska Manchuriet.

Där var det dock inte frid och fröjd längre än till 1931 då japanska trupper hittade även dit. Kim Il Sungs pappa var vid det laget redan död, men mamman uppmuntrade sonen att gå med i den kinesiska gerillan, med ambitionen att få bort japanerna från Manchuriet – och i förlängningen Korea.

Kim Il Sung gjorde karriär i den kinesiska, kommunistiska gerillans tjänst. Han fick rykte om sig att vara handlingskraftig och modig. Han utnämndes till högste chef för en hel division och stred så hårt mot japanerna att det till slut bara var han själv och några få till i divisionen som levde. Detta var 1941, mitt under världskriget, och Kim Il Sung tvingades fly över gränsen till Sovjet.

Men han gjorde karriär också där. Strax var han kapten i Röda armén och stred som sådan ända till 1945.

I och med krigsslutet fick Japan lämna ifrån sig Korea. Kim Il Sung kom tillbaka från sin exil, nu som nationalhjälte. Återstod bara att formellt bilda staten, att folket ville ha Kim Il Sung som den store ledaren var det inget tvivel om.

Men krigets segrare, Sovjet och USA, hade delat upp Korea i varsin intressesfär. Och i USA tyckte man inte att det gick att ha en *dokumenterad kommunist* som chef över hela halvön. Så de flög in en egen statschef, en exilkorean, och placerade honom i söder. Kim Il Sung fick nöja sig med den norra delen, men det var just vad han inte gjorde. I stället startade han Koreakriget. Hade han kunnat jaga bort japanerna kunde han väl jaga bort amerikanerna och deras FN-följe.

Kim Il Sung hade alltså burit vapen i Kinas tjänst och i Sovjetunionens. Och nu stred han i egen sak. Det han hade lärt sig under den dramatiska resan var bland annat att *inte lita på någon annan än sig själv.*

Från den regeln var han beredd att göra ett enda undantag. Och det undantaget hade han just utnämnt till sin närmaste man.

Den som ville förmedla sig med premiärminister Kim Il Sung, hade sålunda att först anhålla om möte med hans son.

Kim Jong Il.

Elva år gammal.

– Och du ska alltid låta dina besökare vänta i minst sjuttiotvå timmar innan du tar emot dem. Sådant håller uppe auktoriteten, min son, hade Kim Il Sung instruerat.

– Jag tror jag förstår, pappa, ljög Kim Jong Il varpå han sökte upp ett lexikon och slog upp det ord han inte förstått.

* * *

Tre dagars väntan gjorde inte Allan och Herbert någonting, för maten var god och sängarna mjuka i premiärministerns palats. Det var dessutom sällsynt att de amerikanska bomb- planen närmade sig Pyongyang, då det fanns enklare mål att sikta in sig på.

Till slut var det dock dags. Allan hämtades av premiär- ministerns närmaste mans närmaste man och ledsagades genom palatsets korridorer till den närmaste mannens kontor. Allan var förberedd på att närmaste mannen snarare var en pojke.

– Jag är premiärministerns son, Kim Jong Il, sa Kim Jong Il. Och jag är pappas närmaste man.

Kim Jong Il sträckte fram sin hand mot marskalken och handslaget var bestämt även om hela handen försvann i Allans rejäla näve.

– Och jag är marskalk Kirill Afanasievitj Meretskov, sa Allan. Jag tackar för att unge herr Kim hade möjlighet att ta emot mig. Kan rent av unge herr Kim tillåta att jag framför mitt ärende?

Det kunde Kim Jong Il, så Allan fortsatte med sitt ljugande: Marskalken hade, förstod unge herr Kim, ett budskap till premiärministern direkt från kamrat Stalin i Moskva. Efter- som det rådde misstankar om att USA – de kapitalistiska hyenorna – infiltrerat det sovjetiska kommunikationssyste- met (marskalken ville inte gå in mer i detalj, om unge herr Kim ursäktade?), så blev kamrat Stalins beslut att budskapet skulle förmedlas i direktkontakt på det här viset. Och detta hedersuppdrag hade då tillfallit marskalken och hans adju- tant (som marskalken för säkerhets skull lämnat kvar på rummet).

Kim Jong Il tittade misstänksamt på marskalk Allan och såg ut att nästan läsa innantill när han sa att hans arbete var att skydda pappa till varje pris. I det arbetet ingick att inte lita på någon, det hade pappa lärt honom, förklarade han. Därför kunde inte Kim Jong Il tänka sig att släppa fram marskalken till pappa premiärministern förrän marskalkens historia blivit kontrollerad med Sovjet. Kim Jong Il avsåg kort sagt att ringa Moskva och fråga om huruvida marskalken verkligen var utsänd av farbror Stalin eller inte.

Det där var ingen utveckling Allan hade önskat. Men han satt där han satt och kunde inte göra annat än att försöka avstyra samtalet till Stalin.

– Det ankommer förstås inte en enkel marskalk att sitta här och säga emot, men jag tillåter mig ändå att göra reflektionen att man kanske inte bör använda telefonen till att kontrollera om det är sant att man inte bör använda telefonen.

Unge herr Kim tog till sig det marskalk Allan sagt. Men pappas ord ekade i skallen på honom. *"Lita inte på någon, min son."* Till slut kom pojken på en lösning. Han skulle visst ringa farbror Stalin, men han skulle tala i *koder*. Unge herr Kim hade träffat farbror Stalin flera gånger och farbror Stalin brukade alltid kalla honom för "den lille revolutionären".

– Så jag ringer till farbror Stalin, presenterar mig som *"den lille revolutionären"* och så frågar jag om farbror Stalin skickat någon att besöka min pappa. Därmed tror jag inte att vi har sagt för mycket, även om amerikanerna skulle lyssna. Eller vad tänker marskalken?

Det marskalken tänkte var att det var en listig rackare, den där pojken. Hur gammal kunde han vara? Tio år? Allan hade i och för sig själv blivit vuxen tidigt. I Kim Jong Ils ålder bar han ju redan dynamit för fullt på Nitroglycerin AB i Flen. Vidare tänkte Allan att han trodde att det nu kunde vara på väg att sluta illa, men det gick ju inte säga. Nåja, det var ju som det var med allt och så vidare.

– Jag tror bestämt att unge herr Kim är en mycket klok pojke och kan komma att gå långt, sa Allan och lämnade resten åt ödet.

– Jo, jag är tänkt att ärva pappas jobb efter pappa så i det kan ju marskalken ha rätt. Men ta sig nu en kopp te medan jag ringer farbror Stalin.

Unge herr Kim promenerade bort till det bruna skrivbordet i salens ena hörn medan Allan hällde upp sitt te och funderade över om han kanske skulle ta och försöka hoppa ut genom fönstret. Men den idén lade han genast ner. Dels befann de sig på fjärde våningen i premiärministerns palats och dels kunde inte Allan överge sin kamrat. Herbert skulle väl mer än gärna ha hoppat (om han bara vågat) men han var ju inte här nu.

Plötsligt avbröts Allans tankar av att unge herr Kim brast i gråt. Han lade på luren och rusade bort till Allan och tjöt mitt i gråten:

– Farbror Stalin är död! Farbror Stalin är död!

Allan tänkte att det nog var snudd på omöjligt att ha sådan tur som han hade, och så sa han:

– Seså, seså, unge herr Kim. Kom här ska farbror marskalken ge unge herr Kim en kram. Seså, seså...

När unge herr Kim var någorlunda färdigtröstad var han inte längre lika lillgammal. Det verkade som om han inte orkade vara vuxen längre. Snörvlande fick han ur sig att farbror Stalin drabbats av stroke flera dagar tidigare och att han enligt *tant Stalin* (han kallade henne så) hade gått bort strax innan unge herr Kim ringde.

Medan unge herr Kim ännu satt uppkrupen i Allans knä, berättade Allan med känsla det ljusa minnet av sitt sista möte med kamrat Stalin. De hade ätit en festmåltid tillsammans och stämningen hade varit så där riktigt god som den bara kan bli äkta vänner emellan. Kamrat Stalin hade både dansat och sjungit innan kvällen var slut. Allan nynnade på

den georgiska folkvisa Stalin uppträtt med den där gången
strax innan han fick kortslutning i huvudet, och unge herr
Kim kände igen sången! Med den hade farbror Stalin upp-
trätt också inför honom. Därmed – om inte förr – var alla
tvivel undanröjda. Farbror marskalken var alldeles uppen-
bart den han utgav sig för att vara. Unge herr Kim skulle se
till att pappa premiärministern tog emot redan nästa dag.
Men nu ville han ha en kram till...

* * *

Det var inte som så att premiärministern satt och styrde sitt
halva land i ett kontor vägg i vägg. Det skulle vara att utsät-
ta honom för alltför stora risker. Nej, för att få träffa Kim Il
Sung krävdes en längre resa som av säkerhetsskäl företogs i
en SU-122 infanterikanonvagn, eftersom premiärministerns
närmaste man tillika son skulle följa med.

Färden var inte ett dugg bekväm, och det är ju heller inte
det primära syftet med infanterikanonvagnar. Under resans
gång hade Allan god tid att fundera på tvenne inte helt bety-
delselösa ting. Det första vad han skulle säga till Kim Il Sung,
och det andra vad han önskade att det skulle leda till.

Inför premiärministerns närmaste man och pojke hade ju
Allan hävdat att han kom med ett viktigt meddelande från
kamrat Stalin, och det hade hastigt och lustigt blivit en enkel
sak att hantera. Den falske marskalken kunde nu hitta på vad
som helst; Stalin var ju ändå alldeles för död för att dementera.
Sålunda bestämde Allan att beskedet till Kim Il Sung skulle
bli att Stalin beslutat skänka honom tvåhundra stridsvagnar
till den kommunistiska kampen i Korea. Eller trehundra. Ju
fler, desto gladare skulle förstås premiärministern bli.

Det andra var klurigare. Allan var måttligt intresserad av
att åka tillbaka till Sovjet efter uträttat ärende hos Kim Il
Sung. Men att få den nordkoreanske ledaren att i stället hjäl-
pa Allan och Herbert till Sydkorea skulle inte bli lätt. Och

att stanna i Kim Il Sungs närhet skulle bli allt ohälsosammare för varje dag de där stridsvagnarna inte dök upp.

Kunde *Kina* vara ett alternativ? Så länge Allan och Herbert bar svartvita fångdräkter var svaret nej, men det gjorde de ju inte längre. Koreas gigantiska granne hade möjligen förvandlats från hot till löfte sedan Allan blev sovjetisk marskalk. Speciellt om Allan kunde lura av Kim Il Sung ett vackert introduktionsbrev.

Nästa anhalt Kina, alltså. Och sedan fick det bli som det blev. Dök det inte upp någon bättre idé längs vägen ginge det ju alltid att knata över Himalaya en gång till.

Därmed tyckte Allan att det kunde vara färdiggrubblat. Kim Il Sung skulle först få trehundra stridsvagnar, eller fyrahundra, det fanns ju ingen anledning att snåla i den saken. Efter det skulle låtsasmarskalken ödmjukt be om premiärministerns hjälp med färdmedel och visering för resa till Kina, eftersom marskalken hade ärende också till Mao Tse Tung. Allan var nöjd med den färdigsnickrade planen.

Pansarkanonvagnen med passagerarna Allan, Herbert och unge Kim Jong Il rullade i kvällningen in i något som Allan tyckte verkade vara en militär anläggning av något slag.

– Tror du att vi kan ha hamnat i Sydkorea? frågade Herbert hoppfullt.

– Är det någonstans på jorden som Kim Il Sung *inte* sitter och trycker är det nog i Sydkorea, sa Allan.

– Nej, det är klart... jag bara tänkte... nej, det gjorde jag nog inte förresten, sa Herbert.

Så stannade det tiohjuliga bandfordonet med ett ryck. De tre passagerarna kröp ut och ner på fast mark. Det var ett militärflygfält de hamnat på, och de stod nu utanför något som möjligen var en stabsbyggnad.

Unge herr Kim höll upp ytterdörren åt Allan och Herbert, varpå han trippade förbi herrarna och höll upp även nästa dörr. Därmed var trion framme i det allra heligaste. Där inne fanns ett stort skrivbord med en massa utspridda papper på, bakom det en vägg med en Koreakarta och till höger en soffgrupp. I ena soffan satt premiärminister Kim Il Sung och i den andra hans gäst. Framför väggen på motsatta sidan stod dessutom två kulsprutepistolbeväpnade soldater i givakt.

– God afton, herr premiärminister, sa Allan. Jag är marskalk Kirill Afanasievitj Meretskov från Sovjetunionen.

– Det är du inte alls, sa Kim Il Sung lugnt. Jag känner marskalk Meretskov mycket väl.

– Ajdå, sa Allan.

Soldaterna avbröt genast givakten och riktade i stället sina vapen mot den falske marskalken och hans sannolikt lika falske adjutant. Kim Il Sung var fortfarande lugn, men hans son bröt ut i kombinerad gråt och ilska. Kanske var det i detta ögonblick de sista fragmenten av hans barndom försvann. *Lita inte på någon!* Likväl hade han krupit upp i den falske marskalkens famn. *Lita inte på någon!* Han skulle aldrig, aldrig någonsin igen lita på en enda människa.

– Du ska dö! skrek han i gråten till Allan. Och du också! sa han till Herbert.

– Ja, nog ska ni dö alltid, sa Kim Il Sung på sitt fortsatt lugna sätt. Men först ska vi väl reda ut vem det är som har skickat er.

Det här ser inte bra ut, tänkte Allan.

Det här ser bra ut, tänkte Herbert.

* * *

Den riktige marskalk Kirill Afanasievitj Meretskov hade tillsammans med sin adjutant inte haft något annat val än att promenera mot det som möjligen kunde återstå av Vladivostok.

Efter flera timmar hade de kommit fram till ett av Röda arméns upprättade tältläger utanför den förstörda staden. Där hade förnedringen till en början blivit än värre då marskalken misstänktes för att vara en förrymd fånge som ångrat sig. Men strax blev han i alla fall igenkänd och ompyss-lad på det sätt som hans position krävde.

Marskalk Meretskov hade en enda gång i livet låtit en oförrätt passera, och det var när Stalins närmaste man Berija lät gripa och tortera honom för ingenting och säkert skulle ha låtit honom dö om inte Stalin själv kommit till undsätt-ning. Meretskov borde kanske ha tagit strid med Berija efter det, men det fanns ett världskrig att vinna och Berija var trots allt för stark. Därför fick det bero. Men Meretskov hade sagt till sig själv att han aldrig skulle tillåta sig att för-nedras en gång till. Därför fanns det nu ingen annan råd än att leta rätt på och oskadliggöra de båda män som rånat marskalken och hans adjutant på både bil och uniform.

Meretskov kunde inte omedelbart ta upp jakten eftersom han saknade sin marskalkuniform. Det var heller inte det lät-taste att hitta en skräddare i något av tältlägren och när det ändå var gjort återstod något så trivialt som att få tag i nål och tråd. Vladivostoks alla skrädderier hade ju tillsammans med staden just upphört att existera.

Efter tre dagar var i alla fall marskalkuniformen klar. Dock utan medaljer, för dem profiterade ju den falske marskalken på. Men Meretskov kunde inte låta den saken hindra honom, alternativet vore ju att ge slaget förlorat.

Marskalk Meretskov kvitterade efter visst besvär ut en ny Pobeda till sig själv och adjutanten (de flesta militära fordo-nen hade ju brunnit upp) och begav sig söderut, i gryningen fem dagar efter det att eländet börjat.

Vid gränsen till Nordkorea fick han sina misstankar bekräf-tade. En marskalk, precis som marskalken, hade i en Pobeda, likadan som den marskalken nu hade, passerat gränsen och fortsatt söderut. Mer visste inte gränsvakterna att berätta.

Marskalk Meretskov drog samma slutsats som Allan gjort fem dagar tidigare, nämligen att det nog vore självmord att fortsätta i riktning fronten. Därför svängde han av mot Pyongyang och fick efter några timmar klart för sig att han gjort rätt. Av den yttre vakten fick han veta att en marskalk Meretskov med adjutant äskat möte med premiärminister Kim Il Sung, och fått audiens hos premiärministerns närmaste mans närmaste man. Därpå hade de båda vakterna börjat gräla. Om bara marskalk Meretskov förstått koreanska skulle han ha hört den ena vakten säga att han förstått att det var något lurt med de där två och att de *visst* hade bytt kläder med varandra, medan kollegan svarat att om den andre någon gång kunnat hålla sig nykter efter klockan tio på morgonen så kanske det gått att börja lita på honom. Därefter kallade vakt ett och två varandra för tjockskalle medan marskalk Meretskov med adjutant fortsatte in mot Pyongyang.

Den riktige marskalk Meretskov fick träffa premiärministerns närmaste mans närmaste man efter lunch samma dag. Med all den auktoritet bara en riktig marskalk kan uppbringa hade strax marskalk Meretskov övertygat den närmaste mannens närmaste man om att såväl premiärministern som hans son svävade i omedelbar livsfara, samt att den närmaste mannens närmaste man nu utan dröjsmål hade att visa vägen till premiärministerns huvudkvarter. Eftersom ingen tid fick förspillas skulle transporten dessutom ske i marskalkens Pobeda, ett fordon som gick säkert fyra gånger så fort som den pansarkanonvagn Kim Jong Il och brottslingarna färdades i.

* * *

– Nåå, sa Kim Il Sung överlägset men intresserat. Vilka är ni, vem har sänt er och vad hade ni för avsikt med ert lilla bedrägeri?

Allan hann inte svara förrän dörren for upp och den riktige marskalk Meretskov rusade in i rummet och skrek att det var attentat på gång och att de båda männen mitt på golvet var kriminella lägerfångar.

För en sekund blev det lite för många marskalkar och adjutanter för de båda soldaterna med kulsprutepistolerna.

Men så fort premiärministern indirekt bekräftat att den nye marskalken var den riktige kunde soldaterna på nytt fokusera på bedragarna.

– Ta det lugnt, käre Kirill Afanasievitj, sa Kim Il Sung. Läget är under kontroll.

– Du ska dö, sa den upprörde marskalk Meretskov när han såg hur Allan stod där i marskalkens uniform med alla medaljerna på bröstet.

– Ja, de säger det, svarade Allan. Först unge Kim här, därpå premiärministern och nu herr marskalken. Den ende som inte krävt min död är ni, sa Allan och vände sig mot premiärministerns gäst. Jag vet inte vem ni är, men det är väl inte mycket att hoppas på att ni har en avvikande uppfattning i frågan?

– Det har jag bestämt inte, log gästen tillbaka. Jag är Mao Tse Tung, Folkrepubliken Kinas ledare, och så mycket kan jag säga att någon överdriven fördragsamhet med den som vill min kamrat Kim Il Sung illa, det har jag inte.

– Mao Tse Tung! sa Allan. Vilken ära. Även om jag nu strax tas av daga så får ni inte glömma att hälsa till er sköna hustru från mig.

– Känner ni min fru? sa Mao Tse Tung förvånat.

– Ja, om herr Mao inte bytt fru på sistone. Han har ju haft den vanan tidigare. Jiang Qing och jag träffades i Sichuanprovinsen för några år sedan. Vi promenerade en del i bergen där tillsammans med en ung pojke, Ah Ming.

– Är ni *Allan Karlsson*? sa Mao Tse Tung häpet. *Min frus räddare?*

Herbert Einstein förstod inte mycket, men nu förstod han att vännen Allan måtte ha nio liv, att deras säkra död var på väg att förvandlas till något annat, igen! Det fick inte ske! Herbert agerade nu i chock.

– Jag rymmer, jag rymmer, skjut mig, skjut mig! skrek han och rusade rakt igenom rummet, blandade ihop dörrarna och hamnade i garderoben där han genast stöp över en mopp och en skurhink.

– Din kamrat…, sa Mao Tse Tung. Han verkar inte vara
någon Einstein direkt.

– Säg inte det, sa Allan. Säg inte det.

* * *

Att Mao Tse Tung råkade vara i rummet var inte konstigt, för
Kim Il Sung hade inrättat sitt huvudkvarter i manchuriska Kina,
strax utanför Shenyang i provinsen Liaoning, ungefär femtio
mil nordväst om nordkoreanska Pyongyang. Mao trivdes bra i
de trakterna, där hade han historiskt sitt kanske starkaste stöd.
Och han tyckte om att umgås med sin nordkoreanske vän.

Det hade hur som helst tagit en god stund att reda ut allt
det som behövde redas ut, och få alla dem som önskade
Allans huvud på ett fat på andra tankar.

Marskalk Meretskov var den som först räckte fram en
förlåtande hand. Allan Karlsson hade ju drabbats av mar-
skalk Berijas vansinne precis som Meretskov själv (Allan ute-
lämnade för säkerhets skull den obetydliga detaljen att det
var han som bränt ner Vladivostok). Och när Allan föreslog
att han och marskalken skulle byta uniformsjacka med
varandra så att marskalken fick tillbaka sina medaljer, då
rann all marskalkens vrede av honom.

Kim Il Sung tyckte inte heller att han hade anledning att
vara arg. Allan hade ju aldrig haft någon avsikt att göra pre-
miärministern illa. Kim Il Sungs enda bekymmer var att
sonen kände sig så sviken.

Unge Kim grät och skrek alltjämt och fortsatte kräva
Allans omedelbara och helst våldsamma död. Till slut visste
Kim Il Sung ingen annan råd än att lappa till sonen över örat
och kräva att han nu omedelbart höll tyst, alternativt att han
skulle få ännu en lavett.

Allan och marskalk Meretskov bjöds att slå sig ner i Kim
Il Sungs soffa, dit också en moloken Herbert Einstein anslöt
när han tråcklat sig ur garderoben.

Allans identitet fastställdes definitivt då Mao Tse Tungs tjugoårige chefskock kallades in i rummet. Allan och Ah Ming kramade om varandra länge innan Mao beordrade ut Ah Ming i köket igen för produktion av nattnudlar.

Mao Tse Tungs tacksamhet över att Allan räddat livet på Jiang Qing visste inga gränser. Han förklarade att han nu var beredd att hjälpa Allan och hans kamrat med precis vad de ville, utan begränsningar. Det inkluderade att stanna i Kina där Mao Tse Tung skulle se till att Allan, men också hans kamrat, skulle få leva upphöjda och bekväma liv.

Men Allan svarade och sa att om herr Mao ursäktade så stod kommunismen honom just nu upp i halsen, och han längtade efter att få koppla av någonstans där det gick att få sig en grogg utan tillhörande politisk utläggning.

Mao svarade att han visst kunde ursäkta herr Karlsson för den saken, men att Karlsson inte skulle ha för stora förhoppningar om att kunna hålla sig undan i framtiden, för kommunismen nådde framgångar överallt och det skulle inte dröja länge innan hela världen var erövrad.

På det frågade Allan om någon av herrarna möjligen kunde ge en vink om var någonstans de trodde kommunismen skulle dröja längst med sitt intåg, gärna samtidigt ett ställe där solen sken, där stränderna var vita och där man kunde få sig något annat i glasen än indonesisk grön bananlikör.

– Jag tror bestämt det är semester jag längtar efter, sa Allan. För det har jag aldrig haft någon.

Mao Tse Tung, Kim Il Sung och marskalk Meretskov satte igång att diskutera saken inbördes. Den karibiska ön Kuba kom upp som förslag, något mer kapitalistiskt än det hade herrarna svårt att tänka sig. Allan tackade för tipset men sa att Karibien låg väldigt långt bort; dessutom hade han just kommit på att han hade varken pengar eller pass, så ambitionen kanske fick sänkas en aning.

När det gällde pass och pengar skulle inte herr Karlsson

oroa sig. Mao Tse Tung lovade att förse både honom och hans vän med falska papper så att de kunde ta sig dit de ville. Han skulle också skicka med *en väldans massa dollar*, för sådana hade han i överflöd, pengar som presidenten Truman i USA skickat till Kuomintang och som Kuomintang i all hast lämnat bakom sig under flykten till Taiwan. Men Karibien låg ju likväl på andra sidan jordklotet, så det kunde för den skull inte skada att tänka ett varv till.

Medan de tre ärkekommunisterna fortsatte sin kreativa diskussion kring vart den som var allergisk mot deras ideologi borde bege sig för semester, tackade Allan tyst Harry Truman för hjälpen med pengarna.

Filippinerna kom på förslag, men ansågs för instabilt rent politiskt. Till sist var det Mao som föreslog Bali. Allan hade ju ondgjort sig över indonesisk bananlikör och det hade fått Mao att tänka på just Indonesien. Och inte var det kommunistiskt heller, även om kommunismen lurade i vassen, där precis som överallt, Kuba möjligen undantaget. Att de däremot hade annat än bananlikör på Bali, det var ordförande Mao säker på.

– Då säger vi Bali, sa Allan. Ska du med, Herbert?

Herbert Einstein hade långsamt förlikat sig med tanken på att leva ett tag till, och han nickade uppgivet åt Allan. Jodå, han följde med, vad hade han annars att göra?

KAPITEL 19

Onsdag 11 maj – onsdag 25 maj 2005

DE EFTERLYSTA OCH den förmodat döde på Klockaregård höll sig framgångsrikt utom synhåll från folk. Gården låg två-hundra meter från landsvägen och från den vinkeln befann sig boningshus och ladugård på rad och skapade en frizon för till exempel Sonja. Hon hade ett promenadstråk mellan ladan och den lilla skogen, utan insyn från passerande trafik.

Livet på gården var i allt väsentligt rätt trivsamt. Benny lade regelbundet om såret på Gäddan, och medicinerade med måtta och förstånd. Buster tyckte om de öppnare vyerna på Västgötaslätten, och Sonja trivdes var som helst så länge hon slapp vara hungrig och så länge matmor var där med ett vän-ligt ord eller två. På sistone hade dessutom den gamle gubben tillkommit och det tyckte elefanten kändes än bättre.

För Benny och Den sköna var det ständigt solsken oavsett väder, och hade det inte varit för att de var så in i vassen efterlysta skulle de nog ha slagit till med bröllop på en gång. När man kommit upp i mogen ålder är det ju lättare att kän-na igen det som är rätt.

Parallellt med allt blev Benny och Bosse bättre bröder till varandra än någonsin förut. När Benny väl lyckats få Bosse att förstå att han var vuxen även om han drack saft i stället för brännvin, så gick det mycket lättare. Bosse var också imponerad av allt som Benny kunde. Tänk om det trots allt inte var vare sig fjolligt eller slöseri med tid att gå på univer-sitet? Det var nästan så att lillebror blivit storebror och det kändes faktiskt rätt bra, tyckte Bosse.

Allan gjorde inte mycket väsen av sig. Han satt i sin hammock om dagarna, även nu när vädret hade blivit mer som det skulle vara i Sverige i maj. Ibland slog sig Gäddan ner för en pratstund.

I ett av samtalen Allan och Gäddan emellan visade det sig att de hade en gemensam bild av vad *nirvana* var. Den yttersta harmonin tänkte båda två fanns i en vilstol under ett parasoll i ett soligt och varmt klimat och där personal serverade kylda drycker av varierat slag. Allan berättade för Gäddan hur härligt han hade haft det på Bali en gång i tiden, då han firade semester för pengar han fått av Mao Tse Tung.

Men när det kom till vad det skulle vara i glasen skiljde sig Allan och Gäddan åt. Hundraåringen ville ha vodka cola eller möjligen vodka grape. Vid festligare tillfällen kunde han i stället tänka sig vodka vodka. Gäddan Gerdin, å sin sida, föredrog lite gladare färger. Allra helst något orange som övergick i gult som en solnedgång ungefär. Och så skulle det vara paraply i mitten. Allan undrade vad i hela friden Gäddan skulle med paraply till. Det gick ju inte att dricka. Gäddan svarade att Allan förvisso hade sett sig omkring i världen och säkert kunde oändligt mycket mer om saker och ting än en enkel fängelsekund från Stockholm, men just den här saken tycktes han inte begripa.

Och så gnabbades de vidare på nirvanatemat en stund. Den ene var ungefär dubbelt så gammal som den andre, och den andre dubbelt så stor som den ene, men de kom bra överens.

I takt med att dagar och strax veckor gick fick journalisterna allt svårare att hålla historien med den misstänkte trippelmördaren och hans hantlangare vid liv. Redan efter någon dag hade tv och morgontidningar slutat rapportera, enligt den gammaldags och defensiva synen att om man inte hade något att säga så sa man inget.

Kvällstidningarna höll ut längre. Hade man inget att säga

kunde man ju alltid intervjua och citera någon som inte begrep att han inte heller hade något att säga. Däremot lade Expressen ner idén om att med hjälp av tarotkort spekulera i var Allan just då befann sig. I stället fick det tills vidare vara färdigskrivet om Allan Karlsson. *Med frisk aptit på nästa skit,* som det hette. Med det menade man att man nu letade rätt på något annat som kunde engagera nationen. I värsta fall fungerade det ju alltid med bantning.

Medierna höll alltså på att låta mysteriet med hundraåringen falla i glömska – med ett enda undantag. I Eskilstuna-Kuriren redogjorde man löpande för diverse lokala ting relaterade till Allan Karlssons försvinnande, som till exempel att resecentrets expedition nu hade fått en säkerhetsdörr installerad för skydd mot framtida överfall. Och att syster Alice på äldrehemmet beslutat att Allan Karlsson hade förverkat rätten till sitt rum; det skulle övertas av någon annan, någon som "bättre uppskattade personalens omsorg och värme".

I samband med varje artikel repeterades i korthet listan med händelser som polisen ansåg hade sitt ursprung i att Allan Karlsson klivit ut genom sitt fönster på äldrehemmet i Malmköping.

Eskilstuna-Kuriren hade dock en gammal stofil till ansvarig utgivare, en med det hopplöst uträknade synsättet att man som medborgare var oskyldig till dess att motsatsen bevisats. Därför var man på Kuriren försiktiga med vilka personer i dramat man valde att publicera namn på. Allan Karlsson var förvisso Allan Karlsson också i Kuriren, men Julius Jonsson var "sextiosjuåringen" och Benny Ljungberg "gatuköksföreståndaren".

Detta fick i sin tur en arg herre att en dag ringa kommissarie Aronsson på dennes kontor. Mannen sa att han ville vara anonym, men att han intensivt kände att han hade ett avgörande tips när det gällde den försvunne och mordmisstänkte Allan Karlsson.

Kommissarie Aronsson svarade och sa att avgörande tips var precis vad han behövde och tipsaren fick gärna för kommissariens del vara anonym.

Jo, mannen hade allt läst alla artiklarna i Eskilstuna-Kuriren under månaden och tänkt igenom mycket noga vad det var som hänt. Mannen sa att han ju inte satt inne med tillnärmelsevis lika mycket information som kommissarien, men utifrån det som stått att läsa föreföll det som om polisen inte kollat upp utlänningen ordentligt.

– Där är jag säker på att ni har den verkliga skurken, sa den anonyme mannen.

– Utlänningen? sa kommissarie Aronsson.

– Ja, om han heter Ibrahim eller Muhammed det kan jag inte veta för tidningen kallar honom så finkänsligt för *gatuköksföreståndaren*, precis som om vi inte skulle begripa att han är turk eller arab eller muslim eller något. Det är väl ingen svensk som öppnar gatukök. Speciellt inte i Åkers Styckebruk. Det kan ju bara fungera om du är utlänning och inte betalar någon skatt.

– Hoppsan, sa Aronsson. Det var mycket på en gång. Fast nu kan man ju vara både turk och muslim samtidigt eller för den delen arab och muslim, det är rent av rätt troligt. För ordnings skull menar jag...

– Är han *både* turk och muslim? Ännu värre! Men så kolla upp honom då ordentligt! Han och hans fördömda familj. Han har väl hundra släktingar här som alla lever på bidrag.

– Inte hundra, sa kommissarien. Det enda han har i släktväg är faktiskt en bror...

Och där började det gro en tanke i kommissarie Aronssons hjärna. Aronsson hade ju några veckor tidigare beställt släktutredning kring Allan Karlsson, Julius Jonsson och Benny Ljungberg. Utredningen gjordes i förhoppning om att det skulle dyka upp en kvinnlig, gärna rödhårig, syster eller kusin eller ett barn eller barnbarn – boende i Småland. Detta var ju innan Gunilla Björklund var identifierad. Resultatet hade varit magert. Ett enda namn hade dykt upp, inte ett dugg relevant då, men kanske nu? Benny Ljungberg hade nämligen en bror strax utanför Falköping. *Var det där de satt och tryckte allihop?* Kommissarien blev avbruten i sina tankar av den anonyme:

– Och var har brodern sitt gatukök någonstans? Hur mycket skatt betalar han? De kommer hit och mördar våra fina svenska ungdomar, massinvandringen måste få ett slut någon gång! Hör du det?

Aronsson sa att han hörde, att han var tacksam över mannens tips även om gatuköksföreståndaren i det här fallet hette *Ljungberg* och var alldeles rysligt svensk, alltså varken turk eller arab. Huruvida Ljungberg var muslim eller inte, kunde Aronsson inte säga. Det intresserade honom heller inte.

Mannen sa att han anade en raljant ton i kommissariens lögnaktiga svar och att han minsann kände igen den där socialdemokratiska attityden.

– Vi är många och vi blir hela tiden fler, det kommer du att få se i valet nästa år, mässade den anonyme.

Kommissarie Aronsson fruktade att den anonyme hade rätt i det där sista. Det sämsta sansade och någorlunda upplysta människor som kommissarien själv kunde göra var att be sådana som den anonyme dra åt skogen och slänga på luren. I stället gällde det att *ta debatten.*

Tänkte kommissarien, och bad den anonyme att dra åt skogen och så slängde han på luren.

Aronsson ringde åklagare Ranelid för att berätta att han tidigt dagen därpå, med åklagarens tillåtelse, avsåg att bege sig till Västergötland för att kolla upp ett färskt tips i fallet med hundraåringen och hans kumpaner (Aronsson tyckte inte att han behövde berätta att han i flera veckor känt till existensen av Benny Ljungbergs bror). Åklagare Ranelid önskade Aronsson lycka till och kände sig på nytt exalterad över att han strax skulle ansluta till den exklusiva skara åklagare som lyckats få åtalad fälld för mord eller dråp (eller allra minst medhjälp till det ena eller andra) trots att den dödes kropp inte gått att finna. Det skulle dessutom bli första gången i kriminalhistorien med fler än ett offer inblandat. Först måste förstås Karlsson och hans gelikar flyta upp till ytan, men det var ju bara en fråga om tid. Aronsson kanske rent av skulle springa på dem dagen därpå?

Klockan var nästan fem, åklagaren packade ihop för dagen medan han visslade tyst för sig själv och lät tankarna löpa. Skulle han skriva en bok om fallet? *Rättvisans största seger*. Kunde det vara titeln? För pretentiöst? *Rättvisans stora seger*. Bättre. Och ödmjukare. Gick hand i hand med författarens personlighet.

KAPITEL 20

1953–1968

MAO TSE TUNG försedde Allan och Herbert med falska brittiska pass (hur han nu kunde göra det). Färden gick sedan med flyg från Shenyang, via Shanghai, Hong Kong och Malaysia. Strax satt de forna Gulagflyktingarna under ett parasoll på en kritvit strand bara några meter från Indiska oceanen.

Allting skulle ha varit perfekt om bara inte den så välvilliga servitrisen blandat ihop allting. Vad Allan och Herbert än beställde att dricka tycktes de få något annat. Om de fick något alls, för ibland gick servitrisen vilse på stranden. Droppen för Allan var när han beställt sig en grogg på vodka och Coca-Cola ("något mer vodka än cola") och fick – Pisang Ambon, en väldigt, väldigt grön bananlikör.

– Nu får det väl ändå vara nog, sa Allan och tänkte gå till hotelldirektören och be om att få servitrisen utbytt.

– Aldrig i livet! sa Herbert. Hon är ju alldeles förtjusande!

Servitrisen hette Ni Wayan Laksmi, hon var trettiotvå år gammal och borde egentligen ha varit bortgift för länge sedan. Hon såg bra ut, men var inte av någon finare familj, hade inga pengar över, och så var det känt att hon hade samma grad av allmänförstånd som *kodok*, den balinesiska grodan. Därför hade Ni Wayan Laksmi blivit över när pojkar valde flickor och flickor valde pojkar på ön (i den utsträckning de fick välja själva).

Det hade i och för sig inte stört henne så värst, för hon hade alltid känt sig obekväm i manligt sällskap. Och i kvinnligt. I sällskap över huvud taget, faktiskt. Ända till nu! För det var något alldeles speciellt med den ene av de två nya vitingarna på hotellet. Herbert hette han och det var som om... de hade så mycket gemensamt. Han var visserligen säkert trettio år äldre än hon, men det tyckte hon inte spelade någon roll, för hon var... *kär!* Och kärleken var besvarad. Herbert hade aldrig förut träffat någon som var tillnärmelsevis lika långsam i huvudet som han själv.

När Ni Wayan Laksmi fyllde femton år hade hon fått en språkbok i födelsedagspresent av sin far. Faderns tanke var att dottern med den skulle lära sig holländska, för Indonesien var på den tiden en holländsk koloni. Efter fyra års kämpande med boken kom det en dag en holländare på besök till familjen. Ni Wayan Laksmi vågade då för första gången praktisera den holländska hon med stort sjå lärt sig och fick på det veta att det var *tyska* hon talade. Fadern, som inte heller var överdrivet skärpt, hade gett dottern fel bok.

Nu, sjutton år senare, hade den olyckliga omständigheten förvandlats till sin motsats, för Ni Wayan Laksmi och Herbert kunde språka med varandra och förklara varandra sin kärlek.

Det som därefter hände var att Herbert äskade och fick halva den bunt med dollar som Mao Tse Tung gett till Allan, varpå han sökte upp Ni Wayan Laksmis far och bad om äldsta dotterns hand. Fadern trodde att någon drev med honom. Här kom en utlänning, en viting, en *bule* med fickorna fulla av pengar och bad om hans överlägset dummaste dotters hand. Att han ens knackade på dörren var en sensation. Ni Wayan Laksmis familj tillhörde kasten *sundra*, den simplaste nivån av fyra möjliga på Bali.

– Har du verkligen kommit till rätt hus? frågade fadern. Och är det äldsta dottern du menar?

Herbert Einstein svarade att han brukade röra ihop saker och ting, men att han just den här gången var helt säker på sin sak.

Två veckor senare var det dags för bröllop sedan Herbert konverterat till... någon religion han inte kom ihåg namnet på. Men den var ganska rolig, med elefanthuvuden och grejor.

Herbert försökte i ett par veckor lära sig sin nya hustrus namn, men till sist gav han upp.

– Älskling, sa han. Jag kan inte komma ihåg vad du heter. Blir du hemskt ledsen om jag kallar dig Amanda i stället?

– Inte alls, käre Herbert. Amanda låter vackert. Men varför just Amanda?

– Jag vet inte, sa Herbert. Har du något bättre förslag?

Det hade inte Ni Wayan Laksmi, så från den stunden var hon Amanda Einstein.

Herbert och Amanda köpte sig ett hus i byn Sanur, inte långt från hotellet och stranden där Allan tillbringade sina dagar. Amanda slutade servera, hon tyckte det var lika bra att säga upp sig; hon skulle ju ändå få sparken en dag eftersom hon i allt väsentligt inte gjorde någonting rätt. Nu gällde det bara att forma en idé om vad hon och Herbert skulle satsa på för framtiden.

Precis som Herbert rörde ju Amanda ihop allt som gick att röra ihop. Vänster blev höger, upp blev ner, hit blev dit... Därför hade hon inte kunnat skaffa sig någon utbildning; det minsta den saken kräver är ju att man regelmässigt hittar till skolan.

Men nu hade Amanda och Herbert *en väldans massa dollar* och då skulle det bestämt ordna sig med allting. Amanda var visserligen hemskt ointelligent, förklarade hon för sin make, men hon var inte dum!

Och så berättade hon att med Indonesien var det som så att allt var till salu och att det var en väldigt praktisk sak för den som hade pengar. Herbert förstod inte riktigt vad hustrun menade och det där med att inte begripa kände Amanda så väl igen, så i stället för att förklara närmare sa hon:

– Säg något du skulle önska för egen del, käre Herbert.

– Hur menar du? Du menar... som att kunna köra bil?
– Just det! sa Amanda.
Och så ursäktade hon sig, hon hade lite att bestyra med.
Men hon skulle vara tillbaka igen före kvällsmat.

Tre timmar senare var hon hemma igen. Med sig hade hon
ett färskt körkort i Herberts namn, men inte bara det. Hon
hade också ett diplom som visade att Herbert var certifierad
körskollärare och köpebevis på att hon just tagit över den
lokala trafikskolan och gett den nytt namn: *Firma Einsteins
körkortsutbildningar.*

Allt det där tyckte förstås Herbert var alldeles fantastiskt,
men... inte kunde han väl köra bil bättre för det? Jo, på sätt
och vis kunde han det, förklarade Amanda. För nu hade han
positionen, nu var det *han* som bestämde vad som var bra
bilkörning och vad som inte var det. Livet fungerade ju som
så att *rätt* inte nödvändigtvis var det som var rätt, utan det
som den som bestämde *sa* var rätt.

Herbert sken upp; *han hade förstått!*

Firma Einsteins körkortsutbildningar blev ett succéföretag.
Nästan alla på ön som behövde körkort ville lära sig av den
sympatiske vitingen. Och Herbert växte snabbt in i rollen.
Han höll själv i alla teorilektionerna, där han vänligt men
myndigt förklarade saker som att det var viktigt att inte köra
för fort på vägarna för då hände det att man krockade. Och
man fick heller inte köra för sakta för då stoppade man upp
trafiken. Eleverna nickade och antecknade. Magistern tyck-
tes veta vad han talade om.

Efter sex månader hade Herbert konkurrerat ut öns två
övriga trafikskolor, nu hade han monopol. Detta berättade
han för Allan under ett av sina veckobesök på stranden.

– Jag är stolt över dig, Herbert, sa Allan. Och att du av
alla människor gav dig på *trafikutbildning!* Med vänster-
trafik och allt...

– Vänstertrafik? sa Herbert. Är det vänstertrafik i Indonesien?

Amanda hade inte suttit sysslolös medan Herbert byggde upp firman han fått i present. Först hade hon skaffat sig en rejäl utbildning, nu var hon civilekonom. Det hade visserligen tagit flera veckor och blivit ganska dyrt, men till sist hade hon beviset i sin hand. Toppbetyg, dessutom, från ett av de finare universiteten på Java.

Med utbildningen i ryggen hade hon tagit en lång promenad längs stranden i Kuta och tänkt, tänkt, tänkt. Vad kunde hon företa sig i livet som bringade lycka till familjen? Civilekonom eller inte, hon kunde fortfarande inte räkna mer än hjälpligt. Men hon kanske skulle... kunde det verkligen... ja, om man... Baske mig, tänkte Amanda Einstein.

– Jag ska in i politiken!

Amanda Einstein bildade Liberala demokratiska frihetspartiet (*liberal, demokrati* och *frihet* var tre ord hon tyckte lät bra i sammanhanget). Hon fick genast sextusen påhittade medlemmar som alla tyckte att hon skulle satsa på guvernörsvalet kommande höst. Den sittande guvernören skulle dra sig tillbaka av åldersskäl, och innan Amanda fått sin idé fanns det bara en rimlig kandidat till att ta över. Nu var de två. Den ene var man och *pedana*, den andra kvinna och *sundra*. Utgången av valet borde vara självklar till Amandas nackdel. Om det nu inte vore för att hon hade *en väldans massa dollar*.

Herbert hade inget emot att hans älskade gav sig in i politiken, men han visste att Allan satt under sitt parasoll och ogillade politik i allmänhet och efter åren i Gulag kommunismen i synnerhet.

– Ska vi bli kommunister? frågade han oroligt.

Nej, det trodde inte Amanda att de skulle bli. Det ordet

fanns i alla fall inte med i partinamnet. Men om Herbert absolut ville bli kommunist ginge det nog att lägga till.

– *Liberala, demokratiska, kommunistiska frihetspartiet*, sa Amanda och smakade på namnet. Lite långt, men det kunde fungera.

Men det var ju inte så Herbert menat. Tvärtom, tyckte han. Ju mindre politik deras parti kunde ägna sig åt, desto bättre.

Därmed kom de in på finansieringen av kampanjen. Enligt Amanda skulle de inte ha *en väldans massa dollar* längre när kampanjen var över, för det krävdes rätt mycket för att vinna. Vad tyckte Herbert om det?

Herbert svarade att han var säker på att Amanda var den i familjen som begrep bäst i denna sak. I måttlig konkurrens, visserligen.

– Bra, sa Amanda. Då lägger vi en tredjedel av kapitalet på min valkampanj, en tredjedel på mutor till cheferna i varje valdistrikt, en tredjedel på smutskastning av värste konkurrenten och så behåller vi en tredjedel att leva på om det skulle gå illa. Vad tror du om det?

Herbert kliade sig på näsan och trodde just ingenting. Däremot berättade han för Allan om Amandas planer och Allan suckade åt tanken på att en människa som inte kunde skilja på bananlikör och grogg nu trodde att hon kunde bli guvernör. Nåväl, de hade ju från början fått *en väldans massa dollar* av Mao Tse Tung, och Allans hälft både räckte och blev över. Därför lovade han att Herbert och Amanda skulle få påfyllning när valet var över. Men då fick det inte bli tal om några fler projekt kring sådant som Herbert och Amanda inte begrep.

Herbert tackade för erbjudandet. Allan var i alla fall bra snäll, det var han.

Däremot kom Allans hjälp inte att behövas. Guvernörsvalet blev en fullständig succé för Amanda. Hon vann med nästan åttio procent av rösterna, mot konkurrentens tjugotvå. Att totalsumman översteg hundra tyckte konkurrenten tydde på valfusk, men det viftade en domstol strax bort och hotade dessutom den förlorande kandidaten med dryg påföljd om han tänkte fortsätta att smutskasta den tillträdande guvernören fru Einstein. Strax före domslutet hade förresten Amanda och rättens ordförande träffats över en kopp te.

* * *

Medan Amanda Einstein sakta men säkert tog över ön och medan maken Herbert lärde folk att köra bil (utan att för den skull själv sätta sig bakom ratten mer än nödvändigt), höll Allan till i sin solstol vid vattenbrynet och med lämplig dryck i hand. Sedan Amanda blev upptagen med annat än att servera turister fick han dessutom för det mesta just det han önskade i glaset.

Förutom att sitta där han satt och dricka det han drack, bläddrade Allan i de internationella tidningar han sett till att beställa, åt mat när han blev hungrig och vilade middag på rummet om det blev för körigt med allt.

Dagar blev till veckor, veckor blev till månader, månader blev till år – allt utan att Allan tröttnade på att ha semester. Efter ett decennium hade han dessutom fortfarande *en väldans massa dollar* kvar. Det berodde delvis på att det redan från början hade varit just en väldans massa dollar, men också på att Amanda och Herbert Einstein sedan en tid ägde hotellet ifråga och genast gjorde Allan till hotellets ende gratisgäst.

Allan hade hunnit bli femtioåtta år och rörde fortfarande inte på sig mer än nödvändigt, medan Amanda nådde allt större politisk framgång. Hon var populär i de breda folklagren, det visade undersökning efter undersökning utförd av det lokala statistikinstitut som ägdes och drevs av hennes ena syster. Bali rankades dessutom av en människorättsorganisation som den minst korrumperade regionen i landet. Det i sin tur berodde på att Amanda mutat organisationens hela styrelse, men ändå.

Likväl var kampen mot korruptionen en av de tre saker som kännetecknade Amandas arbete som guvernör, framför allt genom att hon införde antikorruptionslektioner i Balis alla skolor. En rektor i Denpasar hade först protesterat, han menade att det hela kunde få motsatt effekt. Men då gjorde Amanda honom till skolstyrelsens ordförande i stället, med dubbelt så hög lön, och så var det bra med det.

Sak nummer två var Amandas kamp mot kommunismen. Den tog sig framför allt uttryck i att hon strax innan hon blev omvald en första gång såg till att förbjuda det lokala kommunistiska partiet, som var på väg att bli för stort för hennes eget bästa. På så sätt kom hon undan med en mycket mindre valbudget än hon annars skulle ha gjort.

Det tredje hade Amanda fått hjälp av Herbert och Allan med. Genom dem fick hon veta att det inte alls var trettio grader varmt året runt i stora delar av övriga världen. Speciellt i det de kallade Europa var det visst extra kyligt och allra helst längst i norr varifrån Allan kom. Det gick upp för Amanda att det måtte finnas en massa stelfrusna rikingar överallt på jorden som alla borde uppmuntras att ta sig till Bali för att tinas upp. Och så stimulerade hon utveckling av turismen, genom att ge en rad byggnadslov för lyxhotell på mark hon själv just köpt.

I övrigt tog hon hand om sina nära och kära på bästa sätt. Far, mor, systrar, farbröder, fastrar och kusiner hade alla strax centrala och lukrativa positioner i det balinesiska samhället. Allt ledde till att Amanda valdes om till guvernör inte mindre än två gånger. Andra gången gick till och med antalet röster och röstande jämnt upp.

Under åren hann Amanda också med att föda två söner: först Allan Einstein (Herbert hade ju Allan att tacka för nästan allt), följd av Mao Einstein (för de där *väldans massa dollar* som gjort så mycket nytta).

Men så en dag blev det jobbigt med allt. Det började med att Gunung Agung, det tretusen meter höga vulkanberget, fick ett utbrott. Den omedelbara konsekvensen för Allan, sju mil bort, blev att röken skymde solen. För andra var det värre. Tusentals människor dog, ännu fler tvingades fly från ön. Balis dittills så populära guvernör fattade inga beslut att tala om. Hon fattade inte ens att hon hade en rad beslut att fatta.

Vulkanen lugnade så småningom ner sig, men ön skakade likväl, ekonomiskt och politiskt – precis som landet i övrigt. I Jakarta tog Suharto över efter Sukarno, och den nye ledaren tänkte minsann inte jamsa med diverse politiska avarter som företrädaren gjort. Framför allt satte Suharto igång att jaga livet ur kommunister, förmodade kommunister, misstänkta kommunister, möjliga kommunister, högst eventuella kommunister och en och annan oskyldig. Strax hade någonstans mellan tvåhundratusen och två miljoner människor dött; siffran var osäker, för många genetiska kineser skeppades helt enkelt bort från Indonesien stämplade som kommunister, och fick kliva i land i Kina där de i stället fick behandling såsom varande kapitalister.

När röken var skingrad var det hur som helst inte längre en enda av Indonesiens tvåhundra miljoner invånare som uttryckte kommunistiska idéer (för säkerhets skull var den saken dessutom upphöjd till lagbrott). *Uppdraget slutfört* för Suharto som bjöd in USA och andra i väst att dela på landets rikedomar. Det i sin tur fick fart på hjulen, folk fick det bättre, och allra bäst fick Suharto det, som strax var närmast oändligt rik. Inte illa jobbat av soldaten som inledde sin militära karriär med att smuggla socker.

Amanda Einstein tyckte att det inte längre var lika roligt att vara guvernör. Kanske så många som åttiotusen balineser hade råkat stryka med i Jakartaregeringens ivriga ambition att få medborgarna att tänka rätt.

Herbert passade i oredan på att gå i pension och nu funderade Amanda på samma sak trots att hon inte var fyrtiotre år fyllda. Familjen ägde ju både mark och hotell, och de *väldans massa dollar* som gjort familjens välstånd möjligt hade förvandlats till en väldans massa mer dollar. Lika bra att dra sig tillbaka, alltså, fast vad skulle hon göra i stället?

– Vad sägs om att bli Indonesiens ambassadör i Paris? frågade Suharto rakt på sak sedan han först presenterat sig i telefonen.

Suharto hade uppmärksammat Amanda Einsteins arbete på Bali och hennes resoluta beslut att förbjuda de lokala kommunisterna. Dessutom ville han ha balans mellan könen när det gällde topptjänster på de utländska beskickningarna (ställningen skulle bli 24–1 om Amanda Einstein tackade ja).

– Paris? svarade Amanda Einstein. Var ligger det?

* * *

Allan tänkte först att vulkanutbrottet 1963 kanske var försynens signal om att det var dags att bryta upp. Men när solen tittade fram igen bakom den skingrande vulkanröken återgick det mesta till vad det varit (förutom att det av någon anledning var inbördeskrig på gatorna). Kunde inte försynen vara tydligare än så i sitt signalerande så fick det vara. På det blev Allan sittande i sin solstol i ytterligare en handfull år.

Att han till slut ändå packade och gav sig av var Herberts förtjänst. En dag hade Herbert berättat att han och Amanda skulle flytta till Paris och om Allan ville följa med så lovade vännen att ordna falskt indonesiskt pass i stället för det falska och utgångna brittiska Allan senast använt. Dessutom skulle den tillträdande ambassadören ombesörja med anställning på ambassaden, inte för att Allan skulle behöva arbeta, men fransmännen kunde annars vara kitsliga med vem de släppte in i landet.

Allan tackade ja. Nu var han nog utvilad så det räckte. Paris lät dessutom som ett lugnt och stabilt hörn av världen, utan de upplopp som på sistone härjat på Bali, till och med runt Allans hotell.

Avresan skedde redan två veckor senare. Amanda började sin tjänst på ambassaden den 1 maj.

Året var 1968.

KAPITEL 21

Torsdag 26 maj 2005

PER-GUNNAR GERDIN hade sovmorgon när kommissarie Göran Aronsson svängde in på Klockaregård och till sin häpnad upptäckte Allan Emmanuel Karlsson sittande i en hammock på gårdens stora träveranda.

Benny, Den sköna och Buster höll just då på med vatten-tillförseln till Sonjas nya stall i ladan. Julius hade låtit skägget växa och därför fått gruppens tillåtelse att följa med Bosse till Falköping för proviantering. Allan hade slumrat till och vaknade inte förrän kommissarien gjorde honom uppmärksam på sin närvaro.

– Allan Karlsson, förmodar jag? sa kommissarie Aronsson.

Allan öppnade ögonen och sa att han förmodade samma sak. Däremot hade han ingen aning om vem det var som nu tilltalade honom. Kunde främlingen tänka sig att bringa klarhet i den saken?

Det skulle kommissarien genast göra. Kommissarien sa att han hette Aronsson, att han var poliskommissarie, att han letat efter herr Karlsson en tid och att herr Karlsson var anhållen misstänkt för att ha haft ihjäl folk. Herr Karlssons vänner, herrarna Jonsson och Ljungberg och fru Björklund var förresten också anhållna. Visste möjligen herr Karlsson var de befann sig?

Allan drog på svaret, menade på att det nu gällde att samla tankarna, han var ju nyvaken och allt, det hoppades Allan att kommissarien förstod? Man gick ju inte och skvallrade på sina vänner utan att ha tänkt igenom saken ordentligt, höll inte kommissarien med om det?

Kommissarien svarade att han inte borde ge något annat råd i saken än att herr Karlsson skyndsamt skulle berätta vad han visste. Men för all del, kommissarien hade ingen brådska.

Det tyckte Allan var bra och han bjöd kommissarien att sitta ner i hammocken så skulle Allan ordna med kaffe till honom i köket.

– Har han socker i kaffet? Mjölk?

Kommissarie Aronsson var inte den som lät gripna delinkventer promenera iväg hur de ville, ens till ett angränsande kök. Men det var något rogivande över just det här exemplaret. Dessutom skulle Aronsson ha god sikt in i köket och Karlssons förehavanden där från en position i hammocken. Så Aronsson tackade ja till Allans inbjudan.

– Mjölk, tack. Inget socker, sa han och slog sig ner.

Nygripne Allan pysslade i köket ("Ett wienerbröd också kanske?") medan kommissarie Aronsson satt på verandan och tittade på. Aronsson kunde inte riktigt förstå hur han hade kunnat klumpa till situationen så här. Han hade ju på avstånd sett en ensam äldre man på verandan till gården och tänkt att det kanske var fadern till Bo Ljungberg, och att fadern säkert skulle kunna leda Aronsson till sonen och att Aronsson i nästa steg skulle få bekräftat att de efterlysta personerna inte fanns i närheten, att hela resan till Västergötland varit förgäves.

Men när Aronsson kommit tillräckligt nära verandan visade det sig att gubben i hammocken var Allan Karlsson själv. Långskottet hade suttit mitt i prick!

Gentemot Allan hade Aronsson agerat lugnt och professionellt, hur professionellt det nu kunde anses vara att skicka misstänkta trippelmördare ut i köket för att brygga kaffe, men inom sig satt han nu och kände sig som en amatör. Allan Karlsson, hundra år, såg ju inte farlig ut, men vad skulle Aronsson ta sig till om de tre andra misstänkta också dök upp, och kanske i sällskap med Bo Ljungberg som för den delen borde plockas in för skyddande av brottsling?

– Var det mjölk men inget socker han sa? ropade Allan från köket. I min ålder glömmer man så lätt.

Aronsson upprepade önskemålet om mjölk i kaffet och plockade fram telefonen för att ringa efter förstärkning från kollegorna i Falköping. Två bilar skulle behövas, för säkerhets skull.

Men telefonen förekom kommissarien. Den ringde innan Aronsson hann göra detsamma. Aronsson svarade förstås. Det var åklagare Ranelid – och han hade helt sensationell information att lämna.

KAPITEL 22

Onsdag 25 maj – torsdag 26 maj 2005

DEN EGYPTISKE SJÖMAN som skänkt kvarlevorna av Bengt Bulten Bylund till fiskarna i Röda havet var äntligen framme i Djibouti för tre dagars permission.

I bakfickan hade han Bultens plånbok och i den fanns bland annat åttahundra svenska kronor i kontanter. Hur mycket det kunde vara värt hade sjömannen ingen aning om, men han hade sina förhoppningar, och nu letade han efter ett öppet växlingskontor.

Huvudstaden i Djibouti heter fantasilöst nog samma sak som landet och är en ung och livlig plats. Livlig för att Djibouti ligger så strategiskt vid Afrikas horn, just vid Röda havets mynning. Och ung för att den som lever i Djibouti sällan lever speciellt länge. Att fylla femtio år tillhör undantagen.

Den egyptiske sjömannen stannade till vid stadens fiskmarknad, för att kanske få i sig något friterat innan han letade vidare efter sitt växlingskontor. Alldeles intill stod en svettig man ur lokalbefolkningen och stampade, med febrig och irrande blick. Sjömannen tänkte att det inte var konstigt att den svettige var så svettig, för dels var det säkert trettiofem grader varmt i skuggan, dels hade den svettige klätt sig i dubbla saronger och dubbla skjortor under sin omsorgsfullt nertryckta fez över huvudet.

Den svettige var i tjugofemårsåldern, utan minsta ambition att bli ett dugg äldre. Han var i uppror inombords. Inte över att halva landets befolkning gick arbetslös, inte över att snart var femte medborgare bar på hiv eller aids, inte på den hopplösa bristen på dricksvatten, inte på att öknen bredde ut sig över nationen och åt upp den ynkliga mark för odling som ändå fanns. Nej, mannen var upprörd över att USA hade etablerat en militäranläggning i landet.

I den saken var förvisso inte USA ensamt. Sedan tidigare fanns franska Främlingslegionen på plats. Kopplingen mellan Djibouti och Frankrike var stark. Landet hette ju *Franska Somaliland* innan man på sjuttiotalet tilläts starta eget.

Men alldeles intill Främlingslegionens bas hade alltså USA förhandlat sig till samma sak, på lagom avstånd till gulfen och Afghanistan, och dessutom med en rad centralafrikanska tragedier runt knuten.

Bra idé, tyckte amerikanerna, medan nästan alla djiboutier struntade i vilket. De var nämligen strängt upptagna med att överleva dagen.

Men en av dem hade tydligen tid att reflektera över den amerikanska närvaron. Eller om han bara var lite för religiös för sitt eget, jordiska bästa.

Hur som helst gick han omkring i huvudstadens centrala delar i jakt på en grupp amerikanska soldater på permission. Under promenaden fingrade han nervöst på det snöre han vid rätt tillfälle skulle dra i så att amerikanerna flög åt helvete medan han själv seglade i rakt motsatt riktning.

Men det var som sagt varmt och svettigt (det blir lätt det i Djibouti). Inte bara för att bomben som sådan var fastklistrad längs mage och rygg, utan också för att den krävde dubbla döljande lager av kläder. Självmordsbombaren nästan kokade i hettan och till sist bar det sig inte bättre än att han av misstag fingrade lite för mycket på sitt snöre.

Därmed hade han förvandlat sig själv och den stackare som råkade stå närmast honom till strimlor. Ytterligare tre djiboutier dog av sina skador och ett tiotal blev illa tilltygade.

Ingen av de förolyckade var amerikan. Däremot tycktes den

som stått allra närmast självmordsbombaren ha varit europé. Polisen hade nämligen funnit hans plånbok i sensationellt gott skick intill resterna av dess ägare. I plånboken fanns åttahundra svenska kronor, samt både pass och körkort.

Den svenske honorärkonsuln i Djibouti informerades dagen därpå av stadens borgmästare om att allt tydde på att svenske medborgaren Erik Bengt Bylund fallit offer för vansinnesdådet på stadens fiskmarknad.

Kvarlevorna av Bylund kunde tyvärr inte överlämnas, därtill hade kroppen varit alltför sargad. Resterna av honom hade i stället omgående kremerats, under respektfulla former.

Däremot fick honorärkonsuln ta emot Bylunds plånbok som innehöll pass och körkort (medan pengarna råkat försvinna i hanteringen). Borgmästaren beklagade att man inte lyckats skydda den svenske medborgaren tillräckligt, men kände sig ändå nödgad att påtala en sak, om herr honorärkonsuln inte misstyckte?

Saken var den att Bylund befunnit sig i Djibouti utan giltigt visum. Borgmästaren visste inte hur många gånger han tagit upp problemet med fransmännen och för den delen med president Guelleh. Om fransmännen ville flyga in legionärer direkt till sin bas så var det deras sak. Men i samma ögonblick som en legionär beger sig civilt ut i staden Djibouti ("min stad", som borgmästaren uttryckte det) då *måste* de först ha ordnat med giltiga dokument. Borgmästaren tvivlade inte en sekund på att Bylund varit främlingslegionär, han kände igen mönstret alltför väl. Amerikanerna skötte den delen helt utan klander, medan fransmännen betedde sig som om de fortfarande befann sig i *Somaliland*.

Honorärkonsuln tackade borgmästaren för kondoleanserna samt ljög och lovade att han vid tillfälle skulle ta upp viseringsaspekten med lämplig fransk representation.

* * *

Det hela var ruskigt otäckt för Arnis Ikstens, den stackars mannen som skötte pressmaskinen på södra Rigaregionens bilskrot. När den senaste bilen i raden var helt hoptryckt hängde det plötsligt en arm från en människa ut genom det fyrkantiga metallpaket som till alldeles nyligen varit en bil.

Arnis ringde förstås genast polisen, och sedan gick han hem trots att det var mitt på dagen. Bilden av den döda armen skulle följa honom länge än. Människan var väl för Guds skull död redan innan Arnis pressat ihop bilen?

Det var polischefen i Riga som personligen meddelade ambassadören på svenska ambassaden att dess medborgare Henrik Mikael Hultén hittats död i en Ford Mustang på stadens södra bilskrot.

Det vill säga, det var ännu inte fastställt att det var han, men innehållet i den plånbok den döde bar tydde på det.

* * *

Klockan 11.15 torsdagen den 26 maj fick utrikesdepartementet i Stockholm fax från honorärkonsuln i Djibouti, innehållande information och dokumentation rörande en avliden svensk medborgare. Åtta minuter senare kom ännu ett fax, på samma tema, men den här gången avsänt från ambassaden i Riga.

Ansvarig tjänsteman på departementet kände genast igen namn och bild på de döda männen, det var inte länge sedan han läst om dem i Expressen. Lite konstigt, tyckte tjänstemannen, att männen gått och dött så långt från Sverige, för så hade det ju inte verkat i tidningen. Men det där var ju polisens och åklagarens problem. Tjänstemannen skannade in de båda faxen och skapade därefter ett mejl innehållande all relevant information rörande de båda offren. Detta sände han bland annat till länspolisen i Eskilstuna. Där tog en annan tjänsteman emot, läste, höjde på ögonbrynen och vidarebefordrade till åklagare Ranelid.

Åklagare Conny Ranelids liv var på väg att rasa samman. Fallet med den trippelmördande hundraåringen skulle ju bli det yrkesmässiga genombrott Ranelid så länge väntat på och som han så innerligt förtjänade.

Men nu visade det sig att offer nummer ett, som dött i Sörmland, dog igen tre veckor senare i Djibouti. Och att offer nummer två, som dött i Småland, därpå gjorde om samma sak i Riga.

Efter ett tiotal djupa andetag genom kontorets vidöppna fönster började åklagare Ranelids hjärna arbeta igen. Måste ringa Aronsson, tänkte Ranelid. Och Aronsson *måste* hitta offer nummer tre. Och det *måste* finnas dna-koppling mellan hundraåringen och trean. Så *måste* det vara.

Annars hade Ranelid gjort bort sig.

* * *

När kommissarie Aronsson hörde åklagare Ranelids röst i telefonen började han genast berätta att han en liten stund tidigare lokaliserat Allan Karlsson och att denne nu var under arrest (även om han tillbringade nämnda arrest stående i köket bryggande kaffe med dopp åt Aronsson).

– När det gäller de andra misstänker jag att de är i närheten, men jag tror det är bäst att jag först begär förstärk...

Åklagare Ranelid avbröt kommissarien och berättade förtvivlat att offer nummer ett hittats död i Djibouti och offer nummer två i Riga och att indiciekedjan alldeles höll på att falla i bitar.

– Djibouti? sa kommissarie Aronsson. Var ligger det?

– Det vet jag inte, sa åklagare Ranelid, men så länge det ligger mer än två mil från Åkers Styckebruk försvagar det mitt fall å det grövsta. Nu *måste* du hitta offer nummer tre, hör du det Göran? Du *måste* hitta honom!

I det ögonblicket klev en nyvaken Per-Gunnar Gerdin ut på verandan. Han nickade artigt men avvaktande mot kommissarie Aronsson som tittade med stora ögon tillbaka.

– Jag tror bestämt att trean just hittade mig, sa han.

KAPITEL 23

1968

ALLAN FICK INGEN betungande tjänstebeskrivning på indonesiska ambassaden i Paris. Nya ambassadören, fru Amanda Einstein, gav honom ett eget rum med säng och sa att Allan nu förstås var fri att göra vad som föll honom in.

– Men det vore snällt av dig om du kunde hjälpa till som tolk om det någon gång skulle gå så illa att jag behöver träffa folk från andra länder.

På det svarade Allan att han inte ville utesluta att det kunde gå just så illa, med tanke på uppdragets natur. Den förste utlänningen i raden väntade väl redan dagen därpå om Allan förstått sakerna rätt?

Amanda svor till när hon påmindes om att hon måste bege sig till Élyséepalatset för ackrediteringen. Ceremonin var visst inte mer än två minuter lång, men det både räckte ju och blev över för den som hade tendenser till att haspla ur sig något dumt, och precis sådana tendenser tyckte Amanda att hon hade.

Allan höll med om att det då och då flög grodor ur munnen på Amanda, men att det säkert skulle gå bra inför president de Gaulle, bara hon såg till att inte prata något annat än indonesiska under de där två minuterna och i övrigt bara le och se vänlig ut.

– Vad var det du sa han hette sa du? sa Amanda.

– Indonesiska, som sagt, sa Allan. Eller ännu hellre balinesiska.

Därpå gav sig Allan ut på promenad i den franska huvudstaden. Dels tyckte han att det inte kunde skada att sträcka på benen efter femton år i en solstol, dels hade han just fått syn på sig själv i en spegel på ambassaden, och påmints om att han varken klippt eller rakat sig sedan någon gång efter vulkanutbrottet –63.

Dock visade det sig omöjligt att hitta en öppen frisersalong. Eller något annat öppet. Allt var igenbommat, så gott som alla tycktes ha gått i strejk och nu ockuperade de hus och demonstrerade och välte bilar och gapade och svor och kastade saker på varandra. Kravallstaket restes på både längden och tvären längs gatan där Allan nu gick och hukade sig.

Det hela påminde om det Bali han just lämnat. Bara lite svalare i luften. Allan avbröt sin promenad, vände om och gick tillbaka till ambassaden.

Där möttes han strax av en upprörd ambassadör. De hade just ringt från Élyséepalatset och sagt att den två minuter långa ackrediteringsceremonin hade ersatts av en längre lunch, att fru ambassadören därmed var varmt välkommen att ta med även sin make och naturligtvis egen tolk, att president de Gaulle å sin sida avsåg att invitera också inrikesminister Fouchet samt – inte minst – att den amerikanske presidenten Lyndon B Johnson också skulle närvara.

Amanda var förtvivlad. Två minuter i presidentens sällskap skulle hon möjligen ha klarat utan att för den skull riskera omedelbar utvisning, men tre timmar och dessutom med ytterligare en president vid bordet.

– Vad är det som händer, Allan? Hur kan det ha blivit så här? Vad ska vi göra? sa Amanda.

Men utvecklingen från ett handslag på någon minut till långlunch med dubbla presidenter var obegriplig även för Allan. Och att försöka begripa sig på det obegripliga låg inte i hans natur.

– Vad vi ska göra? Jag tycker vi letar rätt på Herbert och

så tar vi oss något att dricka tillsammans. Det är ju redan eftermiddag.

* * *

En ackrediteringsceremoni mellan president de Gaulle å ena sidan och en ambassadör från en avlägsen och oviktig nation å den andra, varade för det mesta i sextio sekunder, men kunde tillåtas ta det dubbla om diplomaten ifråga var pratsjuk.

Att det i fallet med den indonesiska ambassadören i all hast blivit något helt annat hade storpolitiska orsaker som Allan Karlsson aldrig kunnat räkna ut ens om han brytt sig om att försöka.

Saken var den att president Lyndon B Johnson satt på den amerikanska ambassaden i Paris och längtade efter en politisk framgång. Protesterna världen över mot kriget i Vietnam var uppe i orkanstyrka och symbolen för detsamma, president Johnson, var inte populär snart sagt någonstans. Johnson hade för länge sedan gett upp planerna på att försöka bli omvald i november, men han hade inget emot ett något vackrare eftermäle än "mördare" och annat otrevligt som nu skanderades överallt. Därför hade han först gjort paus i bombandet av Hanoi och på det faktiskt fått en fredskonferens till stånd. Att det sedan råkade vara halvt krig på gatorna i den stad där konferensen kom att hållas, det tyckte president Johnson var nästan komiskt. Där hade allt *den där de Gaulle* att bita i.

President Johnson tyckte att de Gaulle var en skitstövel som tydligen helt förträngt vilka det var som kavlade upp ärmarna och räddade hans land från tysken. Men det politiska spelet fungerar nu en gång för alla som så att en fransk och en amerikansk president inte kan tillåtas att samtidigt vistas i samma huvudstad utan att åtminstone äta lunch tillsammans.

Sålunda var en sådan inbokad och skulle strax också

behöva genomlidas. Dessbättre hade fransmännen tydligen klantat till det (Johnson var inte förvånad) och råkat dubbel-boka sin president. Därför skulle visst den indonesiska ambassadens nya diplomat – en kvinna, förresten! – också vara med vid bordet. Det tyckte president Johnson var utmärkt, för då skulle han kunna konversera henne i stället för *den där de Gaulle*.

Fast någon dubbelbokning handlade det inte om. I stället hade president de Gaulle personligen och i sista stund fått den lysande idén att *låtsas* att så var fallet. På så sätt skulle lunchen kunna bli uthärdlig, han skulle kunna konversera den indonesiska ambassadören – en kvinna, förresten! – i stället för *den där Johnson*.

President de Gaulle tyckte inte om Johnson, men det var mer av historiska skäl än personliga. USA hade vid krigets slut försökt ställa Frankrike under amerikansk militärför-valtning – de hade tänkt stjäla hans land! Hur skulle de Gaulle kunna förlåta det, oavsett om den aktuella presiden-ten vid tillfället inte var inblandad? Den aktuella presiden-ten, förresten... Johnson... han hette *Johnson*. Amerika-nerna hade helt enkelt ingen stil.

Tyckte Charles André Joseph Marie de Gaulle.

* * *

Amanda och Herbert höll överläggningar och var strax över-ens om att det var bäst att Herbert stannade kvar hemma på ambassaden under mötet med presidenterna i Élyséepalatset. Därmed, tyckte de båda, hade risken att det skulle gå åt sko-gen med allting ganska exakt halverats. Trodde inte Allan det också?

Allan var tyst en stund, övervägde olika svarsalternativ, innan han till sist sa:

– Stanna hemma du, Herbert.

* * *

Lunchgästerna var samlade och väntade på värden som i sin
tur satt på sitt kontor och väntade för väntandets skull. Det
tänkte han fortsätta med i ytterligare några minuter, i för-
hoppningen att det skulle få *den där Johnson* på lagom
dåligt humör.

Långt borta kunde de Gaulle höra bråket och demonstratio-
nerna som härjade i hans älskade Paris. Den femte franska repu-
bliken hade börjat gunga, plötsligt och från ingenstans. Först
var det några studenter som visst var *för* fri sex och *mot* Viet-
namkriget och för den skull vädrade sitt missnöje med sakernas
ordning. Så långt var allt som det skulle enligt presidenten, för
studenter hade ju i alla tider hittat saker att klaga på.

Men demonstrationerna blev fler och större och våldsam-
mare och så höjde fackföreningarna rösten och hotade med
att ta ut tio miljoner arbetare i strejk. *Tio miljoner!* Hela lan-
det skulle ju stanna!

Det arbetarna ville var att få jobba mindre för högre lön.
Och att de Gaulle avgick. Tre fel av tre möjliga, enligt presi-
denten som utkämpat och vunnit värre strider än så. Centra-
la rådgivare på inrikesdepartementet låg med örat mot rälsen
och rådde presidenten att sätta hårt mot hårt. Det här hand-
lade bestämt *inte* om någonting större, till exempel ett från
Sovjet orkestrerat kommunistiskt försök att ta över landet.
Men det skulle säkert *den där Johnson* spekulera i till kaffet,
om han bara fick chans därtill. Amerikanerna såg ju kom-
munister i varenda buske. För säkerhets skull hade de Gaul-
le tagit med inrikesminister Fouchet och dennes särskilt sak-
kunnige tjänsteman. Det var de båda som tillsammans
ansvarade för hanteringen av det rådande kaoset i nationen
och då kunde de ju också få svara för sig om *den där John-
son* skulle börja bli näsvis.

– Nä, fy fan, sa president Charles de Gaulle och reste sig
ur stolen.

Nu gick det inte att skjuta upp lunchen längre.

Den franske presidentens säkerhetspersonal hade varit extra omsorgsfull vid kontrollen av den indonesiska ambassadörens skäggige och långhårige tolk. Men han hade sina papper i ordning och var bevisligen obeväpnad. Dessutom gick ju ambassadören – en kvinna, förresten! – i god för honom. Därmed fick även den skäggige plats vid lunchbordet, omgiven av en betydligt yngre och prydligare amerikansk tolk på ena sidan och en fransk kopia av denne på andra.

Den av tolkarna som hade mest att göra var den skäggige indonesen. Presidenterna Johnson och de Gaulle riktade båda sina frågor till fru ambassadören i stället för till varandra.

President de Gaulle inledde med att höra sig för om fru ambassadörens yrkesmässiga bakgrund. Amanda Einstein svarade och berättade att hon egentligen var dum i huvudet, att hon mutat sig till guvernörsposten på Bali och sedan mutat sig kvar i två ytterligare val, att hon skodde både sig själv och familjen gott på det i många år innan nye presidenten Suharto helt överraskande ringde och erbjöd ambassadörstjänsten i Paris.

– Jag visste inte ens var Paris låg någonstans och jag trodde det var ett land, inte en stad. Har ni hört något så tokigt, sa Amanda Einstein och skrattade.

Hon hade sagt allt på sitt modersmål och den långhårige och skäggige tolken översatte till engelska. Samtidigt passade Allan på att byta ut nästan allt det Amanda Einstein sagt mot sådant han tyckte passade bättre att säga.

När lunchen led mot sitt slut var faktiskt de båda presidenterna överens om en sak även om de inte visste om det. Båda tyckte nämligen att fru ambassadören Einstein var underhållande, upplyst, intressant och klok. Hon kunde möjligen ha visat bättre omdöme när det gällde val av tolk för han såg ju mer vild än tam ut.

Inrikesminister Fouchets särskilt sakkunnige tjänsteman, Claude Pennant, föddes 1928 i Strasbourg. Hans föräldrar var övertygade och brinnande kommunister, som begav sig till Spanien för att strida mot fascisterna när kriget bröt ut 1936. Med sig hade de sin åttaårige son, Claude.

Hela familjen överlevde kriget och flydde på komplicerade vägar till Sovjet. I Moskva anmälde de sig att tjäna den internationella kommunismen. Och de presenterade sonen Claude, nu elva år, och meddelade att han redan talade tre språk: tyska och franska hemifrån Strasbourg och nu också spanska. Kunde det möjligen på sikt tjäna revolutionen?

Jo, det kunde det. Unge Claudes talang för språk kontrollerades nogsamt och därpå hans allmänna förstånd i en rad tester av intelligensen. Så sattes han i en kombinerad språk- och ideologiskola och innan han var femton år gammal talade han flytande franska, tyska, ryska, spanska, engelska och kinesiska.

Vid arton års ålder, strax efter andra världskrigets slut, hörde Claude sin mor och far uttrycka tvivel kring vart revolutionen under Stalin var på väg. Han rapporterade saken till sina överordnade och strax hade Michel och Monique Pennant både dömts och avrättats för ickerevolutionär verksamhet. I samband med det fick unge Claude sin första utmärkelse, en guldmedalj i egenskap av bästa elev för läsåret 1945–46.

Efter 1946 inleddes arbetet med att förbereda Claude för utlandstjänst. Avsikten var att placera honom i väst och låta honom arbeta sig in i maktens korridorer, som sovande agent i flera decennier om det skulle behövas. Claude var nu under marskalk Berijas skyddande hökvingar och han hölls noga borta från alla offentliga tillställningar där han till äventyrs kunde fastna på bild. Den enda tjänsteutövning unge Claude fick ägna sig åt var enstaka insatser som tolk, och detta uteslutande när marskalken själv var närvarande.

1949, vid tjugoett års ålder, återplacerades Claude Pennant i Frankrike, fast den här gången i Paris. Han fick till och med behålla sitt riktiga namn, även om hans livshistoria skrivits om. Via Sorbonneuniversitetet påbörjade han sin klättring.

Nitton år senare, i maj 1968, hade han tagit sig ända till den franske presidentens omedelbara närhet. Han var sedan ett par år inrikesminister Fouchets högra hand och som sådan tjänade han nu den internationella revolutionen mer än någonsin. Hans råd till inrikesministern – och i förlängningen presidenten – var att sätta hårt mot hårt i det pågående student- och arbetarupproret. För säkerhets skull såg han också till att de franska kommunisterna skickade falska signaler om att man inte stod bakom studenternas och arbetarnas krav. Den kommunistiska revolutionen i Frankrike låg högst någon månad bort, och *de Gaulle och Fouchet anade ingenting*.

* * *

Efter lunchen var det allmän bensträckning innan det skulle bli kaffe i salongen. Nu hade de båda presidenterna Johnson och de Gaulle inget annat val än att utbyta artighetsfraser med varandra. Det var just det de båda höll på med när den långhårige och skäggige tolken helt överraskande slöt upp vid presidenternas sida.

– Ursäkta att jag besvärar herrar presidenterna, men jag har ett ärende till herr president de Gaulle som jag tänker inte bör vänta alltför länge.

President de Gaulle var på vippen att kalla på vakt, för en fransk president beblandade sig sannerligen inte med vem som helst på det viset. Men den långhårige och skäggige hade ändå uttryckt sig väl, så han fick hållas.

– Nå, så framför då sitt ärende om han måste, här och nu,

och snabbt får det gå. Som han ser är jag upptagen med något annat än en *tolk*.

Jodå, Allan lovade att inte bli långrandig. Det var kort och gott bara det att Allan tyckte att presidenten borde veta att inrikesminister Fouchets särskilt sakkunnige var spion.

– Ursäkta, men *vad i helvete* är det du säger? sa president de Gaulle högt men inte så högt att den rökande Fouchet och hans lika rökande högra hand ute på terrassen kunde höra.

Allan fortsatte med att berätta att han ganska precis tjugo år tidigare haft det tvivelaktiga nöjet att dinera med herrarna Stalin och Berija, samt att inrikesministerns högra hand helt bestämt vid det tillfället varit Stalins tolk.

– Det var visserligen tjugo år sedan som sagt, men han är sig lik. Däremot såg jag själv annorlunda ut. Jag hade inget skatbo i ansiktet på den tiden och håret spretade inte åt alla håll. Jag känner kort sagt igen spionen, men spionen känner inte igen mig, för det gjorde jag knappt själv när jag i går tittade mig i spegeln.

President de Gaulle var alldeles röd i ansiktet när han ursäktade sig, för att omedelbart begära enskilt samtal med sin inrikesminister ("Nej, *enskilt* samtal, sa jag, *utan* din särskilt sakkunnige! Nu!").

Kvar på golvet blev president Johnson och den indonesiske tolken. Johnson såg mycket nöjd ut. Han bestämde sig för att trycka tolkens hand, som ett indirekt tack för att denne fått den franske presidenten att tappa sin överlägsna mask.

– Trevligt att träffas, sa president Johnson. Hur var ert namn?

– Jag heter Allan Karlsson, sa Allan. Jag kände en gång i tiden er företrädares företrädares företrädare, president Truman.

– Där ser man! sa president Johnson. Harry är snart nittio men lever och mår bra. Vi är goda vänner.

– Hälsa från mig, sa Allan och ursäktade sig för att söka upp Amanda (han ville gärna berätta för henne vad det var hon sagt till presidenterna vid bordet).

Lunchen med de båda presidenterna fick ett hastigt slut och alla återvände till sitt. Men Allan och Amanda hann inte mycket mer än komma tillbaka till sin ambassad förrän självvaste presidenten Johnson ringde och inviterade Allan på middag på amerikanska ambassaden klockan åtta samma afton.

– Det går bra det, sa Allan. Jag hade ändå tänkt äta mig mätt i kväll, för säga vad man vill om den franska maten men den tar slut fort på tallriken, utan att man för den skull har fått i sig för mycket.

Det var en iakttagelse helt i president Johnsons smak, och han såg med gott humör fram emot kvällen.

Det fanns åtminstone tre goda skäl för president Johnson att bjuda in Allan Karlsson. För det första för att höra mer om den där spionen och om Karlssons möte med Berija och Stalin. För det andra hade just Harry Truman på telefon berättat för president Johnson vad Allan Karlsson gjort på Los Alamos 1945. Bara det var förstås värt en middag.

Och för det tredje var president Johnson personligen hemskt nöjd med utvecklingen i Élyséepalatset. Att han från så nära håll fått njuta av hur *den där de Gaulle* tappade hakan, det hade han Allan Karlsson att tacka för.

* * *

– Välkommen, herr Karlsson, hälsade president Johnson med ett dubbelfattat handslag. Låt mig presentera herr Ryan Hutton, han är... ja han är lite hemlig här på ambassaden om man så säger. *Juridisk rådgivare,* tror jag bestämt han kallas.

Allan hälsade på den hemlige rådgivaren och så gick trion till bords. President Johnson hade beordrat att det till maten skulle drickas öl och snaps, för franskt vin påminde honom om fransmän och detta skulle ju vara en glädjens kväll.

Till förrätten berättade Allan delar av sin historia, fram till middagen i Kreml, den som spårade ur. Det var ju där inrikesminister Fouchets blivande högra hand svimmat i stället för att översätta Allans sista förolämpning till den redan så upprörde Stalin.

President Johnson var inte längre lika road av det där med att Claude Pennant visat sig vara sovjetisk spion i den franske presidentens närhet, för han hade just informerats av Ryan Hutton om att sakkunnige monsieur Pennant i all hemlighet varit informatör också åt CIA. Faktum var att Pennant dittills varit CIA:s huvudkälla i synpunkten att det inte stod någon kommunistisk revolution för dörren i det annars så kommunistinfiltrerade Frankrike. Nu fick hela den analysen omprövas.

– Det där var förstås inofficiell och konfidentiell information, sa president Johnson, men jag räknar med att herr Karlsson kan bevara en hemlighet?

– Det ska han inte vara för säker på, sa Allan.

Och så berättade Allan att han under den där ubåtsresan i Östersjön hade druckit ikapp med en alldeles extraordinärt trevlig man, en av Sovjets främsta kärnfysiker dessutom, Julij Borisovitj Popov, och att det i hastigheten nog blivit lite för mycket prat om nukleära detaljer.

– *Berättade du för Stalin hur man bygger Bomben?* sa president Johnson. Jag trodde du hamnade i arbetsläger just därför att du vägrade?

– Inte för Stalin. Han hade ändå inte begripit. Men dagen innan med den där fysikern hann jag bli mer detaljerad än jag kanske borde. Det är sådant som händer när det blir lite för mycket med brännvinet, herr president. Och det var ju inte så gott för mig att veta hur illa ställt det var med Stalin, inte förrän dagen därpå.

President Johnson drog handen från pannan och upp genom håret och tänkte att avslöjandet om hur man byggde atombomber inte var sådant som bara hände oavsett hur

mycket alkohol som var inblandat. Allan Karlsson var ju...
han var ju... *förrädare?* Fast... han var inte amerikansk
medborgare så hur blev det då? President Johnson behövde
betänketid.

– Vad hände sedan? sa han i brist på annat att säga.

Allan tänkte att han kanske gjorde bäst i att inte spara på
för många detaljer när det nu ändå var en president som
hade frågat. Så han berättade om Vladivostok, om marskalk
Meretskov, om Kim Il Sung, om Kim Jong Il, om Stalins
lyckliga död, om Mao Tse Tung, om de *väldans massa dollar*
som Mao haft vänligheten att förse honom med, om det lug-
na livet på Bali, om det så småningom inte fullt lika lugna
livet på Bali och till sist om resan till Paris.

– Det var nog allt, sa Allan. Men det var värst vad jag blev
torr i halsen av allt berättande.

Presidenten beställde in nya öl till bordet, men tillade irri-
terat att den som i berusat tillstånd spred nukleära hemlig-
heter omkring sig skulle överväga att bli nykterist. Därefter
gick han igenom Karlssons orimliga historia med sig själv,
och så sa han:

– Hade du en femton år lång semester, finansierad av Mao
Tse Tung?

– Ja. Eller... nja. Egentligen var det Chiang Kai-sheks
pengar och han hade i sin tur fått dem av vår gemensamme
vän Harry Truman. Nu när ni, herr president, säger det bor-
de jag kanske ringa Harry och tacka.

President Johnson hade enorma problem med kunskapen
om att den skäggige och långhårige mannen mitt emot hade
bjudit Stalin på Bomben. Och att han levt loppan för ameri-
kanska biståndspengar. Till råga på allt kunde man nu svagt
höra hur demonstranter skanderade utanför ambassaden:
"U-S-A ut ur Vietnam! U-S-A ut ur Vietnam!" Johnson satt
tyst och såg eländig ut.

Under tiden tömde Allan det sista ur sitt glas medan han
studerade den bekymrade amerikanske presidentens ansikte.

– Kan jag hjälpa till med något? sa han.

– Hur sa? sa president Johnson som varit alldeles inne i sig själv.

– Kan jag hjälpa till med något? upprepade Allan. Presidenten ser bedrövad ut. Han kanske behöver hjälp?

President Johnson var på vippen att be Allan Karlsson vinna Vietnamkriget åt honom, men så återvände han till verkligheten och det han då såg framför sig var på nytt *mannen som gav Stalin Bomben*.

– Ja, du kan hjälpa till med något, sa president Johnson med trött röst. Du kan gå härifrån.

* * *

Allan tackade för maten och gick sin väg. Kvar blev president Johnson och CIA:s Europachef, den så hemlige Ryan Hutton.

Lyndon B Johnson var bedrövad över hur Allan Karlssons besök utvecklats. Först en så trevlig början... men så satt Karlsson där och erkände att han gett Bomben inte bara till USA, utan också till Stalin. Stalin! *Kommunisternas kommunist!*

– Hördu Hutton, sa president Johnson. Vad ska vi göra? Ska vi plocka in den där förbannade Karlsson igen och koka honom i olja?

– Ja, sa hemlige Hutton. Antingen det... eller så ser vi till att ha lite nytta av honom.

Hemlige Hutton var inte bara hemlig, han var också påläst på det mesta av politiskt strategisk betydelse ur ett CIA-perspektiv. Till exempel kände han mycket väl till existensen av den fysiker som Allan Karlsson under så glada former umgåtts med i ubåten mellan Sverige och Leningrad. *Julij Borisovitj Popov* hade från 1949 och framåt gjort karriär. Den första skjutsen uppåt kan han mycket väl ha fått tack vare de informationer Allan Karlsson levererat, det var rent av troligt att det var på det viset det låg till. Nu var Popov sextiotre år gammal och teknisk chef för Sovjetunionens samlade kärnvapenarsenal. Därmed satt han inne med kunskaper så värdefulla för USA att det nästan inte gick att värdera.

Om USA kunde få veta det Popov visste och med det få bekräftelse på att väst var överlägset öst när det gällde kärnvapen – då skulle president Johnson kunna ta initiativ till ömsesidig nedrustning. Och vägen till nämnda kunskap gick genom – Allan Karlsson.

– Du vill göra Karlsson till amerikansk agent? sa president Johnson medan han tänkte att lite nedrustning nog skulle kunna få fason på eftermälet, med eller utan det förbannade kriget i Vietnam.

– Just det, sa hemlige Hutton.

– Och varför skulle Karlsson gå med på det?

– Tja... därför att han... verkar vara den typen. Och så satt han ju här för en stund sedan och erbjöd presidenten sin hjälp.

– Ja, sa president Johnson. Det gjorde han ju faktiskt.

Så var presidenten tyst en stund igen och därpå en stund till. Sedan sa han:

– Jag tror jag behöver en grogg.

* * *

Den franska regeringens initialt hårda attityd mot det folkliga missnöjet ledde mycket riktigt till att landet stannade. Miljontals fransmän gick i strejk. Hamnen i Marseille slog igen, internationella flygplatser stängde, liksom järnvägsnätet och ett oändligt antal varuhus av olika slag.

Distributionen av drivmedel upphörde och renhållningen ställdes in. Det kom krav från alla håll. På högre löner, förstås. Och kortare arbetstid. Och säkrare anställningsformer. Och större inflytande.

Men i tillägg till det krävdes ett nytt utbildningsväsende.

Och ett nytt samhälle! Den femte republiken var hotad.

Hundratusentals fransmän demonstrerade och det gick inte alltid fredligt till. Bilar stacks i brand, träd fälldes, gator grävdes upp, barrikader byggdes... det var gendarmer, kravalltrupper, tårgas och sköldar...

Det var då den franske presidenten, premiärministern och hans regering gjorde helt om. Inrikesminister Fouchets särskilt sakkunnige hade inte längre något inflytande (han satt för övrigt i all hemlighet häktad i säkerhetstjänstens lokaler och hade rysligt svårt att förklara varför han haft en radiosändare installerad i sin badrumsvåg). De generalstrejkande arbetarna erbjöds plötsligt en kraftig höjning av minimilönen, en generell tioprocentig löneökning, två timmar kortare arbetsvecka, ökade familjebidrag, stärkt facklig makt, förhandlingar om omfattande kollektivavtal och indexlöner. Ett par av regeringens ministrar fick dessutom gå, bland dem inrikesminister Christian Fouchet.

Med raden av åtgärder neutraliserade regering och president de mest revolutionära tongångarna. Det fanns inget folkligt stöd för att ta saken längre än dit den redan var tagen. Arbetare återvände, ockupationer upphörde, affärer öppnade, transporter började på nytt fungera. Maj 1968 hade övergått i juni. Och den franska femte republiken bestod.

President Charles de Gaulle ringde personligen till den indonesiska ambassaden i Paris och sökte herr Allan Karlsson för att förläna densamme medalj. Men på ambassaden meddelade man att Allan Karlsson inte längre arbetade där och det fanns ingen, inklusive ambassadören själv, som kunde säga vart han tagit vägen.

KAPITEL 24

Torsdag 26 maj 2005

NU GÄLLDE DET för åklagare Ranelid att rädda det som räddas kunde av karriär och ära. Enligt tesen "bättre förekomma än förekommas" kallade han till presskonferens samma eftermiddag, för att meddela att han just hävt anhållandena av de tre männen och kvinnan i fallet med den försvunne hundraåringen.

Åklagare Ranelid var bra på mycket, men inte på att erkänna egna tillkortakommanden och misstag. Därför blev inledningen på den hastigt tillkallade presskonferensen som den blev. Åklagaren slingrade in sig i ett resonemang som gick ut på att Allan Karlsson och hans vänner visserligen inte längre var anhållna (de var förresten hittade samma förmiddag i Västergötland), men att de nog var skyldiga ändå, att åklagaren gjort rätt och att det enda nya var att bevisen ändrat karaktär så till den milda grad att anhållandena tills vidare inte längre var giltiga.

Mediernas representanter undrade då förstås på vilka sätt bevisen ändrat karaktär, och åklagare Ranelid redogjorde i detalj för den färska informationen från UD avseende Bylunds och Hulténs respektive öde i Djibouti och Riga. Och så rundade Ranelid av med någonting om att lagen ibland krävde att anhållanden tas tillbaka, hur stötande det i somliga fall än kunde kännas.

Åklagare Ranelid kände själv att det hela inte landat som det skulle. Och han fick genast bekräftelse på den saken då Dagens Nyheters representant kikade upp över sina läsglas-

ögon och rev av en monolog innehållande en rad för åklaga-
ren otäcka frågor:

– Har jag förstått det rätt att du trots de nya omständig-
heterna alltjämt anser att Allan Karlsson är skyldig till mord
eller dråp? Menar du i så fall att Allan Karlsson, hundra år
som sagt, skulle ha tvingat med sig trettiotvåårige Bengt
Bylund till Djibouti vid Afrikas horn och där sprängt Bylund
men inte sig själv i luften så sent som i går eftermiddag, och
sedan i all hast begett sig till Västergötland där han – enligt
vad du just berättat för oss – hittades nu på förmiddagen?
Bortsett från allt det andra, kan du i så fall redogöra för vil-
ket transportmedel Karlsson skulle ha använt sig av, med
tanke på att det mig veterligt inte går några direktflyg mellan
Djibouti och Västgötaslätten och med tanke på att Allan
Karlsson enligt uppgift saknar giltigt pass?

Åklagare Ranelid andades in djupt. Och så sa han att han
inledningsvis måtte ha blivit missförstådd. Det rådde *inga
som helst tvivel* om att Allan Karlsson, Julius Jonsson, Benny
Ljungberg och Gunilla Björklund var oskyldiga till det de
anklagats för.

– *Inga som helst tvivel*, som sagt, upprepade Ranelid som
i sista stund lyckats tala sig själv tillrätta och nu lade sig
platt.

Men de förbannade journalisterna nöjde sig inte med det.

– Du har tidigare i någorlunda detalj beskrivit kronologin
och geografin för de tre förmodade morden. Om de miss-
tänkta nu plötsligt är oskyldiga, hur ser då det nya händelse-
förloppet ut? undrade Eskilstuna-Kurirens reporter.

Ranelid hade blottat strupen, men nu fick det räcka. Dess-
utom skulle inte *lokaltidningens* representant tro att hon
kunde sitta där och mästra åklagare Conny Ranelid.

– Av utredningstekniska skäl kan jag för stunden inte säga
mer, nöp åklagare Ranelid av och reste på sig.

"Utredningstekniska skäl" hade mer än en gång räddat
mer än en åklagare ur mer än en knipa, men den här gången

gick det inte. Åklagaren hade ju i flera veckors tid *högljutt* återgett skälen till varför de fyra var skyldiga, och nu tyckte pressen att det vore på sin plats att han ägnade åtminstone någon minut till att förklara deras oskuld. Eller som besserwissern på Dagens Nyheter uttryckte det:

– Hur kan det vara utredningstekniskt hemligt att berätta vad ett antal oskyldiga människor haft för sig?

Åklagare Ranelid stod och balanserade på randen till ett stup. Nästan allt talade för att han skulle falla, nu med en gång eller om någon dag. Men han hade en fördel gentemot journalisterna. *Ranelid visste var Allan Karlsson och de andra befann sig.* Västergötland var ju stort. Nu fick allt bära eller brista. Och så sa åklagare Ranelid:

– Om ni någon gång kunde låta mig tala till punkt! Av utredningstekniska skäl kan jag *för stunden* inte säga mer. Men klockan femton noll-noll i morgon håller jag ny presskonferens här i lokalen och då avser jag att redogöra för det ni frågar efter.

– Exakt var i Västergötland befinner sig Allan Karlsson just nu? undrade Svenska Dagbladet-journalisten.

– Det säger jag inte, sa åklagare Ranelid och lämnade lokalen.

* * *

Hur kunde det bli så här med allt? Åklagare Ranelid satt inlåst på sitt rum och rökte en cigarrett för första gången på sju år. Han skulle ju ha gått till den svenska kriminalhistorien som den förste att fälla gärningsmän för flera offer vars kroppar inte kunnat påträffas. Och så *påträffades* kropparna mitt i alltihop. På helt fel ställen! Dessutom levde offer nummer tre, han som varit dödast av allihop. Tänk så mycket skada trean åsamkat Ranelid.

– Egentligen skulle man slå ihjäl den fan som straff, muttrade åklagaren för sig själv.

Fast nu gällde det ju att rädda ära och karriär, och för den saken var nog inte mord bästa lösningen. Åklagaren rekapitulerade den katastrofala presskonferensen. Han hade alltså till sist varit mycket tydlig med att Karlsson och hans hantlangare var oskyldiga. Och allt bara för att han... faktiskt inte visste. Vad i hela friden var det som hade hänt? Bulten Bylund *måste* ju ha dött på den där dressinen. Så hur i helvete kunde han dö igen några veckor senare en hel kontinent därifrån?

Åklagare Ranelid förbannade sig själv för att han varit så snabb med att möta pressen. Han skulle ha plockat in Allan Karlsson och hantlangarna först, fått allt utrett – och därefter tagit ställning till vad medierna behövde veta och vad de kunde klara sig utan.

Att i nuläget – efter de kategoriska uttalandena om Karlssons och hantlangarnas oskuld – plocka in dem för att höra dem "upplysningsvis" skulle kunna uppfattas som rena trakasserierna. Likväl hade Ranelid inte mycket att välja på. *Han måste få veta...* och han måste få veta i god tid före klockan femton nästa dag. Annars skulle han inte vara åklagare längre i kollegornas ögon, utan clown.

* * *

Kommissarie Aronsson var på ett strålande humör där han satt i hammocken på Klockaregård och drack kaffe med dopp. Jakten på den försvunne hundraåringen var över, dessutom var den sympatiske gamle mannen inte ens anhållen längre. Varför gubben klättrat ut genom sitt fönster en knapp månad tidigare och vad som sedan hände i hans spår, det återstod förstås att reda ut om det nu spelade någon roll. Det kunde hur som helst inte vara mer bråttom med den saken än att det först hanns med lite småprat?

Den ihjälkörde och återuppståndne Per-Gunnar Chefen Gerdin visade sig också vara helt reko som person. Han hade

genast föreslagit att de skulle lägga bort titlarna och att han
själv i så fall föredrogs att bli kallad Gäddan.

– Helt okej för mig, Gäddan, sa kommissarie Aronsson.
Själv heter jag Göran.

– Gäddan & Göran, sa Allan. Sitter bra i munnen, ni kan-
ske skulle göra affärer ihop?

Gäddan sa att han inte var säker på att han hade den rät-
ta respekten för källskatter och sådant för att ha firma ihop
med en kommissarie, men att han ändå tackade Allan för
tipset.

Stämningen hade alltså genast blivit god. Och den blev
inte sämre när Benny och Den sköna anslöt, och därpå Julius
och Bosse.

Det pratades om allt möjligt på verandan, utom just hur
saker och ting från den senaste månaden hängde ihop med
varandra. Allan gjorde succé när han plötsligt ledde fram en
elefant runt hörnet och tillsammans med Sonja höll en
stunds dansföreställning. Julius blev bara nöjdare och nöj-
dare med att inte längre vara anhållen och satte igång att
klippa av sig det skägg han blivit så illa tvungen att odla för
att våga visa sig i Falköping.

– Tänk, jag har varit skyldig i hela mitt liv och så är jag
plötsligt oskyldig! sa Julius. Sannerligen en härlig känsla!

Det tyckte å sin sida Bosse var skäl nog att gå och hämta
en flaska äkta ungersk champagne för vänner och kommis-
sarie att skåla i. Kommissarien protesterade lamt och sa att
han hade bilen stående på gården. Rum var bokat på stads-
hotellet i Falköping, men som kommissarie och allt kunde
han ju inte gärna vara på lyset när han tog sig dit.

Men då ryckte Benny in och sa att nykterister i allmänhet
– enligt Allan – visserligen var ett hot mot världsfreden, men
att de var bra att ha när man behövde skjuts.

– Ta sig ett glas champagne nu, kommissarien, så ska jag
se till att han i sinom tid kommer till hotellet som han ska.

Någon längre övertalning än så behövde inte kommissarien. Han led sedan länge av kraftigt underskott när det gällde socialt umgänge och när han nu äntligen hamnat i trevligt sällskap kunde han ju inte sitta och tjura.

– Tja, en liten skål då för allas er oskuld, det kan väl polismakten ställa upp på, sa han. Eller till och med två om det skulle krävas, ni är ju rätt många...

Så gick det ett par timmar av allmän munterhet innan det på nytt ringde i kommissarie Aronssons telefon. Det var återigen åklagare Ranelid. Han berättade för Aronsson att han på grund av olyckliga omständigheter inför pressen just hade oskyldigförklarat de tre männen och kvinnan på ett närmast oåterkalleligt sätt. Dessutom att han inom mindre än ett dygn måste veta vad som de facto hänt mellan innevarande dag och dagen då gubbstrutten Karlsson klättrade ut genom sitt fönster, för den berättelsen förväntade sig pressen dagen därpå, klockan femton.

– Du sitter med andra ord rätt rejält fast i skiten, sa den småberusade kommissarien.

– Du måste hjälpa mig, Göran! vädjade åklagare Ranelid.

– Med vadå? Att omplacera lik rent geografiskt? Eller att ha ihjäl folk som haft den dåliga smaken att inte vara lika döda som du skulle ha önskat?

Åklagare Ranelid erkände att han faktiskt redan tänkt på det där sista, men att det nog inte vore en framkomlig väg. Nej, det han hoppades på var att Göran kunde prata försiktigt med Allan Karlsson och hans... medhjälpare... om att Ranelid själv kanske kunde vara välkommen ner förmiddagen därpå för ett litet – helt informellt! – samtal om ditt och datt... det vill säga att det bringades klarhet i vad som på sistone hänt i Sörmlands- och Smålandsskogarna. På köpet lovade åklagare Ranelid att han skulle be de fyra oskyldiga om ursäkt å Sörmlandspolisens vägnar.

– Sörmlandspolisens? sa kommissarie Aronsson.

– Ja... eller... å *mina* vägnar snarare, sa åklagare Ranelid.

– Sådärja. Luta dig tillbaka ett ögonblick, Conny, så ska jag kolla åt dig. Jag ringer tillbaka om några minuter.

Kommissarie Aronsson lade på och inledde med den glada nyheten att åklagare Ranelid just hållit presskonferens där han *betonat* hur oskyldiga Allan Karlsson och hans vänner var. Och så framlade han åklagarens önskan om att vara välkommen på ett klargörande samtal kommande förmiddag.

Den sköna reagerade med en animerad utläggning på temat att det väl knappast kunde leda till något gott att sitta ner och detaljbeskriva de senaste veckornas utveckling för självaste åklagaren. Julius höll med. Var man oskyldigförklarad så var man.

– Och jag har ju ingen vana av den saken. Därför vore det hemskt synd om min oskuld skulle vara över på mindre än ett dygn.

Men Allan sa att han önskade att vännerna kunde sluta oroa sig för minsta lilla. Tidningar och tv skulle säkert inte lämna gruppen i fred förrän de fått sin berättelse. Bättre då att dra den för en ensam åklagare, än att ha journalister i trädgården i flera veckor framåt.

– Dessutom har vi ju hela kvällen på oss att hitta på vad vi ska säga, sa Allan.

Det där sista hade kommissarie Aronsson inte velat höra. Han ställde sig upp för att markera sin egen närvaro och för att hindra andra från att säga mer av sådant som Aronssons öron klarade sig utan. Och så sa han att han gärna bröt upp för dagen om gruppen tyckte att det var i sin ordning? Om Benny ville ha vänligheten att köra honom till hotellet i Falköping vore Aronsson tacksam. På vägen avsåg Aronsson att ringa åklagare Ranelid och hälsa att han var välkommen vid pass tiotiden dagen därpå, om det nu var gruppens mening? Aronsson avsåg i så fall att själv dyka upp i taxi, om inte annat för att hämta sin egen bil. Kunde man förresten tänka sig ett halvt glas till av den där utsökta bulgariska champagnen innan man gav sig av? Jaså, den var ungersk? Det kunde nästan kvitta, faktiskt.

Kommissarie Aronsson serverades ännu ett glas, upp till kanten, vilket han i all hast svepte innan han gnuggade sig om näsan och slog sig ner i passagerarsätet i sin egen bil, redan framkörd av Benny. Och så deklamerade han genom den nervevade rutan:

Ack om vi hade go' vänner,
en så ungerskt vin för vår strupa...

– Carl Michael Bellman, nickade nästan-litteraturvetaren Benny.

– Johannes 8:7, glöm inte det i morgon bitti, kommissarien, ropade Bosse tillbaka i en helt plötslig ingivelse. *Johannes 8:7!*

KAPITEL 25

Fredag 27 maj 2005

STRÄCKAN ESKILSTUNA–FALKÖPING är inget man
avverkar på en kvart. Åklagare Conny Ranelid hade varit
tvungen att stiga upp i gryningen (efter att ha sovit dåligt
hela natten, dessutom) för att hinna till Klockaregård klock-
an tio. Mötet fick dessutom inte ta mer än högst en timme,
annars skulle schemat spricka. Presskonferensen började ju
klockan tre.

Conny Ranelid var nästan gråtfärdig där han satt bakom
ratten på E20 utanför Örebro. *Rättvisans stora seger*, det var
så hans bok skulle ha hetat. Bah! Om den minsta rättvisa
rådde skulle blixten i detta nu slå ner i den där förbannade
gården och alla där skulle brinna inne. Sedan kunde åklaga-
re Ranelid hitta på vad han ville inför journalisterna.

Kommissarie Aronsson hade fått välbehövlig sovmorgon på
stadshotellet i Falköping. Han vaknade vid niotiden, med
viss ruelse över händelserna dagen innan. Han hade suttit
och skålat i champagne med de potentiella delinkventerna,
och han hade klart och tydligt hört Allan Karlsson säga att
de skulle *hitta på* en berättelse för åklagare Ranelid. Var
Aronsson på väg att bli medbrottsling? Till vad i så fall?

När kommissarien kommit till sitt hotell kvällen innan
slog han – i enlighet med Bosse Ljungbergs rekommendation
– upp Johannes 8:7 i den bibel Gideoniterna så förtjänstfullt
placerat i en av rummets byrålådor. På det hade följt ett par
timmars bibelläsning i ett hörn av hotellbaren, i sällskap

med ett glas gin & tonic följt av ett glas gin & tonic följt av ett glas gin & tonic.

Kapitlet ifråga handlade om kvinnan som begått äktenskapsbrott och som fariséerna dragit inför Jesus för att ställa densamme inför ett dilemma. Om kvinnan enligt Jesus *inte* skulle stenas till döds för sitt brott, då gick Jesus emot själaste Moses (3:e Mosebok). Om Jesus å andra sidan ställde sig på Moses sida i saken, då tog han strid med romarna som hade ensamrätt på dödsstraff. Skulle Jesus bråka med Moses eller med romarna? Fariséerna trodde de hade Mästaren i ett hörn. Men Jesus var Jesus och efter viss betänketid sa han:

– Den av er som är fri från synd skall kasta första stenen på henne.

Jesus hade därmed undvikit att polemisera med Moses *och* med romarna, eller för den delen med fariséerna framför sig. Likväl var saken avgjord. Fariséerna pep iväg, den ene efter den andre (män i allmänhet är ju inte ett dugg fria från synd). Till slut var det bara Jesus och kvinnan kvar.

– Kvinna, vart tog de vägen? Var det ingen som dömde dig? sa Jesus.

Hon svarade:

– Nej, Herre.

Och så sa Jesus:

– Inte heller jag dömer dig. Gå nu, och synda inte mer.

Kommissarien hade sitt polismannamässiga luktsinne i behåll och han kände att det låg hundar begravda både här och där. Men Karlsson och Jonsson och Ljungberg och Ljungberg och Björklund och Gerdin var ju sedan dagen innan oskyldigförklarade av sprätthöken Ranelid, och vem var då förresten Aronsson att kalla dem delinkventer? Dessutom handlade det om en sannerligen sympatisk blandning människor och – som Jesus så riktigt påpekat – vem var i stånd att kasta första stenen? Aronsson tänkte tillbaka på några mörkare ögonblick i livet för egen del, men framför

allt satt han och retade upp sig på åklagare Ranelid som
önskat livet ur den genomtrevlige Gäddan Gerdin, bara för
att det skulle tjäna åklagarens syften.

– Nä fan, det här får du reda ut själv, Ranelid, sa kommis-
sarie Göran Aronsson och tog hissen ner till hotellets
frukostmatsal.

Flingor, rostat bröd och ägg sköljdes ner med såväl
Dagens Nyheter som Svenska Dagbladet, och i båda tidning-
arna gav man försiktiga uttryck för *åklagarfiasko* i fallet
med den försvunne och så småningom både mordmisstänkte
och friade hundraåringen. Dock fick tidningarna erkänna att
de visste för lite i sak. Hundraåringen själv gick inte att hit-
ta, och åklagaren ville inte berätta mer förrän på fredags-
eftermiddagen.

– Som sagt, sa Aronsson. Red ut det här du, Ranelid.

Så beställde kommissarien taxi till Klockaregård, dit han
anlände klockan 09.51, exakt tre minuter före åklagaren.

Det förelåg ingen meteorologisk risk för det av åklagare
Ranelid så innerligt önskade blixtnedslaget över Klockare-
gård. Men mulet var det, och kyligt. Därför hade gårdens
invånare riggat för möte inne i det rymliga köket.

Kvällen innan hade gruppen pratat ihop sig om en alter-
nativ berättelse att trycka i åklagare Ranelid, och för säker-
hets skull hade man repeterat historien till frukost. Nu skul-
le allas roller vara klara inför förmiddagens skådespel, med
reservation för att sanningen ju alltid är mycket enklare att
komma ihåg än, som i det här fallet, dess motsats. För den
som ljuger illa kan det lätt gå illa, så nu gällde det för med-
lemmarna i gruppen att hålla tungan rätt i mun. Plus att alla
metoder att distrahera åklagare Ranelid var mer än tillåtna.

– *Ja, fy fan för i helvete å jävlars satan*, sammanfattade
Den sköna den allmänna anspänningen innan kommissarie
Aronsson och åklagare Ranelid släpptes in i köket.

Mötet med åklagare Conny Ranelid blev muntrare för somliga än för andra. Så här förflöt det:

– Ja, jag vill börja med att tacka för att ni tagit emot mig, det uppskattar jag verkligen, sa åklagare Ranelid. Och så ska jag be om ursäkt å... åklagarväsendets vägnar för att flera av er var anhållna i er frånvaro helt utan grund. Med detta sagt vill jag väldigt gärna veta vad som hände, från det att ni herr Karlsson klev ut genom ert fönster på äldrehemmet och fram till nu. Skulle ni vilja börja, herr Karlsson?

Det hade Allan inget emot. Han tyckte att det som väntade skulle kunna bli kul. Han öppnade munnen och sa:

– Det kan jag absolut göra herr åklagaren, även om jag är gammal och skröplig och det är ju som det är med minnet. Men jag kommer i alla fall ihåg att jag klev ut genom det där fönstret, det gör jag. Och det hade allt sina randiga skäl och rutiga orsaker, det hade det. Åklagaren förstår att jag var på väg till min gode vän Julius Jonsson här, och till honom kommer man inte gärna om man inte har med sig en flaska brännvin och just en sådan hade jag i ett obevakat ögonblick varit iväg och handlat på Systembolaget. Ja, nu för tiden behöver man i och för sig inte ta sig ända till systemet, det kan räcka med att ringa på hos... ja jag ska väl inte säga hans namn till herr åklagaren för det är väl ändå inte därför herr åklagaren är här, men han bor centralt och han säljer privatimporterat brännvin för mindre än halva priset. Nå i alla fall, den här gången var Eklund inte hemma – hoppsan nu sa jag hans namn i alla fall – och jag hade inget annat val än att handla det jag skulle på systemet. Sedan lyckades jag få in flaskan på rummet och då brukar det kunna ordna sig, men just den här gången skulle den ju ut igen, dessutom just när föreståndarinnan var i tjänst och hon har ögon i nacken och överallt, det ska herr åklagaren veta. Syster Alice heter hon och henne lurar man inte i första taget. Därför tänkte jag att fönstervägen till Julius var att föredra just den här gången. Jag fyllde förresten hundra år den dagen och säg den som vill få födelsedagssupen beslagtagen när man fyller hundra?

Åklagaren tänkte att det här riskerade att ta tid. Gubb-strutten Karlsson hade redan babblat på en god stund utan att just någonting hunnit bli sagt. Och om mindre än en tim-me behövde Ranelid vara på väg tillbaka till Eskilstuna.

– Jag tackar, herr Karlsson, för den intressanta inblicken i era vedermödor avseende att få er en sup på er bemärkelse-dag, men jag hoppas ni ursäktar om jag ber er berätta lite mer stringent, vi har ont om tid, det kanske herr Karlsson förstår? Hur var det nu med resväskan och mötet med Bul-ten Bylund på Malmköpings resecentrum?

– Ja, hur var det med den? Det var ju Per-Gunnar som ringde Julius som ringde mig... Enligt Julius önskade Per-Gunnar att jag skulle ta över ansvaret för de där biblarna och det kunde jag väl ställa upp på, för jag...

– Biblarna? avbröt åklagare Ranelid.

– Om åklagaren tillåter kanske jag kan bryta in och ge lite bakgrundsinformation? sa Benny.

– Hemskt gärna, sa åklagaren.

– Jo, det är som så att Allan är god vän med Julius på Byringe, som i sin tur är god vän med Per-Gunnar, han som åklagaren trodde var död, och Per-Gunnar är i sin tur god vän med mig, och jag är dels bror till min bror Bosse, han som är värd för den här trevliga sammankomsten, dels är jag fästman till Gunilla, det är den sköna damen där på kort-sidan, och Gunilla ägnar sig åt exegetik och har på sätt och vis beröringspunkter med Bosse som säljer biblar – till bland andra Per-Gunnar.

Åklagaren satt med papper och penna i handen, men allt hade gått för fort, inte ett ord var nertecknat. Det han först kom sig för med att säga var:

– Exegetik?

– Ja, bibeltolkning, förtydligade Den sköna.

Bibeltolkning? tänkte kommissarie Aronsson som satt tyst vid åklagarens sida. Var det ens möjligt att tolka Bibeln samtidigt som man svor så mycket som Aronsson hört Den sköna göra kvällen innan? Men han sa inget. Det här var ju en gång för alla åklagarens sak att reda ut.

– Bibeltolkning? sa åklagare Ranelid, men bestämde sig i samma sekund för att gå vidare. Strunt i det, säg i stället hur det var med resväskan och den där Bulten Bylund på resecentret i Malmköping.

Nu var det Per-Gunnar Gerdins tur att ge sig in i pågående föreställning.

– Tillåter åklagaren att jag säger något? undrade han.

– Absolut, svarade åklagare Ranelid. Så länge det som sägs belyser ärendet får hin håle själv yttra sig.

– Usch, så han pratar, sa Den sköna och himlade med ögonen (därmed var kommissarie Aronsson *helt* säker på att de satt där och drev med åklagaren).

– Hin håle är kanske inte en fullt adekvat beskrivning av min person allt sedan jag mötte Jesus, sa Per-Gunnar Gerdin. Åklagaren känner säkert till att jag lett en organisation vid namn Never Again. Organisationens namn syftade till en början på att dess medlemmar aldrig skulle hamna bakom lås och bom igen trots att legala skäl för den saken inte skulle saknas, men sedan en tid är innebörden en annan. *Aldrig mer* ska vi frestas att bryta mot lagen, inte den av människa skriven och absolut inte den himmelska!

– Var det därför Bulten slog sönder en väntsal, misshandlade en expeditör och därefter kidnappade en busschaufför med buss? undrade åklagare Ranelid.

– Nja, nu anar jag bestämt viss sarkasm i luften, sa Per-Gunnar Gerdin. Men bara för att jag har sett ljuset behöver inte mina medarbetare ha gjort det. En av dem har visserligen begett sig till Sydamerika för att missionera, men de två andra slutade det ju olyckligt för. Bulten hade fått i uppdrag av mig att hämta den där väskan med tvåhundra biblar längs Bosses väg från Uppsala hem till Falköping. Biblarna ska jag ha att sprida glädje med bland landets grövsta bus, om åklagaren ursäktar språket.

Så här långt hade Klockaregårds ägare, Bosse, suttit tyst. Men nu lyfte han upp en tung grå resväska på köksbordet och öppnade locket. Där i låg ett stort antal slimlinebiblar i äkta svart skinn, med guldsnitt, parallellhänvisningar, tredubbla märkband, persongalleri, bibelläsningsplan, kartor i färg och annat.

– En mäktigare bibelupplevelse är den här kommer åklagaren inte att få, sa Bosse Ljungberg med övertygelse i rösten. Tillåter han att jag skänker honom ett exemplar? Även inom åklagarväsendet göre man bäst i att söka ljuset, det ska åklagaren veta!

Bosse var den förste i gruppen som inför åklagaren inte pratade rent strunt, utan faktiskt menade vad han sa. Och det måtte åklagaren ha känt på sig, för nu började han vackla kring uppfattningen om att allt bibelprat bara var på låtsas. Han tog emot Bosses utsträckta bibel och tänkte att omedelbar frälsning kanske var det enda som kunde rädda honom nu. Men det sa han inte, i stället sa han:

– Kan vi en gång för alla återgå till ordningen? Hur var det med den förbannade resväskan i Malmköping?

– Inte svära! manade Den sköna.

– Det är kanske min tur igen nu då? undrade Allan. Jo, jag skickades då iväg till resecentret lite tidigare än jag från början tänkt, eftersom Julius bad mig om det å Per-Gunnars vägnar. Det sades att Bulten Bylund tidigare ringt till Per-Gunnar i Stockholm och varit – om herr åklagaren på nytt ursäktar språket – lite på lyset! Och det vet ju herr åklagaren, eller så vet han inte det för jag vet ju inte hur herr åklagaren har det med dryckesvanorna, jag vill ju inte sitta här och insinuera någonting, men i alla fall... Var var jag någonstans? Jo, det vet ju herr åklagaren att där brännvinet åker in åker vettet ut eller hur det nu är man säger. Jag har förresten själv i rusigt tillstånd suttit och pratat bredvid mun i en ubåt på tvåhundra meters djup mitt i Östersj...

– Kan han för Guds skull komma till saken, sa åklagare Ranelid.

– Inte häda! manade Den sköna.

Åklagare Ranelid lutade pannan mot ena handen medan han andades ut och in några gånger. Allan Karlsson fortsatte:

– Jo, Bulten Bylund hade ringt till Per-Gunnar i Stockholm och sluddrat och sagt att han sa upp sig från Per-Gunnars bibelklubb, att han i stället avsåg att bli främlingslegionär men att han dessförinnan – och nu är det tur att herr åklagaren sitter ner, för det jag nu ska säga är hemskt – att han dessförinnan tänkte *elda upp biblarna* på torget i Malmköping!

– Mer ordagrant ska han visst ha sagt "de satans jävla helvetes biblarna", förtydligade Den sköna.

– Inte undra på att jag skickades ut att leta rätt på herr Bulten och att ta väskan ifrån honom medan tid ännu var. Tiden är ju ofta knapp och ibland knappare än man ens kan ana. Som till exempel den där gången när general Franco i Spanien så när sprängdes i bitar framför mina ögon. Men hans medarbetare var rådiga till tusen, greppade sin general och rent av lyfte honom bort till säker mark. Där tänkte de inte för länge inte. De handlade direkt.

– Vad har general Franco i Spanien med den här historien att göra? undrade åklagare Ranelid.

– Inte just någonting, herr åklagaren, mer än att jag lät honom fungera som ett belysande exempel. Man kan aldrig vara nog tydlig.

– Så hur vore det om herr Karlsson ansträngde sig för att vara just det? Vad hände med väskan?

– Jo, herr Bulten ville ju inte lämna ifrån sig den och min fysik tillät inte riktigt att jag försökte greppa väskan med våld, inte bara fysiken förresten, jag tycker rent principiellt att det är förskräckligt med folk som...

– Håll sig till saken nu, Karlsson!

– Ja, förlåt herr åklagaren. Jo, när herr Bulten mitt i alltihop behövde besöka resecentrets bekvämlighetsinrättning, då passade jag på. Jag och väskan försvann från honom, i Strängnäsbussen på väg mot Byringe och gamle Julius här, eller Julle som vi ibland säger.

– Julle? sa åklagaren i brist på annat.

– Eller Julius, sa Julius. Angenämt.

Åklagaren satt åter tyst en stund. Nu hade han faktiskt börjat anteckna ett och annat och han tycktes dra streck och pilar över sitt papper, och så sa han:

– Men Karlsson betalade ju bussresan med en femtiolapp och undrade hur långt den skulle räcka. Hur hänger det ihop med att med vett och vilja vara på väg mot Byringe och ingen annanstans?

– Äsch, sa Allan. Jag vet väl vad det kostar att åka till Byringe. Jag råkade ha en femtiolapp i plånboken och så skojade jag till det lite. Det är väl ändå inte förbjudet, eller vad säger herr åklagaren?

Åklagare Ranelid brydde sig inte om att svara på huruvida det var förbjudet att skoja eller inte. I stället uppmanade han än en gång Allan att öka tempot i berättelsen.

– I korta drag: Vad hände sedan?

– I korta drag? I korta drag hände det att jag och Julius hade en trevlig kväll tillsammans, innan herr Bulten bultade på dörren, om herr åklagaren tillåter ordvitsen. Men eftersom vi hade brännvin på bordet, herr åklagaren kommer kanske ihåg från tidigare i min berättelse att jag hade just det, en flaska brännvin med mig, och ärligt talat så var det inte en flaska utan två, man ska ju inte fara med osanning ens kring mindre viktiga detaljer och vem är väl för övrigt jag att bedöma vad som är mer eller mindre viktigt i den här historien, det är ju herr åklag...

– Fortsätt!

– Ja, förlåt. Jo, herr Bulten var strax inte lika arg längre när det vankades både älgstek och sup. Under sena kvällens lopp bestämde han sig rent av för att låta bli att elda upp biblarna, som tack för ruset han blivit bjuden på. Alkoholen har allt sina positiva sidor också, tycker inte herr åkl...

– Fortsätt!

– På morgonen, förstår herr åklagaren, så var herr Bulten så där bakrusig att det var rent förskräckligt. Själv har jag inte varit det sedan våren –45 då jag gjorde mitt bästa för att dricka omkull vicepresident Truman med hjälp av tequila. Oturligt nog gick president Roosevelt och dog just i den vevan så vi fick avbryta kalaset i förtid, och det var kanske tur det för hoppsan och hejsan vad det kändes i huvudet dagen därpå. Jag mådde bara obetydligt bättre än Roosevelt, kan man säga.

Nu klippte åklagare Ranelid med ögonen medan han funderade över vad han skulle säga. Till slut tog nyfikenheten över. Åklagaren orkade förresten inte ens nia Allan Karlsson längre:

– Vad pratar du om? Har du suttit och druckit tequila med vicepresident Truman medan president Roosevelt gick och dog?

– Nja, *gick* och dog gjorde han ju inte direkt, Roosevelt, sa Allan. Men jag förstår vad herr åklagaren menar. Fast vi kanske inte ska fastna i detaljer, eller vad säger herr åklagaren?

Åklagaren sa ingenting, så Allan fortsatte:

– Herr Bulten var i alla fall inte i skick att hjälpa till att trampa på dressinen när det var dags för resa till Åkers Styckebruk morgonen därpå.

– Han hade ju inte ens skor på sig har jag förstått, sa åklagaren. Hur förklarar Karlsson det?

– Om herr åklagaren bara sett hur bakrusig herr Bulten var. Han kunde lika gärna ha suttit där i bara underbyxorna.

– Och Karlssons egna skor? Hans tofflor hittades ju senare i Julius Jonssons kök.

– Ja, skor det lånade jag av Julius förstås. Är man hundra år gammal, då är det lätt att bege sig av i bara tofflorna, det kommer herr åklagaren själv att få se om han bara väntar i fyrtio–femtio år.

– Så länge lever jag nog inte, sa åklagare Ranelid. Frågan är om jag överlever det här samtalet. Hur förklarar du att dressinen när den hittades kunde avge spår av lik?

– Ja säg det, herr åklagaren. Herr Bulten var ju sist att lämna dressinen så han hade kanske kunnat berätta om han nu inte själv dött så olyckligt där borta i Djibouti. Tror herr åklagaren att *jag* kan vara skyldig? Jag är ju inte död, det är jag ju inte, men jag är rysligt gammal… Kan liklukten liksom ha satt in i förtid?

Nu började åklagare Ranelid bli otålig. Tiden tickade på och än hade mindre än ett dygn av de tjugosex dagarna hunnit återges. Nittio procent av det som kom ur munnen på gubbstrutten Karlsson var ju rent trams.

– Fortsätt! sa åklagare Ranelid utan att vidare kommentera likluktfrågan.

– Ja, vi lämnade herr Bulten sovande på dressinen och tog oss en stärkande promenad till gatuköket som ju drevs av Per-Gunnars vän Benny.

– Har du också suttit inne? undrade åklagaren.

– Nej, men jag har studerat kriminologi, sa Benny sanningsenligt och ljög därefter ihop att han i samband med det hade intervjuat interner på Hall och på så sätt fått kontakt med Per-Gunnar.

Åklagare Ranelid tycktes göra en ny anteckning, varpå han entonigt beordrade Allan Karlsson:

– Fortsätt!

– Gärna. Benny skulle ju från början köra mig och Julius till Stockholm så vi kunde ge väskan med biblar till Per-Gunnar. Men nu sa Benny att han allra helst ville ta omvägen via Småland där han hade sin fästmö, och det är ju Gunilla här…

– Frid i stugan, sa Gunilla och nickade mot åklagare Ranelid.

Åklagare Ranelid nickade kort tillbaka mot Den sköna och vände sig mot Allan igen, som fortsatte:

– Benny var ju den som kände Per-Gunnar bäst och Benny sa att Per-Gunnar gott kunde vänta några dagar med biblarna, han menade att det ju ändå inte var direkt dagsfärska nyheter som stod i dem och det kan man ju ge honom rätt i. Fast man kan ju inte vänta i all evighet, för när Jesus väl har återvänt till jorden blir ju alla kapitlen om hans stundande återkomst obsolet...

– Yra nu inte iväg igen, Karlsson. Håll sig till saken!

– Absolut, herr åklagaren! Jag ska absolut hålla mig till saken, annars kan det gå illa. Det vet jag nog mer än någon annan, ska jag säga. Om jag inte hållit mig till saken när jag stod framför Mao Tse Tung i Manchuriet skulle jag med säkerhet ha blivit skjuten där och då.

– Det hade onekligen varit lugnast, sa åklagare Ranelid och gav tecken till Allan att skynda på.

– Jo, hur det nu var så trodde inte Benny att Jesus skulle hinna återvända just medan vi var i Småland, och mig veterligt fick väl Benny rätt i just den...

– Karlsson!

– Ja, visst ja. Jo, vi åkte alltså alla tre till Småland, ett kul litet äventyr tyckte Julius och jag, och det gjorde vi utan att först meddela oss med Per-Gunnar, och det var förstås ett misstag.

– Ja, det var det, fyllde Per-Gunnar Gerdin i. Nog kunde jag ha väntat på biblarna i några dagar, det var inte det. Men åklagaren måste förstå att jag trodde att Bulten hittat på något dumt med Julius, Allan och Benny. För Bulten hade ju aldrig tyckt om idén om att Never Again skulle börja sprida Evangeliet. Och sedan blev man ju inte lugnare av att läsa det som stod i tidningarna!

Åklagaren nickade och antecknade. Kanske började han få ihop något som liknade logik i alla fall? Så vände han sig till Benny:

– Men när du läste om en misstänkt kidnappad hundra-åring, om Never Again och om "stortjuven" Julius Jonsson – varför kontaktade du då inte polisen?

– Oh, tanken slog mig verkligen. Men när jag dryftade saken med Allan och Julius så blev det blankt nej. Julius svarade att han av princip inte talade med polisen, och Allan menade på att han var på rymmen från hemmet och absolut inte ville återbördas till syster Alice bara för att tidningar och tv fått ett och annat om bakfoten.

– Du talar av princip inte med polisen? sa åklagare Rane-lid till Julius Jonsson.

– Njae, så är det nog. Jag har haft lite otur i min relation med det polisiära genom åren. Fast under trevligare former, som tillsammans med kommissarie Aronsson i går och för den delen med åklagaren nu i dag, gör jag gärna undantag. Vill åklagaren ha påfyllning av kaffet?

Ja, för all del, det ville åklagaren. Han behövde all kraft och styrka som gick att uppbringa för att få rätsida på pågående möte och därefter presentera något för media klockan tre, något som antingen var sant eller åtminstone gick att tro på.

Men åklagaren ville inte släppa taget om Benny Ljung-berg.

– Och varför ringde du inte till din kompis Per-Gunnar Gerdin då? Du måste väl ha förstått att han läste om dig i tidningen?

– Jag tänkte att det kanske inte framgått än för polis och åklagare att Per-Gunnar mött Jesus och att hans telefonlinje i så fall var avlyssnad. Och i den saken får ju åklagaren hål-la med om att jag tänkte rätt?

Åklagaren hummade, antecknade och ångrade att han råkat släppa också den detaljen till journalisterna han skvall-rat för, men gjort var gjort. Och så gick han vidare. Och nu vände han sig till Per-Gunnar Gerdin.

– Herr Gerdin tycks ha fått tips om var Allan Karlsson och hans vänner befann sig. Varifrån kom det tipset?

– Oturligt nog så får vi aldrig veta det. Den informationen tog min kollega Hinken Hultén med sig i graven. Eller bilskroten snarare.

– Vad gick tipset ut på då?

– Att Allan, Benny och hans flickvän setts i småländska Rottne. Det var någon bekant till Hinken som ringde tror jag. Jag var mest intresserad av informationen som sådan. Jag visste att Bennys flickvän bodde i Småland och att hon var rödhårig. Så jag gav order till Hinken om att han skulle bege sig till det där samhället och ställa sig på vakt utanför Ica-butiken. För äta bör man ju...

– Och det gjorde Hinken gärna, i Jesu namn?

– Njae, där träffar åklagaren huvudet på spiken. Om Hinken kan man säga mycket, men religiös var han aldrig. Han var nog nästan ännu mer upprörd än Bulten över klubbens nya inriktning. Han pratade om att åka till Ryssland eller Baltikum och starta narkotikaverksamhet, har åklagaren hört något så hemskt? Det är förresten inte omöjligt att han hann börja, men det får åklagaren fråga honom om... Nej, det går ju inte...

Åklagaren tittade misstänksamt på Per-Gunnar Gerdin.

– Vi har en bandinspelning, precis som Benny Ljungberg nyss antydde. I den kallar du Gunilla Björklund för "kärring" och lite senare i samtalet svär du också. Vad tycker Herren om det?

– Oh, Herren är snabb att förlåta, det ska strax åklagaren se om han bara öppnar boken han just fått.

– *"Om ni förlåter någon hans synder så är de förlåtna"* säger Jesus, fyllde Bosse i.

– Johannesevangeliet? sa kommissarie Aronsson som tyckte sig känna igen citatet från timmarna i hörnan på hotellbaren kvällen innan.

– Läser *du* Bibeln? undrade åklagare Ranelid förvånat.

Kommissarie Aronsson svarade inte, men log fromt mot åklagare Ranelid. Per-Gunnar Gerdin fortsatte:

– Jag valde i det där samtalet att hålla en ton som Hinken kände igen från förr; jag tänkte att det kanske skulle få honom att lyda, förklarade Per-Gunnar Gerdin.

– Gjorde han det då? undrade åklagaren.

– Ja och nej. Jag ville inte att han skulle visa sig inför Allan, Julius, Benny och hans flickvän, för jag tänkte att hans burdusa sätt kanske inte riktigt skulle gå hem i gruppen.

– Och det kan man säga att det heller inte gjorde, fyllde Den sköna i.

– Hur så? undrade åklagare Ranelid.

– Jo, han drumlade in på min gård och snusade och svor och ville ha alkohol... Jag kan fördra mycket, men jag tål inte folk som måste ta till svordomar för att få något sagt.

Kommissarie Aronsson lyckades undvika att sätta sitt vetebröd i halsen. Den sköna hade ju så sent som kvällen innan suttit på verandan och svurit närmast oavbrutet. Aronsson kände mer och mer att han aldrig ville ta del av sanningen i den här soppan. Det var bra som det var. Den sköna fortsatte:

– Jag är ganska säker på att han var onykter redan när han kom och tänk, då kom han ändå i bil! Och så gick han och viftade med en pistol för att göra sig märkvärdig, skröt och sa att den skulle han ha till sina narkotikaaffärer i... Riga, tror jag det var. Men då röt jag ifrån, det ska jag säga åklagaren, jag röt och sa att "Inga vapen på mina ägor!" och så fick han lägga ifrån sig pistolen på verandan. Undrar om han inte rent av glömde den när han äntligen gav sig iväg. Vresigare och otrevligare människa har jag nog aldrig träffat...

– Kanske var det biblarna som fick honom att tappa humöret, funderade Allan. Religionen rör ju lätt upp känslor omkring sig. En gång när jag var i Teheran...

– Teheran? undslapp åklagaren sig.

– Ja, det var några år sedan, det var det allt. Det var ordning och reda där på den tiden, som Churchill sa till mig när vi flög därifrån.

– Churchill? sa åklagaren.

– Ja, premiärministern. Eller han var inte premiärminister just då men tidigare. Och senare, faktiskt.

– Jag vet väl *för fan* vem Winston Churchill var, jag bara... du och Churchill var i Teheran tillsammans?

– Inte svära, åklagaren! sa Den sköna.

– Njae, inte tillsammans direkt. Jag bodde där en tid med en missionär. Och han var specialist på att få folk i omgivningen att tappa humöret.

På tal om att tappa humöret så var det precis vad åklagare Ranelid var på väg att göra. Han hade just kommit på sig själv med att försöka få sakinformation ur en hundraårig gubbe som satt och hävdade att han träffat Franco, Truman, Mao Tse Tung och Churchill. Men åklagare Ranelids tappade humör var inget som bekymrade Allan. Tvärtom faktiskt. Så han pratade på:

– Unge herr Hinken var allt som ett mänskligt åskmoln hela tiden på Sjötorp. Han sken egentligen inte upp mer än en gång, och det var när han gav sig av. Då vevade han ner vindrutan och så skrek han: "Lettland, här kommer jag!" Vi valde att tolka det som att han var på väg till Lettland, men herr åklagaren är ju mycket mer erfaren i det polisiära än vad vi är, så han kanske gör en annan tolkning?

– Idiot, sa åklagaren.

– Idiot? sa Allan. Det har jag aldrig blivit kallad förr. *Hund* och *råtta* undslapp visst Stalin sig när han var som argast, men aldrig idiot.

– Då var det fanimej på tiden, sa åklagare Ranelid.

Men då reagerade Per-Gunnar Gerdin:

– Seså, nu ska inte åklagaren vara arg bara för att han inte får låsa in vem han vill hur som helst. Vill han höra fortsättningen på historien eller inte?

Jo, det ville väl åklagaren, som mumlade fram en ursäkt.

Eller ville och ville... han var ju så illa tvungen. Så han lät Per-Gunnar Gerdin fortsätta:

– Om Never Again är ju då att säga att Bulten begav sig till Afrika för att bli legionär, Hinken till Lettland för att starta narkotikahandel och Caracas åkte hem till... ja, hem. Kvar var lilla jag, alldeles ensam, fast med Jesus vid min sida förstås.

– Jo, morsning, mumlade åklagaren. Fortsätt!

– Jag begav mig till Gunilla på Sjötorp, Bennys flickvän, Hinken hade ju i alla fall ringt och meddelat adressen innan han lämnade landet. Lite hut i kroppen hade han allt.

– Hmm, kring det där har jag några frågor, sa åklagare Ranelid. Den första går till er, Gunilla Björklund. Varför gick ni och köpte er en buss dagarna innan ni gav er av – och varför gav ni er av?

Vännerna hade kvällen innan bestämt att hålla Sonja utanför det hela. Hon var ju precis som Allan på rymmen, men utan Allans medborgerliga rättigheter. Förmodligen ansågs hon inte ens vara svensk och i Sverige var man precis som i de flesta länder inte mycket värd om man var utlänning. Sonja skulle antingen visas ut ur landet eller dömas till livstids djurpark. Kanske rent av både och.

Men utan Sonja som förklaring var det återigen lögnen som fick tas till när det gällde orsaken till att vännerna plötsligt bestämt sig för att kuska runt i flyttbuss.

– Tja, visserligen är bussen skriven i mitt namn, sa Den sköna, men det var egentligen jag och Benny som köpte den tillsammans och vi köpte den till Bennys bror, Bosse.

– Och den ska han fylla med biblar? sa åklagare Ranelid som inte längre orkade hålla humör och stil uppe.

– Nej, men vattenmeloner, svarade Bosse. Vill åklagaren smaka världens sötaste vattenmelon?

– Nej, det vill jag inte, svarade åklagare Ranelid. Jag vill få klarhet i det som återstår, sedan vill jag åka hem och riva av en presskonferens och sedan vill jag ha semester. Det är vad jag vill. Och nu vill jag att vi går vidare. Varför i helv... hela friden lämnade ni Sjötorp med bussen precis innan Per-Gunnar Gerdin kom dit?

– De visste väl inte att jag var på väg heller, sa Per-Gunnar Gerdin. Har åklagaren svårt att hänga med?

– Ja, det har jag, sa åklagare Ranelid. *Einstein* skulle ha svårt att hänga med i den här rappakaljan.

– När han nu nämner Einstein..., sa Allan.

– Nej, herr Karlsson, sa åklagare Ranelid med bestämd röst. Jag vill inte höra sagan om vad Karlsson och Einstein gjort tillsammans. I stället vill jag att herr Gerdin svarar på var "ryssarna" kommer in i bilden.

– Hur sa? sa Per-Gunnar Gerdin.

– Ryssarna? Din framlidne kollega Hinken talar om *ryssarna* i ert avlyssnade telefonsamtal. Du klagar på att Hinken inte ringt till ditt kontantkort, och Hinken svarade att han trodde att det bara gällde när ni gjorde affärer med *ryssarna*.

– Det är inget jag vill tala om, sa Per-Gunnar Gerdin, framför allt därför att han inte visste vad han skulle säga.

– Men det vill jag, sa åklagare Ranelid.

En kort stunds tystnad uppstod runt bordet. Det där med att ryssarna hade nämnts i Gerdins telefonsamtal hade inte framkommit i några tidningsreportage, och själv hade inte Gerdin dragit sig det till minnes. Men då sa Benny:

– *Jesli tjelovek kurit, on plocho igrajet v futbol.*

Alla vände sig nu mot honom med uppspärrade ögon.

– Det är jag och min bror Bosse som avses med "ryssarna", förklarade Benny. Vår far – frid över hans minne – och vår farbror Frasse – frid också över hans minne – var lite vänsterinriktade av sig, om man säger så. Därför drillade de mig och brorsan i ryska under hela uppväxten och på så sätt blev vi "ryssarna" bland vänner och bekanta. Och det var i korthet det jag just förklarade, fast på ryska då.

Som så mycket annat denna förmiddag hade det Benny

just sagt inte mycket med sanningen att skaffa. I stället hade han bara försökt rädda Gäddan Gerdin ur situationen. Benny hade nästan en full examen i ryska (han lämnade aldrig in slutuppsatsen), men det var ett tag sedan och det enda Benny i all hast kommit på att säga var:

"Om man röker blir man dålig på att spela fotboll."

Men det fungerade ju. Av alla dem vid köksbordet på Klockaregård var det bara Allan som förstått vad Benny just sagt.

Nu började det bli för mycket för åklagare Ranelid. Först alla dessa dåraktiga referenser till personer i historien, och folk som började prata ryska... och allt tillsammans med redan obegripliga fakta som att Bulten hittats död i Djibouti och Hinken i Riga – nej det började inte bli för mycket, det *var* för mycket. Och då återstod ändå en omöjlig sak att reda ut.

– Kan ni avslutningsvis förklara för mig, herr Gerdin, hur det gick till när ni först blev rammad och ihjälkörd av era vänner, och hur ni därpå återuppstod från de döda och nu sitter här och... äter vattenmelon? Kan man få smaka den där melonen trots allt, förresten?

– Absolut, sa Bosse. Men receptet är hemligt! Eller som det heter: "Ska maten bli riktig god bör inte Livsmedelsverket titta på när den lagas."

Det var ett ordspråk varken kommissarie Aronsson eller åklagare Ranelid hört talas om. Men Aronsson hade en gång för alla bestämt sig för att tiga så mycket som möjligt, och Ranelid önskade nu inget hellre än att få slut på... vad det nu var han var med om... och att få åka därifrån. Så han bad inte om någon förklaring. I stället konstaterade han att vattenmelonen ifråga var den godaste han någonsin satt tänderna i.

Till åklagare Ranelids vattenmelontuggande förklarade Per-Gunnar Gerdin hur han kommit till Sjötorp just när bussen lämnade stället, hur han likväl svängt ner och sett sig omkring innan han förstått att bussen nog bestod av vännerna han sökte och hur han jagat ifatt dem, kört om, fått olycklig sladd – och... ja, bilder på bilvraket hade ju figurerat både här och där så det var väl ingen nyhet för åklagaren?

– Att han kom ifatt oss var ju inte så konstigt, tillade Allan som varit tyst en stund. Han hade ju över trehundra hästkrafter under huven. Annat var det när jag fick åka Volvo PV444 från Bromma till statsminister Erlander. Fyrtiofyra hästkrafter! Det var mycket på den tiden. Och hur många hästkrafter grosshandlare Gustavsson hade när han av misstag svängde in på min...

– Håll nu truten, snälla herr Karlsson, innan ni tar livet av mig, sa åklagare Ranelid.

Never Agains ordförande fortsatte sin berättelse. Visst hade han förlorat lite blod där i bilvraket, eller rätt mycket egentligen, men han plåstrades ju snabbt om, och han hade inte tyckt att det behövdes något sjukhus för så lite som ett köttsår, ett armbrott, en hjärnskakning och några knäckta revben.

– Dessutom har ju Benny läst litteraturvetenskap, sa Allan.

– Litteraturvetenskap? undrade åklagare Ranelid.

– Sa jag litteraturvetenskap? Läkarvetenskap, menar jag ju.

– Jag har för den delen läst litteraturvetenskap också, sa Benny. Min absoluta favorit är nog Camilo José Cela, inte minst debutromanen från 1947, *La familia de...*

– Börja inte som Karlsson nu, sa åklagaren. Återgå till berättelsen i stället.

Åklagaren hade i sin vädjan råkat titta på Allan, så Allan sa:

– Om herr åklagaren ursäktar var nog berättelsen klar nu. Men vill han absolut höra oss prata mer kan jag nog dra mig till minnes en och annan strapats från när jag var agent för CIA. Eller ännu hellre från när jag korsade Himalaya. Vill han förresten ha receptet på hur man gör brännvin av getmjölk? Det enda som behövs är en sockerbeta och lite solsken. Förutom getmjölken då, förstås.

Ibland händer det ju att munnen går medan hjärnan fortfarande står stilla, och det var möjligen det som drabbade åklagare Ranelid när han i strid med vad han just bestämt sig för råkade kommentera Allans senaste utsvävning:

– Korsade du Himalaya? Hundra år gammal?

– Nej, tok heller, sa Allan. Jag har, förstår herr åklagaren, inte varit hundra år hela livet. Det är tvärtom ganska nytt.

– Kan vi gå vid…

– Vi växer ju alla upp och blir äldre, fortsatte Allan. Det tror man kanske inte när man är barn… ta unge herr Kim Jong Il, till exempel. Den stackaren satt och grät i mitt knä, men nu är han statschef, med allt vad det innebär av…

– Kan vi inte lämna det där, Karlsson, och…

– Ja, förlåt. Herr åklagaren ville ju höra historien om när jag korsade Himalaya. Först hade jag inget annat sällskap än en kamel i flera månader, och säga vad man vill om kameler, men så himla roliga som säll …

– Nej! utbrast åklagare Ranelid. Det ville jag inte alls. Jag bara… Jag vet inte… Kan du inte bara…

Och så var åklagare Ranelid alldeles tyst en stund, innan han med låg röst sa att han inte hade några fler frågor… mer än möjligen den att han inte kunde begripa varför vännerna hållit sig gömda i flera veckor här på Västgötaslätten när det inte fanns något att gömma sig för.

– Ni var ju oskyldiga, eller hur?

– Med oskulden kan det ju vara olika beroende på vems perspektiv man anlägger, sa Benny.

– Tänkte just något liknande, sa Allan. Ta bara presidenterna Johnson och de Gaulle. Vem var skyldig och vem var oskyldig när det kom till deras dåliga relation? Inte för att jag tog upp det med dem när vi träffades, vi hade annat att prata om, men...

– Snälla, herr Karlsson, sa åklagare Ranelid. Om jag ber er på mina bara knän, kan ni vara tyst då?

– Inte ska herr åklagaren behöva be på sina bara knän. Jag ska vara tyst som en mus från och med nu, det lovar jag. Under mina hundra år har tungan sluntit bara två gånger, först när jag berättade för väst hur man bygger atombomben och sedan när jag gjorde samma sak för öst.

Åklagare Ranelid tänkte att en atombomb skulle kunna lösa ett och annat, speciellt om Karlsson satt på den när den small. Men han sa inget. Han orkade inte längre säga något. Frågan om varför vännerna inte gett sig tillkänna under de tre veckor de varit anhållna i sin frånvaro fick heller aldrig något svar, annat än redan avgivna filosofiska antydningar om att rättvisan hade olika färg i olika land i olika tid.

I stället reste sig åklagare Conny Ranelid sakta upp, tackade tyst för sig, för melonen, för kaffet och vetebullen, för... samtalet... och för att vännerna på Klockaregård varit så samarbetsvilliga.

Därpå lämnade han köket, satte sig i sin bil och gav sig av.

– Det där gick ju riktigt bra, sa Julius.

– Absolut, sa Allan. Jag tror jag fick med det mesta.

* * *

I bilen längs E20 i nordöstlig riktning släppte åklagare Ranelids mentala förlamning undan för undan. Så småningom började han gå igenom historien han fått sig till livs, han lade till och drog ifrån (mest drog han ifrån) och putsade och fejade tills han tyckte att han hade en friserad berättelse som faktiskt skulle kunna fungera. Det enda som riktigt bekymrade åklagaren när det gällde den historiens trovärdighet inför medierna, var att inte heller journalisterna skulle tro att liklukten satt in i förtid på hundraårige Allan Karlsson.

En idé föddes och växte till sig i åklagare Ranelids huvud. Den förbannade polishunden... *Om man skulle ta och ge hundjäveln skulden?*

För om Ranelid kunde troliggöra att det visat sig att hunden varit tokig, då öppnade sig oanade möjligheter för åklagaren att rädda det egna skinnet. Historien kunde då bli den att det aldrig fanns något lik på dressinen i Sörmlandsskogen och det hade aldrig funnits. Men åklagaren *lurades att tro* motsatsen och det ledde i sin tur till en rad logiska slutsatser och beslut – som visserligen visade sig vara helt uppåt väggarna, men det kunde inte åklagaren lastas för, *det var ju hundens fel*.

Det här kunde ju rent av vara lysande, tänkte åklagare Ranelid. Det enda som behövdes var att historien med hunden som tappat greppet bekräftades från annat håll, och förstås att... Kicki... hette hon så?... att Kicki blixtsnabbt fick ända sina dagar. Det dög ju inte om hon efter åklagarens utspel gick och bevisade sin fortsatta duglighet.

Åklagare Ranelid hade en upp på Kickis hundförare sedan Ranelid något år tidigare dribblat bort ett misstänkt polissnatteri på Seven-Eleven. Poliskarriärer skulle inte gå i stöpet på grund av en obetald muffins, ansåg Ranelid. Men nu var det bestämt tid för hundföraren att betala tillbaka.

– *Hej då Kicki*, sa åklagare Conny Ranelid och log för första gången på oändligt länge, på sin väg längs E20 i nordöstlig riktning mot Eskilstuna.

En liten stund senare ringde telefonen. Det var länspolismästaren själv som just fått obduktions- och identifikationsrapporten från Riga på sitt bord.

– De bekräftar att det verkligen var Henrik Hultén som var det hoptryckta liket på skroten, sa polismästaren.

– Trevligt, sa åklagare Ranelid. Och bra att du ringde! Vill du vara vänlig att koppla mig till växeln? Jag skulle behöva snacka med Ronny Bäckman. Hundföraren, du vet...

Vännerna på Klockaregård hade vinkat av åklagare Ranelid och på Allans initiativ återvänt till köksbordet. Det fanns, menade Allan, ett spörsmål som nu borde redas ut.

Allan inledde mötet med att fråga kommissarie Aronsson om han hade några synpunkter på det som åklagare Ranelid just fått sig till livs. Kommissarien kanske föredrog att ta sig en promenad medan vännerna sammanträdde?

Aronsson svarade att han tyckte att redogörelsen varit klar och redig på alla sätt och vis. För kommissariens del var ärendet avslutat, och om de ville låta honom sitta med vid bordet gjorde han gärna det. För övrigt var Aronsson själv långt ifrån fri från synd, sa Aronsson, och han tänkte inte kasta vare sig den första eller andra stenen i denna sak.

– Däremot får ni gärna göra mig tjänsten att inte berätta sådant jag lika gärna klarar mig utan. Om det trots allt skulle finnas alternativa svar till dem ni just gav Ranelid, menar jag...

Den tjänsten lovade Allan att han och de andra gärna gjorde kommissarien, och så tillade han att vännen Aronsson var välkommen till bords.

Vännen Aronsson, tänkte Aronsson. I arbetet genom åren hade Aronsson skaffat sig många fiender bland landets alla rymliga samveten, men inte en enda vän. Det tyckte han sannerligen var på tiden! Och så sa han att om Allan och de andra ville inkludera också honom i vänskapen skulle han bli både stolt och glad.

Allan svarade att han under sitt långa liv hunnit bli kamrat med både präster och presidenter, men inte förrän nu med en polis. Och eftersom vännen Aronsson absolut inte ville veta för mycket lovade Allan att inte säga något om var gruppens alla pengar kommit ifrån. För vänskaps skull, alltså.

– Alla pengar? sa kommissarie Aronsson.

– Ja, sa Allan. Du vet den där resväskan? Innan den innehöll slimlinebiblar i äkta skinn var den fylld till kanten med femhundrakronorssedlar. Ungefär femtio miljoner.

– Det var det jäv…, sa kommissarie Aronsson.

– Ja, svär på du, sa Den sköna.

– Ska du prompt åkalla någon vill jag trots allt i stället rekommendera Jesus, sa Bosse. Med eller utan åklagare vid bordet.

– Femtio miljoner? sa kommissarie Aronsson.

– Minus en del utgifter under resans gång, sa Allan. Och nu har gruppen att reda ut ägandeförhållandena. Därmed lämnar jag över ordet till dig, Gäddan.

Per-Gunnar Gäddan Gerdin kliade sig i örat medan han funderade en stund. Sedan sa han att han skulle vilja att vännerna och miljonerna höll ihop, att de kanske åkte på semester tillsammans allihop, för det fanns inget Gäddan längtade mer efter just nu än att få bli serverad en paraplydrink under ett parasoll någonstans långt borta. Dessutom råkade Gäddan veta att Allan hade böjelser av likartad karaktär.

– Fast utan paraply, sa Allan.

Julius sa att han höll med Allan om att regnskydd över groggen inte tillhörde livets nödvändigheter, speciellt inte om man redan låg under ett parasoll och om solen ändå sken från en blå himmel. Men också att vännerna nog inte behövde träta om den saken. Gemensam semester lät ju lysande!

Kommissarie Aronsson log blygt åt idén, han vågade inte vara riktigt säker på att han tillhörde gruppen. Den saken noterade Benny som tog ett rejält tag om kommissariens axel och frågade finurligt hur polismaktens representant föredrog att få sitt semesterdricka paketerat. Kommissarien sken upp och skulle just till att svara när Den sköna lade sordin på stämningen:

– Jag åker inte en meter utan Sonja och Buster!

Och så var hon tyst i en sekund innan hon tillade:

– *Ta mej fan.*

Eftersom Benny å sin sida inte kunde tänka sig att åka en meter utan Den sköna tappade han genast sugen.

– Dessutom har väl hälften av oss inte ens giltigt pass att visa upp, suckade han.

Men Allan tackade bara lugnt för Gäddans generositet när det gällde hur resväskepengarna bäst fördelades. Semester tyckte han var en bra idé, och gärna så många hundra mil från syster Alice som möjligt. Om bara gruppens övriga medlemmar höll med om saken, skulle det nog ordna sig med både transport och resmål där det inte var så noga med visering för vare sig människa eller djur.

– Och hur hade du tänkt att vi skulle få med oss en fem ton tung elefant på planet? sa Benny uppgivet.

– Det vet jag inte, sa Allan. Men bara vi tänker positivt ordnar det sig nog med den saken.

– Och det där att flera av oss inte ens har giltiga pass?

– Om vi bara tänker positivt, som sagt.

– Jag tror i och för sig inte att Sonja väger mer än fyra ton, kanske fyra och ett halvt, sa Den sköna.

– Se där Benny, sa Allan. Det är det jag menar med att tänka positivt. Genast blev problemet ett helt ton mindre.

– Jag har kanske en idé, fortsatte Den sköna.

– Jag med, sa Allan. Kan man få låna en telefon?

KAPITEL 26

1968–1982

JULIJ BORISOVITJ POPOV bodde och arbetade i staden Sarov i Niznij Novgorod, ungefär trettiofem mil öster om Moskva.

Sarov var en hemlig stad, nästan hemligare än hemlige Hutton. Den fick inte ens heta Sarov längre, utan hade getts det inte alltför romantiska namnet Arzamas-16. Dessutom hade staden suddats bort från alla kartor. Sarov både fanns och inte fanns på en gång, beroende på om man hänvisade till verkligheten eller till något annat. Ungefär som med Vladivostok under några år från 1953 och framåt, fast omvänt.

Vidare var staden omgärdad av taggtråd och inte en människa släpptes in eller ut utan noggrann säkerhetskontroll. För den som hade amerikanskt pass och var knuten till den amerikanska ambassaden i Moskva var det inte tillrådligt att ens komma i närheten.

CIA-mannen Ryan Hutton hade tillsammans med eleven Allan Karlsson arbetat i flera veckor med spionernas ABC, innan Allan installerades på ambassaden i Moskva under namnet Allen Carson och med den vaga titeln *administratör*.

Genant nog för hemlige Hutton hade han helt förbisett det faktum att objektet som Allan Karlsson var tänkt att närma sig var onåbart, instängt bakom taggtråd i en stad som var så skyddad att den inte ens fick heta det den hette eller finnas där den fanns.

Hemlige Hutton beklagade misstaget för Allan men tillade

att herr Karlsson nog skulle komma på någon råd. Popov besökte säkert Moskva då och då och det var ju bara för Allan att klura ut när Popov hade vägarna förbi därnäst.

– Men nu får herr Karlsson ursäkta, sa hemlige Hutton i telefon från den franska huvudstaden. Jag har en del annat på mitt skrivbord att ta tag i. Lycka till!

Och så lade hemlige Hutton på luren, gav ifrån sig en djup suck och återvände till röran med efterdyningarna till den CIA-stödda militärkuppen i Grekland året innan. Som så mycket annat på senare tid hade den inte landat exakt där den skulle.

Allan, å sin sida, hade ingen bättre idé på lager än att varje dag ta en stärkande promenad till stadsbiblioteket i Moskva där han satt i timmar och läste dagstidningar och magasin. Förhoppningen var att han skulle snubbla över en artikel om att Popov var på väg att uppträda publikt *utanför* den taggtråd som ringlade sig runt Arzamas-16.

Men månaderna gick och några sådana nyheter dök aldrig upp. Däremot kunde Allan bland annat läsa om att presidentkandidaten Robert Kennedy rönt samma öde som sin bror och att Tjeckoslovakien bett Sovjet om hjälp med att få ordning på den egna socialismen.

Vidare noterade Allan en dag att Lyndon B Johnson fått en efterträdare och att denne hette Richard M Nixon. Men eftersom traktamentet från ambassaden fortsatte att komma i ett kuvert varje månad tyckte Allan att han gjorde bäst i att fortsätta leta efter Popov. Önskades någon ändring på den punkten hörde nog hemlige Hutton av sig.

1968 hade blivit 1969 och våren närmade sig när Allan i sitt eviga bläddrande på biblioteket kom att läsa något intressant. Wienoperan skulle på gästspel till Bolsjojteatern i Moskva, med Franco Corelli som tenor och den svenska världsstjärnan Birgit Nilsson i rollen som *Turandot*.

Allan kliade sig på sin ånyo skägglösa haka och mindes

den första och dittills enda helkvällen Allan och Julij haft tillsammans. Julij hade framåt natten stämt upp i en aria. *Nessun dorma* hade han sjungit – ingen får sova! Inte långt därefter hade han av alkoholrelaterade skäl somnat ändå, men det var en annan sak.

Allan resonerade som så att den som en gång kunde göra Puccini och Turandot någorlunda rättvisa i en ubåt på ett par hundra meters djup, väl knappast skulle missa ett gästspel från Wien med samma opera på Bolsjojteatern i Moskva? Speciellt inte om vederbörande bodde bara några timmar därifrån och dessutom var så dekorerad att det rimligen inte blev några problem med plats i salongen.

Eller så skulle han det. Och i så fall fick Allan fortsätta sina dagliga vandringar till och från stadsbiblioteket. Värre än så var det ju inte med saker och ting.

Tills vidare räknade i alla fall Allan med att Julij skulle dyka upp utanför operan, och då var det ju bara att stå där och säga "tack för senast". Därmed var saken klar.

Eller inte.

Inte alls, faktiskt.

* * *

På kvällen den 22 mars 1969 stod Allan strategiskt placerad till vänster om stora entrén till Bolsjojteatern. Tanken hade varit att han från den positionen skulle känna igen Julij när denne passerade på sin väg in i salongen. Problemet visade sig dock vara att samtliga besökare såg närmast identiska ut. Det var män i svart kostym under en svart rock och kvinnor i långklänning som stack ut under svart eller brun päls. De kom alla två och två och gick från kylan raskt in i värmen, förbi Allan där han stod på den ståtliga trappans översta steg. Mörkt var det också, så hur i hela friden skulle Allan hinna identifiera ett ansikte han sett i två dagar tjugoett år tidigare? Om han nu inte hade den obegripliga turen att Julij kände igen Allan i stället.

Nej, någon sådan tur hade inte Allan. Det var förstås långt ifrån säkert att Julij Borisovitj med förmodat sällskap nu befann sig inne på teatern, men *om han gjorde det* hade han passerat några meter från vännen från förr, utan att reflektera över saken. Så vad skulle Allan göra? Han tänkte högt:

– Om du just har gått in på teatern, käre Julij Borisovitj, är det ganska säkert att du om några timmar kommer ut igen genom samma dörr. Men då lär du se ut som alla andra, precis som du gjorde när du gick in. Jag kan alltså inte hitta dig. Återstår för dig att hitta mig.

Så fick det bli. Allan begav sig till sitt lilla kontor på ambassaden, gjorde sina förberedelser och återvände i god tid innan prins Calaf fått prinsessan Turandots hjärta att smälta.

Det Allan under sin utbildning under hemlige Hutton mer än något annat fått repeterat för sig var ordet *diskretion*. En framgångsrik agent fick aldrig skapa buller omkring sig, han fick inte utmärka sig, han skulle smälta in i den miljö där han verkade så till den milda grad att han nästan inte syntes.

– Har herr Karlsson förstått? hade hemlige Hutton sagt.

– Absolut, herr Hutton, hade Allan svarat.

Birgit Nilsson och Franco Corelli ropades in tjugo gånger; succén var total. Därför dröjde det extra länge innan publiken bröt upp och människorna som såg likadana ut strömmade nerför trappan igen. Det *alla* då noterade var mannen mitt på det nedersta trappsteget, med båda armarna i luften hållande i ett hemsnickrat plakat på vilket det stod:

JAG ÄR
ALLAN
EMMANUEL

Allan Karlsson hade *visst* förstått hemlige Huttons predikningar, det var bara det att han inte fäste något avseende vid dem. I Huttons Paris kanske det var vår, men i Moskva var det både kallt och mörkt. Allan frös, och nu ville han ha resultat. Först hade han tänkt skriva Julijs namn på plakatet, men bestämde till sist att den beslutade indiskretionen i första hand borde gälla honom själv, inte andra.

Larissa Aleksandrevna Popova, Julij Borisovitj Popovs hustru, höll kärleksfullt om makens arm och tackade honom för femte gången för den fantastiska upplevelse de båda just delat. Birgit Nilsson var ju rena Maria Callas! Och *platserna!* Rad fyra, alldeles i mitten. Larissa var lyckligare än på mycket länge. I kväll skulle hon och maken dessutom bo på hotell, hon skulle slippa återvända till den hemska staden bakom taggtråd än på nästan ett dygn. Det skulle bli romantisk middag för två... bara hon och Julij... och därefter kanske rent av...

– Ursäkta mig, älskling, sa Julij och stannade till på översta trappsteget just utanför dörrarna till teatern.

– Vad är det, min kära? sa Larissa oroligt.

– Nej... det är nog ingenting... men... Du ser mannen där nere med plakatet? Jag måste ta mig en titt... Det kan inte vara... men jag måste... *Han är ju död!*

– Vem är död, älskling?

– Kom! sa Julij och lotsade sig själv och hustrun nerför trapporna.

Tre meter från Allan stannade Julij och försökte få hjärnan att förstå det hans ögon redan registrerat. Allan upptäckte den fånigt stirrande vännen från förr, tog ner sitt plakat och sa:

– Var hon bra, Birgit?

Julij sa fortfarande ingenting, men hans hustru viskade vid makens sida frågan om det här var mannen som enligt maken var död. Allan svarade åt Julij och sa att död var han inte men väldigt kall, och om paret Popov ville vara säkra på att han inte frös ihjäl så gjorde de bäst i att på momangen ledsaga honom till en restaurang där han kunde få i sig lite vodka, och kanske en bit mat till det.

– *Det är verkligen du*..., fick Julij till sist ur sig. Men... du talar ryska...?

– Ja, jag gick en femårig kurs i ditt hemspråk strax efter det att vi senast sågs, sa Allan. Gulag hette skolan. Hur blir det med vodkan?

Julij Borisovitj var en mycket moralisk man, och han hade i tjugoett års tid plågats av hur han ofrivilligt lurat den svenske atombombsexperten till Moskva för vidarebefordran till Vladivostok, där svensken sannolikt – om inte förr – hade dött i den där branden som alla någorlunda upplysta sovjeter kände till. I tjugoett år hade han lidit, inte minst därför att han så omedelbart fattat tycke för svensken och dennes, som det verkade, oändliga positivism.

Nu stod Julij Borisovitj utanför Bolsjojteatern i Moskva, i femtongradig kyla efter en värmande operaföreställning och... nej, han kunde inte tro det. Allan Emmanuel Karlsson *hade överlevt*. Och han levde alltjämt. Och han stod framför Julij i detta ögonblick. Mitt i Moskva. Talande ryska!

Julij Borisovitj var sedan fyra decennier gift med Larissa Aleksandrevna och de båda var mycket lyckliga tillsammans. Det hade inte blivit några barn, men deras ömsesidiga förtrolighet visste inga gränser. De delade allt i nöd och i lust och Julij hade långt mer än en gång inför hustrun gett uttryck för den sorg han känt över Allan Emmanuel Karlssons öde. Och nu, medan Julij fortfarande sökte kontakt med sin egen hjärna, tog Larissa Aleksandrevna kommandot.

– Som jag förstått det är det här din vän från förr, han som du indirekt skickade i döden. Hur vore det, käre Julij, om vi i enlighet med hans önskemål snabbt som ögat tog honom till en restaurang och fick i honom lite vodka innan han dör på riktigt?

Julij svarade inte, men han nickade och lät sig föras av sin hustru till den väntande limousinen i vilken han placerades intill sin nyss döde kamrat medan hustrun gav körorder till chauffören.

– Restaurang Pusjkin, tack.

Det tog två rejäla supar för Allan att tina upp och ytterligare två för Julij att börja fungera som människa igen. Där emellan hann Allan och Larissa bekanta sig med varandra.

När Julij till slut kommit tillrätta med sitt eget förstånd och låtit chocken övergå i glädje ("Nu ska vi fira!"), tyckte Allan att det var dags att gå rakt på sak. Hade man något att säga var det lika gott att säga det med en gång.

– Vad sägs om att bli spion? sa Allan. Det är jag själv och det är faktiskt rätt spännande.

Julij satte sin femte sup i vrångstrupen och hostade ut den över middagsbordet.

– Spion? sa Larissa medan maken hostade på.

– Ja, eller agent. Vet inte riktigt skillnaden, faktiskt.

– Så intressant! Berätta mer, snälla Allan Emmanuel.

– Nej, gör inte det, Allan, hostade Julij. Gör inte det! *Vi vill inte veta mer!*

– Prata nu inte dumheter, käre Julij, sa Larissa. Din vän måste väl kunna få berätta om sitt jobb när ni nu inte har setts på så många år. Fortsätt, Allan Emmanuel.

Allan fortsatte och Larissa lyssnade intresserat medan Julij gömde ansiktet i sina händer. Allan berättade om middagen med president Johnson och hemlige Hutton från CIA och mötet dagen därpå med Hutton som föreslagit att Allan skulle åka till Moskva och ta reda på hur det stod till med de sovjetiska missilerna.

Det alternativ som Allan såg framför sig var att stanna kvar i Paris där han säkert varje dag skulle ha fullt upp med att hindra ambassadören och hennes make från att skapa diplomatiska kriser bara genom att öppna munnen. Eftersom Amanda och Herbert var två till antalet och Allan omöjligt kunde vara på mer än ett ställe samtidigt tackade han ja till hemlige Huttons förslag. Det lät helt enkelt lite lugnare. Dessutom skulle det bli trevligt att få träffa Julij igen efter alla dessa år.

Julij höll fortfarande händerna för ansiktet, men tittade på Allan med ena ögat mellan fingrarna. Hade Julij hört Herbert Einsteins namn nämnas? Julij kom ihåg honom och det vore sannerligen en god nyhet om också Herbert överlevt den kidnappning och det fångläger Berija utsatt honom för.

Jodå, bekräftade Allan. Och så berättade han i korta drag om de tjugo åren tillsammans med Herbert; om hur vännen först inte ville annat än dö, men att han när han till sist gjorde det, knall och fall sjuttiosex år gammal i december året innan, helt och hållet hade ändrat sig på den punkten. Han lämnade efter sig en framgångsrik hustru, diplomat i Paris, och två tonårsbarn. De senaste rapporterna från den franska huvudstaden sa att familjen tagit Herberts bortgång bra och att fru Einstein blivit något av en favorit bland viktigare folk. Hennes franska var visserligen hemskt dålig, men det var också en del av hennes charm, för det gjorde att hon till och från verkade säga dumheter som hon rimligen inte kunde mena.

– Fast nu tror jag bestämt att vi kom bort från ämnet, sa Allan. Du glömde svara på min fråga. Ska du inte ta och bli spion, som omväxling?

– Men snälla Allan Emmanuel. Det här kan inte vara på väg att hända! Jag är mer prisad för mina insatser för fosterlandet än någon annan civil person i Sovjetunionens moderna historia. Det är *fullständigt uteslutet* att jag skulle bli spion! sa Julij och lyfte sitt sjätte glas vodka till munnen.

– Säg inte det, käre Julij, sa Larissa och fick maken att låta sup nummer sex gå samma väg som femman.

– Är det inte bättre att du *dricker* ditt brännvin i stället för att spruta ut det över folk? undrade Allan vänligt.

Larissa Popova utvecklade sitt resonemang medan maken
återvände till positionen med händerna för ansiktet. Larissa
menade att såväl hon själv som Julij strax skulle fylla sextio-
fem år och vad hade de egentligen att tacka Sovjetunionen
för? Visst, maken hade blivit vackert och tredubbelt dekore-
rad, och det ledde i sin tur till fina biljetter på operan. Men i
övrigt?

Larissa inväntade inte makens svar utan fortsatte med att
de båda var instängda i Arzamas-16, en stad vars blotta
namn gjorde vem som helst deprimerad. Innanför taggtråd,
dessutom. Jo, Larissa visste att de var fria att komma och gå
som de ville men nu skulle inte Julij avbryta för Larissa var
långt ifrån färdig.

För vems skull var det Julij slet dagarna i ända? Först var
det för Stalin, och han var ju inte riktigt klok. Sedan var det
Chrusjtjovs tur, och det enda tecknet den mannen visade på
mänsklig värme var väl att han lät avrätta marskalk Berija?
Och nu var det Brezjnev – som luktade illa!

– Larissa! utbrast Julij Borisovitj förskräckt.

– Nu ska du inte sitta där och Larissa mig, käre Julij. Att
Brezjnev luktar illa är dina egna ord.

Och så fortsatte hon med att Allan Emmanuel kommit
som på beställning, för på sistone hade hon känt sig alltmer
bedrövad av tanken på att dö innanför den där taggtråden i
staden som officiellt inte fanns. Skulle Larissa och Julij ens få
riktiga gravstenar resta efter sig? Eller det kanske krävdes
kodspråk på dem också, för säkerhets skull?

– Här vilar kamrat X och hans trogna hustru Y, sa Larissa.

Julij svarade inte. Hans kära hustru hade kanske något
som liknade en poäng. Och nu var Larissa framme vid fina-
len:

– Så varför inte spionera i några år tillsammans med din
vän här, och sedan får vi hjälp med att rymma till New York
och väl där går vi på Metropolitan varje kväll. Vi skaffar oss
ett liv, käre Julij, strax innan vi dör.

Medan Julij såg ut att resignera fortsatte Allan med att mer i detalj förklara bakgrunden till hela saken. Han hade som sagt på slingriga vägar kommit att träffa en herr Hutton i Paris, och det var en man som verkade stå expresidenten Johnson nära och dessutom hade en hög position inom CIA.

När Hutton fått höra att Allan kände Julij Borisovitj från förr och att Julij dessutom möjligen var skyldig Allan en tjänst, då hade Hutton snickrat ihop en plan.

Allan hade inte hört så noga vilka de globalpolitiska aspekterna i planen var, för det var nu så med Allan att när folk pratade politik, då slutade han att lyssna. Det gick liksom av sig självt.

Den sovjetiske kärnfysikern hade kommit till sans, och nu nickade han igenkännande. Politik var inte heller Julijs favoritområde, inte på något vis. Han var helt visst socialist i både själ och hjärta, men om någon bad honom utveckla den ståndpunkten fick han problem.

Allan fortsatte med ett ärligt försök att ändå sammanfatta det hemlige Hutton sagt. Det var bestämt någonting om att Sovjetunionen antingen skulle komma att anfalla USA med kärnvapen, eller så skulle de inte det.

Julij nickade igen och höll med om att så låg det nog till. Antingen eller, det var vad man fick räkna med.

Vidare hade CIA-mannen Hutton, såvitt Allan kunde dra sig till minnes, uttryckt oro över de konsekvenser ett sovjetiskt anfall på USA skulle få. För även om Sovjets kärnvapenarsenal inte var större än att den kunde utplåna USA bara en enda futtig gång, tyckte Hutton att det var illa nog.

Julij Borisovitj nickade en tredje gång och sa att det fick anses hemskt illa för det amerikanska folket om USA blev utplånat.

Men hur nu Hutton fått ihop ekvationen på slutet, det kunde inte Allan säga. Av någon anledning ville han i alla fall veta hur den sovjetiska arsenalen såg ut; och när han väl visste det kunde han rekommendera president Johnson att starta förhandlingar med Sovjet om kärnvapennedrustning. Fast nu var ju inte Johnson president längre, så... nej, Allan visste inte. Med politiken var det ju som så att den många gånger inte bara var onödig, utan understundom också onödigt krånglig.

Julij var visserligen teknisk chef för det samlade sovjetiska kärnvapenprogrammet och han visste allting om programmets strategi, geografi och styrka. Men under tjugotre år i det sovjetnukleära programmets tjänst hade han inte tänkt – och inte heller behövt tänka – en enda politisk tanke. Det var en omständighet som passat Julij och hans hälsa synnerligen väl. Han hade ju under årens lopp överlevt tre olika ledare och marskalk Berija därtill. Att leva så länge och hålla sig kvar i hög position var inte många maktens män förunnat.

Julij visste vilka uppoffringar Larissa fått göra. Och nu – när de egentligen förtjänade pension och en datja vid Svarta havet – var graden av hennes oegennytta större än någonsin. Men hon hade aldrig klagat. Aldrig någonsin. Därför lyssnade Julij desto mer på henne nu när hon sa:

– Älskade, kära Julij. Låt oss först tillsammans med Allan Emmanuel bidra till lite fred på jorden, och låt oss därpå flytta till New York. Dina medaljer kan Brezjnev få tillbaka att stoppa upp i rumpan.

Julij gav upp och sa "ja" till hela paketet (utom det där med medaljerna i rumpan) och strax var Julij och Allan överens om att president Nixon nog inte behövde höra sanningen i första hand, utan snarare något som gjorde honom glad. För en glad Nixon kunde glädja Brezjnev, och om båda var glada kunde det väl ändå inte bli krig?

Allan hade just rekryterat en spion genom affischering på offentlig plats, i landet med världens mest effektiva kontrollsystem. Såväl en militär GRU-kapten som en civil KGB-direktör var dessutom på plats på Bolsjoteatern den aktuella kvällen, tillsammans med respektive hustru. Båda fick, som alla andra, syn på mannen med plakatet på trappans nedersta steg. Vidare hade båda varit med i branschen alldeles för länge för att slå larm till någon kollega i tjänst. Den som höll på med något kontrarevolutionärt flaggade nämligen inte för det på det viset.

Så dum kunde ingen människa vara.

I övrigt fanns det minst en handfull mer eller mindre professionella KGB- och GRU-informatörer på den restaurang där själva rekryterandet fullbordades under kvällen. Vid bord nio sprutade en man vodka över maten, gömde ansiktet i sina händer, flaxade med armarna, himlade med ögonen och tog emot skäll av sin fru. Det vill säga ett helt normalt ryskt restaurangbeteende, inte värt att registrera.

Så kom det sig att en politiskt döv amerikansk agent tilläts koka ihop globala fredsstrategier tillsammans med en politiskt blind sovjetisk kärnvapenchef – utan att vare sig KGB eller GRU lade in sitt veto. När CIA:s Europachef i Paris, Ryan Hutton, fick besked om att rekryteringen var klar och strax skulle börja leverera, sa han till sig själv att den där Karlsson nog var mer professionell av sig än det i förstone verkat.

* * *

Bolsjojteatern förnyade sin repertoar tre, fyra gånger per år. Därtill brukade det komma åtminstone ett årligt gästspel, likt det från Wienoperan.

Sålunda blev det en handfull tillfällen om året för Allan och Julij Borisovitj att i all diskretion träffas i Julijs och Larissas hotellsvit för att koka ihop lämplig kärnvapeninformation för vidarebefordran till CIA. De blandade dikt med verklighet på ett sådant sätt att informationen ur ett amerikanskt perspektiv blev både trovärdig och uppmuntrande.

En konsekvens av Allans underrättelserapporter var att president Nixons stab under inledningen av 1970-talet började bearbeta Moskva för att få till stånd ett toppmöte med ömsesidig nedrustning på agendan. Nixon kände sig trygg i att USA var det starkare landet av de båda.

Ordförande Brezjnev, å sin sida, var egentligen inte avogt inställd till nedrustningsavtal, för hans underrättelserapporter sa honom att Sovjet var det starkare landet av de båda. Det som krånglade till saken var att en städerska på CIA:s avdelning för underrättelser sålt synnerligen märkliga informationer till GRU. Hon hade kommit över dokument skickade från CIA:s kontor i Paris, i vilka det antyddes att CIA hade en spion centralt placerad i det sovjetiska kärnvapenprogrammet. Problemet var att den påföljande sakinformationen inte stämde. Om Nixon ville nedrusta utifrån uppgifter en sovjetisk mytoman skickat till CIA i Paris, så hade förstås Brezjnev inget emot det. Men hela saken var så krånglig att det krävdes betänketid. Och mytomanen borde i alla händelser lokaliseras.

Brezjnevs första åtgärd blev att kalla in sin tekniske kärnvapenchef, den obrottsligt lojale Julij Borisovitj Popov, och be om en analys av varifrån desinformationen till amerikanerna kunde ha kommit. För även om det CIA hämtat in kraftigt underskattade den sovjetiska kärnvapenkapaciteten, så var formuleringarna tillräckligt initierade för att väcka frågor. Därav behovet av experthjälp från Popov.

Popov läste det han själv kokat ihop tillsammans med vännen Allan och ryckte på axlarna. Det där, trodde Popov, kunde vilken student som helst ha fått till efter bläddrande i litteratur på ett bibliotek. Det var ingenting kamrat Brezjnev skulle bekymra sig över, om kamrat Brezjnev tillät en enkel fysiker att ha synpunkter på den saken?

Jo, det var ju därför Brezjnev bett Julij Borisovitj att komma. Han tackade sin tekniske kärnvapenchef hjärtligt för hjälpen och skickade med en hälsning till Larissa Aleksandrevna, Julij Borisovitjs charmanta hustru.

* * *

Medan KGB till ingen nytta satte diskret bevakning av viss kärnvapenrelaterad litteratur på tvåhundra av Sovjetunionens bibliotek, funderade Brezjnev vidare på hur han skulle ställa sig till Nixons inofficiella propåer. Ända till den dag – ve och fasa! – Nixon blev inbjuden till Kina och tjockisen Mao Tse Tung! Brezjnev och Mao hade strax dessförinnan bett varandra dra åt skogen en gång för alla, och nu var det plötsligt risk att Kina och USA bildade ohelig allians mot Sovjet. Det fick förstås inte ske!

Dagen därpå fick därför Richard Milhous Nixon, president för Amerikas förenta stater, en officiell inbjudan att besöka Sovjet. På detta följde hårt arbete i kulisserna och när det ena till sist gett det andra hade Nixon och Brezjnev inte bara tagit i hand utan också skrivit under två separata nedrustningsavtal; det ena rörde antirobotrobotar (ABM-avtalet), det andra strategiska vapen (SALT). Eftersom undertecknandet skedde i Moskva passade Nixon på att skaka hand också med den agent på amerikanska ambassaden som så föredömligt försett honom med information om den sovjetiska kärnvapenkapaciteten.

– För all del, herr president, sa Allan. Men ska ni inte bjuda på middag nu också? Det brukar de göra.

– Vilka då? sa den förvånade presidenten.

– Tja, sa Allan. De som varit nöjda... Franco och Truman och Stalin... och ordförande Mao... som i och för sig inte serverade annat än nudlar... fast det var ju rätt sent på kvällen förstås.... och av svenske statsministern Erlander fick jag bara kaffe när jag tänker efter. I och för sig inte så illa, för det var ju i ransoneringstider och allt...

Lyckligtvis var president Nixon uppdaterad på agentens förflutna, så han kunde med bibehållet lugn meddela att det nog tyvärr inte fanns tid för middag med herr Karlsson. Men så tillade han att en amerikansk president inte gärna kunde vara sämre än en svensk statsminister, så en kopp kaffe skulle det bestämt bli, och konjak till det. Nu med en gång, om det kunde passa?

Allan tackade för inbjudan och frågade om *dubbel* konjak möjligen kunde vara ett alternativ om han avstod från kaffet. Nixon svarade att den amerikanska statsbudgeten nog kunde bära både och.

Herrarna hade en trevlig timme tillsammans. Så trevligt det nu kunde bli för Allan när president Nixon envisades med att prata politik. Den amerikanske presidenten förhörde sig om hur det politiska spelet fungerade i Indonesien. Utan att nämna Amanda vid namn berättade Allan detaljrikt hur det kunde gå till att göra indonesisk politisk karriär. President Nixon lyssnade noga och såg eftertänksam ut.

– Intressant, sa han. Intressant.

* * *

Allan och Julij var nöjda med varandra och med utvecklingen. Det verkade också som om GRU och KGB lugnat ner sig i jakten på den där spionen och det tyckte Allan och Julij var bra. Eller som Allan uttryckte det:

– Det är bättre att inte ha två mördarorganisationer i hasorna än att ha det.

Så tillade han att vännerna inte borde ägna för mycket tid åt KGB, GRU och alla andra förkortningar som ändå inte gick att göra något åt. I stället var det hög tid att hitta på nästa underrättelserapport till hemlige Hutton och hans president. *Betydande rostangrepp på medeldistanslagret på Kamtjatka*, kunde det vara något att arbeta vidare på?

Julij berömde Allan för hans härliga fantasi. Den gjorde det så enkelt att få ihop rapporterna. På det blev det ju mer tid över till mat, dryck och umgänge.

Richard M Nixon hade all anledning att vara tillfreds med det mesta. Ända tills han inte hade det längre.

Det amerikanska folket älskade sin president och valde i november 1972 om honom, med buller och bång. Nixon vann i fyrtionio stater, George McGovern med nöd och näppe i en.

Men så blev det tjurigare med allt. Och ännu tjurigare. Och till sist fick Nixon göra något ingen annan amerikansk president tidigare hade gjort.

Han fick avgå.

Allan läste om den så kallade Watergateskandalen i all tillgänglig press på stadsbiblioteket i Moskva. Allt som allt hade visst Nixon fuskat med skatten, tagit emot olagliga kampanjdonationer, beordrat hemliga bombningar, förföljt politiska fiender och ägnat sig åt inbrott och avlyssningar. Allan tänkte att presidenten bestämt tagit intryck av det där samtalet över en dubbel konjak häromåret. Och så sa han till bilden på Nixon i tidningen:

– Du skulle ha satsat på karriär i Indonesien i stället. Där hade du kunnat gå långt.

* * *

Åren gick. Nixon ersattes av Gerald Ford som ersattes av Jimmy Carter. Allt medan Brezjnev bestod. Precis som Allan, Julij och Larissa. De tre fortsatte att träffas fem–sex gånger om året och hade det lika trevligt varje gång. Mötena resulterade alltid i en lagom påhittad rapport avseende aktuell status för den sovjetiska kärnvapenstrategin. Allan och Julij hade under årens lopp valt att tona ner den sovjetiska kapaciteten mer och mer, för de märkte hur mycket nöjdare det gjorde amerikanerna (oavsett president, tydligen) och hur mycket trevligare stämningen därför tycktes bli mellan ländernas ledare.

Men säg den lycka som varar.

En dag, strax efter det att SALT II-avtalet skrivits under, fick Brezjnev för sig att Afghanistan behövde hans hjälp. Och så skickade han in sina elittrupper i landet, vilka omedelbart råkade ha ihjäl den sittande presidenten så att Brezjnev inte hade annat val än att tillsätta en egen.

President Carter blev förstås gramse (minst sagt) på Brezjnev. Bläcket på det andra SALT-avtalet hade ju knappt hunnit torka. Och så ordnade Carter med bojkott av OS i Moskva plus att han ökade det hemliga CIA-stödet till den fundamentalistiska Afghanistangerillan *Mujaheddin*.

Mycket mer hann Carter inte göra, för därpå tog Ronald Reagan över och han var betydligt vresigare lagd när det gällde kommunister i allmänhet och den gamle stöten Brezjnev i synnerhet.

– Han verkar himla arg av sig den där Reagan, sa Allan till Julij vid den första träffen agent och spion emellan sedan den nye presidenten tillträtt.

– Ja, svarade Julij. Och nu kan vi snart inte montera ner den sovjetiska kärnvapenarsenalen mer för då blir det inget kvar.

– Då föreslår jag att vi gör tvärtom, sa Allan. Det ska nog få Reagan lite mjukare i sinnet ska du se.

Den närmast kommande spionrapporten till USA, via hemlige Hutton i Paris, skvallrade därför om en sensationell sovjetisk offensiv avseende det egna missilförsvaret. Allans fantasi hade tagit sig hela vägen upp i rymden. Där uppifrån, hittade Allan på, var det tänkt att sovjetiska raketer skulle kunna skjuta prick på allt som USA försökte anfalla med nere på jorden.

Därmed hade den politiskt döve amerikanske agenten Allan och hans politiskt blinde ryske kärnvapenchef Julij lagt grunden för Sovjetunionens kollaps. Ronald Reagan gick nämligen i spinn av den underrättelserapport Allan lämnat och satte omedelbart igång *Strategic Defense Initiative*, även kallat "Stjärnornas krig". Projektbeskrivningen, med laserskjutande satelliter, var närmast en kopia av det Allan och Julij fnissat ihop på ett hotellrum i Moskva några månader tidigare, under påverkan av, som de själva tyckte, ett alldeles lagom rus på vodka. Den amerikanska budgeten för kärnvapenförsvar nådde därmed också den nästan ända upp i rymden. Sovjet försökte kontra utan att ha råd därtill. I stället började landet krackelera i kanterna.

Om det var av chock över Amerikas nya militära offensiv, eller om det var något annat går inte att säga, men den 10 november 1982 dog i alla fall Brezjnev i en hjärtattack. Kommande kväll råkade Allan, Julij och Larissa ha ett av sina underrättelsemöten.

– Är det inte dags att sluta med det här tramset nu? undrade Larissa.

– Jo, nu tar vi och slutar med det här tramset, sa Julij.

Allan nickade och höll med om att allt måste ha ett slut, kanske framför allt trams, och att det nog var ett tecken från skyn att de skulle dra sig tillbaka nu när Brezjnev strax skulle börja lukta värre än någonsin.

Så tillade han att han redan nästkommande morgon tänkte ringa till hemlige Hutton. Tretton och ett halvt år i CIA:s tjänst fick räcka; att det mesta varit på låtsas hörde ju inte dit. Alla tre tyckte förresten att det var lika bra att låta den saken förbli en hemlighet för hemlige Hutton och hans så snarstuckne president.

Nu skulle CIA se till att plocka över Julij och Larissa till New York, det hade de redan lovat, medan Allan själv funderade på att se hur det stod till med gamla Sverige.

* * *

CIA och hemlige Hutton höll vad de lovat. Julij och Larissa forslades till USA, via Tjeckoslovakien och Österrike. De tilldelades en lägenhet på West 64th Street på Manhattan, och ett årligt apanage om en summa som vida översteg makarnas behov. Och inte blev det speciellt dyrt för CIA heller för i januari 1984 dog först Julij i sömnen och tre månader senare hans Larissa, av saknad. Båda blev sjuttionio år gamla och deras lyckligaste år tillsammans var 1983, det år då Metropolitan firade 100-årsjubileum, med en oändlig rad av oförglömliga upplevelser för paret.

Allan, å sin sida, packade väskan i lägenheten i Moskva och meddelade amerikanska ambassadens administrativa avdelning att han var på väg att avvika för gott. Det var då kansliet upptäckte att tjänstemannen Allen Carson av oklar anledning inte fått annat än traktamente utbetalt under de tretton år och fem månader han varit i tjänst.

– Märkte ni aldrig att det inte kom någon lön? sa kanslisten till Allan.

– Nej, sa Allan. Jag är liten i maten och brännvinet är ju billigt. Jag tyckte det räckte gott som det gjorde.

– I tretton år?

– Ja, tänk vad tiden går.

Kanslisten tittade konstigt på Allan och lovade därefter se till att pengarna utbetalades via check så fort herr Carson, eller vad han nu i verkligheten kunde heta, anmälde saken på den amerikanska ambassaden i Stockholm.

KAPITEL 27

Fredag 27 maj – torsdagen 16 juni 2005

AMANDA EINSTEIN VAR fortfarande i livet. Nu var hon åttiofyra år gammal och bodde i en svit på det lyxhotell på Bali som ägdes och drevs av hennes äldste son Allan.

Allan Einstein var femtioett år och synnerligen skärpt, precis som sin ett år yngre bror Mao. Men medan Allan blivit ekonom (på riktigt) och så småningom hotelldirektör (han hade fått hotellet ifråga av mamma i fyrtioårspresent), satsade lillebror Mao på ingenjörsyrket. Det hade först gått knackigt med karriären, för Mao var högst noggrann av sig. Han hade fått arbete på ett av Indonesiens ledande oljebolag med uppgift att kvalitetssäkra produktionen. Maos misstag var att han gjorde just det. Plötsligt kunde företagets mellanchefer inte längre sko sig på diverse pengar under bordet när de hade att upphandla reparationer, för det fanns inte längre några reparationer att upphandla. Oljeföretagets effektivitet ökade med trettiofem procent och Mao Einstein blev koncernens minst populära person. När allmän mobbning från arbetskamraterna övergick i direkta hot tyckte Mao Einstein att det kunde vara nog och tog i stället anställning i Förenade Arabemiraten. Han ökade snabbt effektiviteten även där, medan koncernen i Indonesien till allas lycka strax var tillbaka på sin gamla nivå.

Amanda var oändligt stolt över sina båda söner. Men hon kunde inte förstå hur de kunnat bli så klipska båda två. Herbert hade någon gång pratat om att det fanns goda gener i hans släkt, men hon mindes inte riktigt vad det var han syftat på.

Hur som helst blev Amanda överlycklig av samtalet från Allan och hon hälsade honom och alla hans vänner innerligt välkomna till Bali. Hon skulle genast ta upp saken med Allan Junior; han fick väl sparka ut några andra gäster om det skulle råka vara fullt. Och hon skulle ringa till Mao i Abu Dhabi och beordra hem honom på semester. Ja, naturligtvis serverade de drinkar på hotellet, både med och utan paraply. Och ja, Amanda lovade att inte lägga sig i själva serverandet.

Allan sa att de skulle dyka upp allihop inom kort. Och så avslutade han med några uppmuntrande ord om att han inte trodde att någon enda människa på jorden kommit lika långt med lika begränsat förstånd som Amanda. Det tyckte Amanda var så vackert sagt att hon blev tårögd.

– Skynda er hit, käre Allan. Skynda er!

* * *

Åklagare Ranelid inledde eftermiddagens presskonferens med ett sorgligt avslöjande rörande polishunden Kicki. Hon hade ju markerat för död kropp på den där dressinen vid Åkers Styckebruk, och det hade i sin tur lett till en rad antaganden från åklagarens sida – korrekta utifrån hundens markering, men likväl ack så fel.

Det som nu kommit fram var att hunden ifråga strax innan hade mist förståndet och sålunda inte gick att lita på. Det figurerade kort sagt aldrig något lik på den aktuella platsen.

Däremot hade det just kommit till åklagarens kännedom att polishunden avlivats, och det var enligt åklagaren ett klokt beslut av dess förare (att Kicki i stället, under nytt namn, var på väg till hundförarens bror i Härjedalen fick åklagaren aldrig veta).

Vidare beklagade åklagare Ranelid att Eskilstunapolisen underlåtit att informera honom om Never Agains nya, högst hedervärda, evangelistiska inriktning. Med den kunskapen skulle åklagaren helt visst ha gett andra instruktioner avseende utredningens fortskridande. De slutsatser åklagaren dragit kring det ena och andra hade sålunda sin grund i dels en tokig hund, dels den av polisen levererade – och felaktiga – informationen. Detta ville åklagare Ranelid, å polisens vägnar, be om ursäkt för.

När det gällde den i Riga påträffade kroppen efter Henrik Hinken Hultén skulle nog en ny mordutredning tillsättas. Däremot var fallet med den likaledes döde Bengt Bulten Bylund avslutat. Det förelåg ju minst sagt starka indikationer på att Bylund anslutit till Främlingslegionen. Eftersom alla där antas under pseudonym var den saken omöjlig att kontrollera. Det var ändå mer än lovligt sannolikt att Bylund varit ett av offren i det terrordåd som utförts i centrala Djibouti ett par dagar tidigare.

Åklagaren redogjorde i detalj för de olika aktörernas inbördes förhållanden och visade i det sammanhanget upp det exemplar av den *slimlinebibel* han tidigare samma dag fått av Bosse Ljungberg. När det var gjort ville journalisterna veta var de kunde få tag i Allan Karlsson och hans följe för att få deras syn på saken, men om det visste åklagare Ranelid inte att berätta (han hade inget som helst intresse av att den senile gubbstrutten satte sig att prata Churchill och gud vet vad med representanter från pressen). Därpå styrdes journalisternas fokus över på Hinken Hultén. Han var ju förmodat mördad, och de tidigare förmodade mördarna var inte längre misstänkta. Så vem hade tagit livet av Hultén?

Ranelid hade hoppats kunna låta den saken falla i glömska, men nu fick han *stryka under* att utredning skulle påbörjas omedelbart efter innevarande presskonferens och att han bad att få återkomma.

Till åklagare Ranelids häpnad lät sig journalistkåren nöja med både det och allt det andra. Såväl åklagare Ranelid själv som hans karriär hade överlevt dagen.

Amanda Einstein hade bett Allan och hans vänner att skynda sig till Bali, och det var en sak helt i enlighet med vännernas ambition. När som helst kunde ju någon alltför skicklig journalist hitta till Klockaregård, och då var det lugnast om stället redan var övergivet. Men Allan hade nu gjort sitt genom kontakten med Amanda. Resten var upp till Den sköna.

Inte långt från Klockaregård ligger Såtenäs flygflottilj och där finns det Herkulesplan som med lätthet skulle svälja en elefant, eller till och med två. Planen ifråga hade mer än en gång brummat förbi över Klockaregård och nästan skrämt livet ur elefanten, och det var av detta Den sköna fått sin idé.

Den sköna talade med en överste på Såtenäs, men han var mer än lovligt tjurig. Han ville se alla möjliga intyg och tillstånd innan han kunde tänka sig att ge interkontinental transporthjälp åt ett antal människor och djur. Bland annat fick inte militären på villkors vis konkurrera med den fria marknaden, att så inte var fallet skulle i så fall Jordbruksverket vidimera. Vidare krävdes minst fyra mellanlandningar, och på varje flygplats skulle veterinär vänta för att kontrollera djurets status. Och det kunde för elefantens skull inte bli tal om mindre än tolv timmars vila per mellanlandning.

– Fy fan för den svenska byråkratin, sa Den sköna och ringde i stället Lufthansa i München.

Där var de obetydligt mer samarbetsvilliga. Visst kunde de plocka upp en elefant och ett antal resenärer därtill, det fick i så fall ske från Landvetter utanför Göteborg, och visst kunde de förflytta allihop till Indonesien. Det enda som krävdes var ägarintyg på elefanten samt att legitimerad veterinär följde med ombord. Samt förstås uppvisande av viseringshandlingar för inträdet i indonesiska republiken, för såväl människa som djur. Under de förutsättningarna kunde nog flygbolagets administration planera in resan inom den närmaste tremånadersperioden.

– *Fy fan* för den tyska byråkratin, sa Den sköna och ringde i stället direkt till Indonesien.

Det tog en stund, för i Indonesien agerar femtioen olika flygbolag och det är långt ifrån alla som har engelsktalande personal vid telefonerna. Men Den sköna gav inte upp, och till sist lyckades hon. I Palembang, på Sumatra, fanns ett transportbolag som mot rimlig ersättning gärna tog en tur till Sverige och tillbaka. De hade en Boeing 747 för ändamålet, nyligen inhandlad av azerbajdzjanska armén (lyckligtvis hände sig detta innan samtliga indonesiska flygbolag blev svartlistade av EU och förbjudna att landa i Europa). Bolaget lovade ordna med administrationen till Sverige medan det tillkom beställaren att anhålla om landningstillstånd på Bali. Veterinär? Varför då?

Återstod att reglera betalningen. Det hann bli tjugo procent dyrare än först sagt, innan Den sköna med maximalt nyttjande av sitt rika ordförråd lyckades få bolaget att gå med på kontant betalning i svenska kronor vid ankomsten till Sverige.

Medan den indonesiska Boeingen lyfte mot Sverige hade vännerna nytt rådslag. Benny och Julius fick i uppdrag att förfalska lite papper som de kunde vifta med framför ögonen på den förmodat nitiska personalen på Landvetter, och Allan lovade att ordna med det balinesiska landningstillståndet.

* * *

Lite besvärligt blev det förstås på flygplatsen utanför Göteborg, men Benny hade ju inte bara sin förfalskade veterinärlegitimation utan också förmågan att riva av några veterinärtekniska fraser. Detta tillsammans med ägarintyg och friskhetsintyg på elefanten och en hel bunt med trovärdiga dokument nedtecknade av Allan på indonesiska, gjorde att alla kom ombord som de skulle. Eftersom vännerna i det allmänna ljugandet dessutom sagt att nästa destination var Köpenhamn var det ingen som frågade efter pass.

Med på resan var hundraårige Allan Karlsson, den numera oskyldigförklarade småtjuven Julius Jonsson, den evige studenten Benny Ljungberg, hans fästmö, den sköna Gunilla Björklund, hennes båda husdjur, elefanten Sonja och schäferhunden Buster, Benny Ljungbergs bror, den nyreligiöse livsmedelsgrossisten Bosse, den tidigare så ensamme kriminalkommissarien Aronsson från Eskilstuna, den före detta gangsterledaren Per-Gunnar Gerdin samt dennes mor, åttioåriga Rose-Marie, hon som en gång i tiden skrivit ett olycksaligt brev till sin son när denne satt på fånganstalten Hall för rehabilitering.

Turen tog elva timmar, utan en massa onödiga stopp på vägen, och gruppen var i gott skick när den indonesiske kaptenen meddelade att planet nu var på ingång till Balis internationella flygplats samt att det var hög tid för Allan Karlsson att plocka fram det där landningstillståndet. Allan svarade att kaptenen bara hade att meddela när flygledartornet på Bali hörde av sig, så skulle Allan ordna resten.

– Ja, det är nu det, sa kaptenen oroligt. Vad ska jag svara? De kan ju skjuta ner mig eller vad som helst!

– Inte då, sa Allan och tog över kaptenens hörlurar och mikrofon. Hallå? Bali Airport? anropade han på engelska och fick genast svar om att planet omedelbart skulle identifiera sig om man inte ville få det indonesiska flygvapnet på sig.

– Mitt namn är Dollars, sa Allan. Ett Hundra Tusen Dollars.

Det blev alldeles tyst från flygledartornet. Den indonesiske kaptenen och hans andrepilot tittade beundrande på Allan.

– Just nu går flygledaren igenom med sig själv och sina närmaste om hur många de är att dela, förklarade Allan.

– Jag vet, sa kaptenen.

Det tog ytterligare några sekunder, innan flygledaren på nytt hörde av sig.

– Hallå? Är ni där, mister Dollars?

– Ja, det är jag, sa Allan.

– Ursäkta, men vilket var ert förnamn, mister Dollars?

– Ett Hundra Tusen, sa Allan. Jag är mister Ett Hundra Tusen Dollars, och jag önskar tillåtelse att landa på er flygplats.

– Ursäkta, mister Dollars. Ni hörs lite dåligt. Skulle ni vilja vara vänlig och säga ert förnamn en gång till?

Allan förklarade för kaptenen att flygledaren nu inlett en förhandling.

– Jag vet, sa kaptenen.

– Mitt förnamn är Två Hundra Tusen, sa Allan. Har vi ert tillstånd att gå in för landning?

– Ett ögonblick, mister Dollars, sa flygledaren, inhämtade godkännande från sin omgivning och sa sedan:

– Ni är hemskt mycket välkommen till Bali, mister Dollars. Det ska bli ett nöje att ha er här.

Allan tackade flygledaren för det och räckte på nytt över hörlurar och mikrofon till kaptenen.

– Ni har bestämt besökt de här trakterna förr, sa kaptenen och log.

– Indonesien än möjligheternas land, sa Allan.

När det gick upp för de höga herrarna på Balis internationella flygplats att flera av mister Dollars medresenärer inte hade pass, samt att en av dem vägde närmare fem ton och hade fyra ben i stället för två, kostade det ytterligare femtiotusen att ordna med tullpapper, uppehållstillstånd och lämplig transport för Sonja. Men redan en dryg timme efter landning var hela gruppen framme vid familjen Einsteins hotell, inklusive Sonja som transporterades tillsammans med Benny och Den sköna i en av flygplatsens cateringbilar (den eftermiddagens flight till Singapore blev för övrigt och beklagligt nog utan mat).

Amanda, Allan och Mao Einstein tog emot, och efter en stunds kramkalas ledsagades resenärerna till sina rum. Sonja och Buster fick under tiden sträcka på benen i hotellets jätte-lika och inhägnade trädgård. Amanda hade redan hunnit med att beklaga att det inte fanns så många elefantkamrater till Sonja på Bali, men att hon å det snaraste skulle ombesör-ja att det levererades en potentiell pojkvän till henne från Sumatra. När det gällde flickvänner till Buster skulle han nog hitta dem själv; det strök omkring många snygga flick-hundar på ön.

Så lovade Amanda att det framåt kvällen skulle bli ett hej-dundrande balinesiskt kalas för allihop och rekommende-rade var och en att börja med en tupplur.

Alla utom tre hörsammade rekommendationen. Gäddan och Gäddans mamma kunde inte vänta längre på den där paraply-drinken och detsamma gällde Allan, minus paraplyet.

De begav sig alla tre till vilstolarna vid vattenbrynet, satte sig tillrätta och väntade på leverans av det de just beställt i baren.

Servitrisen var åttiofyra år gammal och hade självsvåldigt tagit över från bartendern.

– Här är en röd paraplydrink till er, herr Gerdin. Och en grön paraplydrink till er, fru mamma Gerdin. Och... men vänta nu... inte beställde väl du mjölk, Allan?

– Jag trodde du lovade att inte lägga dig i serverandet, kära Amanda, sa Allan.

– Jag ljög, käre Allan. Jag ljög.

* * *

Mörkret lade sig över paradiset och vännerna samlades för en treträttersmiddag, därtill bjudna av Amanda, Allan och Mao Einstein. Till förrätt serverades *sate lilit*, till huvudrätt *bebek betutu* och som dessert bjöds en *jaja batun bedil*. Till det serverades genomgående *tuak wayah*, palmträdsöl, till alla utom Benny som drack vatten.

Den allra första kvällen på indonesisk mark blev nästan lika sen som den var trivsam. Maten tog slut och det rundades av med *pisang ambon* till alla utom Allan som fick grogg och Benny som tog sig en kopp te.

Bosse kände att denna dag och kväll av överflöd kunde balanseras upp en aning så han reste sig upp och inledde med att citera Jesus enligt Matteusevangeliet ("Lyckliga är de som är medvetna om sitt andliga behov"). Bosse menade att de alla kunde bli bättre på att lyssna till Gud och lära av Gud. Och så knäppte han sina händer och tackade Herren för en högst ovanlig och ovanligt god dag.

– Det blir nog bra med det, sa Allan i den tystnad som uppstod efter Bosses ord.

* * *

Bosse hade tackat Herren och kanske var det som så att Herren tackade tillbaka, för lyckan bestod och fördjupades för den brokiga blandningen av svenskar på det balinesiska hotellet. Benny friade till Den sköna ("Vill du gifta dig med mig?" "Ja, *för satan!* Nu med en gång!"). Bröllopet hölls kvällen därpå och varade i dagarna tre. Rose-Marie Gerdin, åttio år, lärde medlemmarna i den lokala pensionärsklubben hur man spelar Skattkammarönspelet (dock inte bättre än att hon själv kunde vinna varje gång); Gäddan låg dag ut och dag in under ett parasoll på stranden och drack paraplydrinkar i regnbågens alla färger; Bosse och Julius köpte sig en fiskebåt som de sedan sällan lämnade och kommissarie Aronsson blev en populär medlem i den balinesiska överklassen; han var ju viting, *bule*, och dessutom poliskommissarie och, som om inte det räckte, kommen från världens minst korrumperade land. Det kunde inte bli mer exotiskt än så.

Allan och Amanda tog varje dag lagom långa promenader längs den kritvita stranden utanför hotellet. De hade alltid mycket att prata om, och de trivdes allt bättre i varandras

sällskap. Det gick inte fort, för hon var åttiofyra år och han
en bit in på sitt hundraförsta.

Efter en tid började de hålla varandra i handen, för balan-
sens skull. Därpå valde de att dinera på tu man hand på
Amandas terrass om kvällarna, det blev liksom för stökigt
med alla de andra. Och till slut flyttade Allan in till Amanda
för gott. På så sätt kunde Allans rum hyras ut till någon
turist i stället, och det var ju bra för hotellets balansräkning.

Under en av de följande dagarnas promenader lyfte
Amanda frågan om de rent av skulle ta och göra som Benny
och Den sköna, det vill säga gå och gifta sig, när de nu ändå
bodde ihop. Allan svarade och sa att Amanda visserligen var
rena flickebarnet i sammanhanget, men att han nog kunde
tänka sig att bortse från den saken. Och de egna groggarna
blandade han ju numera själv så inte heller där fanns något
att beakta. Allan såg kort sagt inte några avgörande hinder
för det Amanda just föreslagit.

– Då säger vi så? sa Amanda.
– Ja, så säger vi, sa Allan.

Och så höll de varandra extra hårt i hand. För balansens
skull.

* * *

Utredningen kring Henrik Hinken Hulténs död blev kort
och resultatlös. Polisen forskade i hans förflutna och förhör-
de bland annat Hinkens tidigare kumpaner i Småland (inte
långt från Gunilla Björklunds Sjötorp, faktiskt), men de
hade ingenting hört och ingenting sett.

Kollegorna i Riga letade rätt på fyllot som lämnat in Mus-
tangen på skroten, men ur honom gick det inte att få ett vet-
tigt ord förrän en av poliskollegorna kom på att man skulle
trycka i gubben en sjuttifemma rödvin. Då visste plötsligt
fyllot att berätta – att han inte hade en aning om vem det var
som bett honom om den där tjänsten. Det var någon som

bara dykt upp vid parkbänken en dag, med en hel kasse med vinare.

– Jag var visserligen inte nykter, sa fyllot. Men så full att jag tackar nej till fyra flaskor vin blir jag aldrig.

Det var bara en enda journalist som efter några dagar hörde sig för om hur det gick med mordutredningen kring Hinken Hultén, men det samtalet slapp åklagare Ranelid ta. Han hade gått på semester och i all hast tagit en sistaminuten-charter till Las Palmas. Egentligen ville han komma ännu längre bort från allting, Bali hade han hört var vackert, men dit fanns inga lediga platser.

Kanarieöarna fick duga. Och där satt han nu i en solstol under ett parasoll, med en paraplydrink i handen, och undrade vart Aronsson tagit vägen. Han hade visst sagt upp sig, begärt ut all sin kompledighet och bara försvunnit.

KAPITEL 28

1982–2005

LÖNEN FRÅN AMERIKANSKA ambassaden kom väl till pass. Allan hittade en röd stuga bara någon kilometer från där han fötts och vuxit upp. Den köpte han och betalade kontant. I samband med det fick han argumentera med de svenska myndigheterna kring det faktum att han existerade. Till sist gav de med sig på den punkten och började till Allans förvåning betala ut pension.

– Varför då? undrade Allan.

– Du är ju pensionär, sa myndigheten.

– Är jag? sa Allan.

Och det var han ju, med god marginal dessutom. Kommande vår skulle han fylla sjuttioåtta, och det kom Allan att inse att han gått och blivit gammal, mot alla odds och utan att ha tänkt närmare på det. Fast äldre skulle han ju bli...

Åren gick, i makligt tempo och utan att Allan påverkade världsutvecklingen åt något håll. Han påverkade inte ens utvecklingen i Flen, dit han då och då begav sig för att handla mat (av grosshandlare Gustavssons sonson som drev Icabutik och till all lycka inte hade en aning om vem Allan var). Biblioteket i Flen fick däremot inga nya besök, för Allan hade kommit på att man kunde prenumerera på de tidningar man ville ha och att de då prydligt landade i brevlådan utanför torpet. Synnerligen praktiskt!

När enslingen på torpet utanför Yxhult fyllt åttiotre tyckte han att det började ta emot med allt cyklande fram och tillbaka till Flen, så i stället köpte han sig en bil. För ett ögonblick övervägde han att förena det med införskaffandet av körkort, men redan när körläraren kommit till *synundersökning* och *körkortstillstånd* bestämde sig Allan för att köra ändå. När läraren fortsatte med *kurslitteratur*, *teorilektioner*, *körlektioner* och dubbla *slutprov* hade Allan för länge sedan slutat lyssna.

1989 började Sovjetunionen falla i bitar på allvar, och det var inget som förvånade den hembrännande gubben i Yxhult. Den nye ynglingen vid rodret, Gorbatjov, hade ju inlett sin tid vid makten med en kampanj mot det omfattande vodkadrickandet i nationen. Det var inte med sådant man fick med sig massorna, det kunde väl vem som helst begripa?

Samma år, faktiskt på Allans födelsedag, satt plötsligt en kattunge på Allans förstutrapp och signalerade att den var hungrig. Allan bjöd in den i sitt kök och serverade mjölk och korv. Det tyckte katten var så redigt gjort att den flyttade in.

Det var en tigerrandig bondkatt, en hane, som strax fick namnet Molotov, inte efter utrikesministern utan bomben. Molotov sa inte mycket, men han var enastående intelligent och fantastisk på att lyssna. Om Allan hade något att berätta var det bara att kalla på katten som strax alltid kom trippande (om han inte just då höll på med att jaga möss, Molotov visste att prioritera). Katten hoppade upp i knäet på Allan, lade sig tillrätta och klippte med öronen som tecken på att nu kunde husse säga det han hade att säga. Om Allan samtidigt kliade Molotov på baksidan av huvudet och i nacken, fanns det ingen bortre gräns för hur lång pratstunden kunde få vara.

Och när Allan en tid senare skaffade höns räckte det med att en enda gång tala om för Molotov att han inte skulle vara där och springa för att katten skulle nicka och förstå. Att han sedan struntade i det Allan sa och likväl rände efter hönsen tills han inte tyckte det var roligt längre, det var en annan sak. Vad kunde man begära? Han var ju katt.

Allan tyckte att ingen var listigare än Molotov, inte ens räven som ständigt smög omkring runt hönshuset och letade efter luckor i nätet. Räven var sugen också på katten, men därtill var Molotov alldeles för snabb.

Ytterligare år lades till dem Allan redan samlat på sig. Och varje månad kom pensionspengar från myndigheten utan att Allan gjorde ett vitten i retur. För pengarna köpte Allan ost, korv och potatis och då och då en säck med socker. Till det betalade han prenumerationen på Eskilstuna-Kuriren och elräkningen när den behagade komma.

Men när det och lite till var gjort var det likväl pengar över varje månad, och till vilken nytta då? Allan företog sig en gång att skicka tillbaka överskottet till myndigheten i ett kuvert, men efter en tid kom en tjänsteman till Allans torp och meddelade att så kunde man inte göra. Och så fick Allan tillbaka sina pengar och avkrävdes löfte om att sluta bråka med myndigheten på det viset.

Allan och Molotov hade det bra tillsammans. Varje dag vädret så tillät tog de en kort tur på cykeln längs grusvägarna på trakten. Allan skötte pedalerna medan Molotov satt i cykelkorg och njöt av vinddrag och fart.

Den lilla familjen levde ett trivsamt och inrutat liv. Och detta varade ända till en dag då det visade sig att inte bara Allan utan också Molotov blivit äldre. Plötsligt hann nämligen räven ifatt katten, och det var lika överraskande för räv och katt som det var sorgligt för Allan.

Allan blev mer ledsen än kanske någonsin tidigare i livet, och sorgen övergick strax i ilska. Den gamle sprängämnesexperten ställde sig med tårar i ögonen på verandan och ropade ut i vinternatten:

– Är det krig du vill ha, så är det krig du ska få, *rävjävel*!

För första och enda gången i livet hade Allan blivit arg.

Och det gick inte över med vare sig grogg, körkortslös runda med bilen eller extra lång cykeltur. Att hämnd inte fungerade som drivkraft i livet, det visste Allan. Likväl var det nu just det som stod på agendan.

Allan apterade en laddning vid hönshuset tänkt att brinna av när räven blev hungrig nästa gång och sträckte sin nos lite för långt in på hönsens domän. Men i ilskan glömde Allan att han vägg i vägg med hönshuset förvarade hela sitt dynamitförråd.

Så kom det sig att det i skymningen den tredje dagen efter Molotovs hädanfärd small till i den delen av Sörmlandsskogen värre än det någonsin gjort sedan sent 1920-tal.

Räven flög i luften, precis som Allans höns, hönshus och vedbod. Men laddningen räckte och blev över även för ladan och boningshuset. Allan satt i sin fåtölj när det hände, och lyfte med fåtölj och allt och landade i en snödriva utanför potatiskällaren. Där satt han och tittade sig förvånat omkring, innan han till sist sa:

– Det var räven det.

Allan var vid det här laget nittionio år gammal och kände sig tillräckligt blåslagen för att bli sittande där han satt. Men det var inte svårt för ambulans, polis och brandkår att hitta rätt, för lågorna på höjden var höga. Och när alla kunnat konstatera att åldringen i fåtöljen i snödrivan vid sin egen potatiskällare var oskadd, var det i stället socialtjänsten som kallades in.

På mindre än en timme var socialsekreterare Henrik Söder på plats. Allan satt fortfarande i sin fåtölj, men ambulanspersonalen hade virat flera gula landstingsfiltar runt hans kropp, vilket i och för sig inte riktigt behövdes för brasan från huset som snart brunnit upp värmde fortfarande gott.

– Herr Karlsson har visst sprängt sitt hus i luften? sa socialsekreterare Söder.

– Ja, sa Allan. Det är en dålig vana jag har.

– Låt mig gissa att herr Karlsson därmed inte längre har

någonstans att bo? fortsatte socialsekreteraren.

– Det ligger en hel del i det, sa Allan. Har herr socialsekreteraren något förslag?

Det hade inte socialsekreteraren på rak arm, därför fick Allan på det socialas räkning tills vidare ta in på stadshotellet i Flen, där Allan kvällen därpå, under glada former, kom att fira nyår med bland andra socialsekreterare Söder och hans fru.

Så flott hade Allan inte haft det sedan i Stockholm strax efter kriget då han bott en tid på lyxiga Grand Hôtel. Det vore väl förresten på tiden att betala räkningen där, för det blev nog i hastigheten aldrig gjort.

Några dagar in i januari 2005 hade socialsekreterare Söder hittat ett potentiellt boende för den sympatiske åldring som en vecka tidigare i all hast råkat bli hemlös.

Allan hamnade sålunda på Malmköpings äldrecenter, där rum 1 just blivit ledigt. Han togs emot av syster Alice som visserligen log vänligt, men som också sög livslusten ur Allan i presentationen av äldrecentrets alla regler. Syster Alice berättade om rökförbud, spritförbud och tv-förbud efter klockan tjugotre. Och hon berättade om att frukost serverades 06.45 på vardagar och en timme senare på helgen. Lunch var det klockan 11.15, fika 15.15 och kvällsmat 18.15. Den som var ute och slarvade och kom hem för sent riskerade att bli utan mat.

Därpå redovisade syster Alice reglerna kring dusch och tandborstning, kring besök av andra och besök mellan varandra, kring hur dags diverse mediciner delades ut och mellan vilka klockslag man hade rätt att besvära syster Alice eller någon av hennes kollegor försåvitt det inte var akut, vilket det sällan var enligt syster Alice som tillade att det rent generellt gnälldes för mycket bland de boende.

– Får man skita när man vill? undrade Allan.

Så kom det sig att Allan och syster Alice var på kant med varandra mindre än en kvart efter att de hade träffats.

Allan var inte nöjd med sig själv apropå hur han startat krig mot räven där hemma (även om han vann det). Att tappa humöret låg ju inte i hans natur. Dessutom hade han brukat ett språk som äldrecentrets föreståndarinna möjligen förtjänade, men som likväl inte hörde Allan till. Lägg till det den meterlånga listan av regler som Allan nu hade att förhålla sig till...

Allan saknade sin katt. Och han var nittionio år och åtta månader gammal. Han tycktes ha tappat greppet om sitt eget humör, och han hade med full kraft drabbats av syster Alice.

Det fick vara nog nu.

Allan var färdig med livet, för livet tycktes ändå vara färdigt med honom, och han var ju en gång för alla inte den som vill tränga sig på.

Alltså skulle han nu checka in ordentligt på rum 1, få sig ett 18.15-mål med mat och därpå – nyduschad, i nya lakan och ny pyjamas – skulle han gå till sängs, dö i sömnen, bli utburen, nergrävd och bortglömd.

Allan kände en närmast elektrisk förnöjsamhet sprida sig genom kroppen när han vid åttatiden på kvällen för första och sista gången kröp ner i sin säng på äldrecentret. Om mindre än fyra månader skulle han ha fyllt tresiffrigt. Allan Emmanuel Karlsson slöt ögonen och kände helt visst att han nu skulle somna in för gott. Det hade varit spännande hela vägen, men inget varar för evigt, mer än möjligen den allmänna dumheten.

Sedan tänkte inte Allan mer. Tröttheten tog honom. Allt blev mörker.

Tills det ljusnade igen. Ett vitt sken. Tänk att döden var så lik sömnen. Hann han tänka det också innan det tog slut? Och hann han tänka att han hunnit tänka det? Men vänta nu, hur mycket hinner man tänka egentligen innan man har tänkt färdigt?

– Klockan är kvart i sju, Allan, det är dags för frukost. Om du inte äter upp bär vi bort gröten igen och då blir det inget att äta förrän till lunch, sa syster Alice.

Förutom allt det andra kunde Allan konstatera att han hade blivit naiv på gamladar. Man gick helt enkelt inte och dog på beställning. Risken var överhängande att han också dagen därpå skulle bli väckt av den hemska människan Alice och bli serverad den nästan lika hemska gröten.

Nåväl. Det var ju fortfarande flera månader till hundra, nog skulle han hinna med att lägga näsan i vädret innan dess. "Alkohol dödar!" hade syster Alice motiverat spritförbudet på rummet. Det lät ju lovande, tänkte Allan. Om man skulle ta och smita ner till systemet?

* * *

Dagarna gick och blev till veckor. Av vintern blev det vår och Allan längtade efter döden nästan lika mycket som vännen Herbert gjort femtio år tidigare. Herbert fick inte sin vilja igenom förrän han hade ändrat sig. Det bådade inte gott.

Och vad värre var: personalen på äldrehemmet hade börjat förbereda Allans kommande födelsedag. Som djur i bur skulle han behöva stå ut med att bli beskådad, besjungen och matad med tårta. Det var sannerligen inget han bett om.

Och nu hade han bara en enda natt på sig att gå och dö.

KAPITEL 29

Måndag 2 maj 2005

MAN KAN TYCKA att han kunde ha bestämt sig tidigare och att han kunde ha varit karl nog att meddela omgivningen sitt beslut. Men Allan Karlsson hade aldrig grubblat för länge kring saker och ting.

Alltså hann inte tanken mer än få fäste i den gamle mannens huvud förrän han öppnade fönstret till sitt rum på första våningen på äldreboendet i sörmländska Malmköping och klev ut i rabatten.

Manövern tog emot och det var inte konstigt, för Allan fyllde hundra år just denna dag. Det var mindre än en timme tills födelsedagskalaset skulle bryta ut i äldreboendets allrum. Självaste kommunalrådet skulle vara där. Och lokaltidningen. Och alla de andra gamlingarna. Och hela personalstyrkan, med folkilskna syster Alice i täten.

Det var bara huvudpersonen själv som inte tänkte dyka upp.

Epilog

ALLAN OCH AMANDA blev mycket lyckliga tillsammans.
De var ju dessutom som gjorda för varandra. Den ene var
allergisk mot allt prat om ideologi och religion, medan den
andra inte visste vad ordet ideologi betydde och inte för sitt
liv kunde minnas namnet på den gud hon borde tillbe. Dess-
utom visade det sig en kväll när den ömsesidiga närheten var
extra intensiv att professor Lundborg trots allt måtte ha slar-
vat en del med operationskniven den där augustidagen 1925,
för Allan var till sin egen förvåning i stånd till sådant han
dittills bara sett på film.

På sin åttiofemte födelsedag fick Amanda en laptop med
internetuppkoppling i present av sin make. Allan hade hört
att det där med internet var sådant som roade ungdomen.

Det tog sin tid för Amanda att lära sig att logga in, men
hon var envis och redan efter några veckor hade hon skapat
en egen "blogg". I den skrev hon dagarna i ända, om högt
och lågt och gammalt och nytt. Bland annat berättade hon
om sin käre makes resor och äventyr över hela världen.
Hennes tänkta publik var väninnorna i den balinesiska socie-
teten, och någon annan skulle väl inte hitta dit?

Allan satt som vanligt på verandan och avnjöt sin frukost
när det en dag dök upp en gentleman i kostym. Mannen pre-
senterade sig som utsänd representant för den indonesiska
regeringen och sa att han tagit del av en del uppseendeväck-
ande ting i en blogg på internet. Nu önskade han å presiden-

tens vägnar nyttja herr Karlssons speciella kunskaper, om det som stått att läsa visade sig vara sant.

– Vad vill han då ha hjälp med om man får fråga? sa Allan. Det är väl bara två saker jag kan bättre än de flesta. Den ena är att göra brännvin av getmjölk och den andra att skruva ihop en atombomb.

– Det är just det vi är intresserade av, sa mannen.

– Getmjölken?

– Nej, sa mannen. Inte getmjölken.

Allan bad företrädaren för den indonesiska regeringen att slå sig ner. Och så förklarade han att han en gång för länge sedan gett Bomben till Stalin och att det varit ett misstag för Stalin var bestämt inte klok någonstans. Så nu ville först Allan veta hur det var ställt med förståndet hos den indonesiske presidenten. Regeringsföreträdaren svarade att president Yudhoyono var en mycket klok och ansvarsfull person.

– Det var skönt att höra, sa Allan. Då hjälper jag gärna till.

Och så gjorde han det.

Extra tack till Micke, Liza, Rixon, Maud och morbror Hans.

Jonas.

LÄS MER

*Extramaterial
om boken och
författaren*

1

Intervju med Jonas Jonasson

"Mänskligheten tycks aldrig lära sig av historien"

Exjournalisten Jonas Jonasson är en av höstens debutanter hos Piratförlaget. Hundraåringen som klev ut genom fönstret och försvann är en må bra-bok med en stor dos humor, men även ond bråd död, excentriska karaktärer och en alternativ syn på 1900-talets historia. Jonasson berättar här om boken, sitt författarskap och om journalister verkligen måste bli författare.

Blanda en deciliter Arto Paasilinna, lite Röde Orm, en skvätt Soldaten Svejk och tillsätt två kryddmått Forrest Gump så har du Jonas Jonassons debutroman *Hundraåringen som klev ut genom fönstret och försvann.*

Boken är en spännande historia om hur Allan Karlsson rymmer från sin egen hundraårsfest och ger sig ut på en resa i bara tofflorna på landsbygden i Syd- och Mellansverige. Resan kompliceras av att han kommer i klammeri med såväl polis som ett gangstergäng på jakt efter en försvunnen väska med knarkpengar.

– Även om det är en må bra-bok så är det en må bra-bok inte helt utan komplikationer. Läsaren är helhjärtat på hundraåringens sida, Allan Karlsson är bokens verkliga hjälte. Men samtidigt borde han låsas in för dråp, vållande till annans död, stöld, urkundsförfalskning och brott mot de flesta paragraferna i den svenska djurskyddslagen, säger Jonas Jonasson.

Kan man ha hur skurkaktiga förebilder som helst?

Jonasson lämnar först frågan öppen, men svarar sedan själv att

2

han känt igen Allan Karlsson när han tittat på film tillsammans med tvåårige sonen.

– Allan är sorg- och respektlös som Pippi Långstrump och aningslös och naiv som Nalle Puh. Även i en vuxenbok måste man ju få sympati för en sådan kombination.

Boken är också en historisk tillbakablick på flera av 1900-talets största historiska händelser, sedda genom huvudpersonens ögon. Det visar sig nämligen att Allan Karlsson själv varit med om, och orsakat, en majoritet av händelserna. Bland annat är han inblandad i utvecklandet av atombomben, är med och både planerar och avvärjer ett mordförsök på Winston Churchill och har varit god vän med både amerikanska presidenter och ryska kommunistledare.

– Jag har alltid varit intresserad av historia och det faktum att mänskligheten aldrig tycks lära sig någonting av den. Det är egentligen därför jag har valt att även låta boken vara en historisk förteckning över 1900-talet, säger Jonas Jonasson.

Boken utkommer den 9 september, men manuset har legat länge i den före detta journalistens och mediekonsultens byrålåda i väntan på modet att låta någon läsa den.

– Jag har egentligen varit författare hela tiden, och det är författare jag är i själ och hjärta. Från början tänkte jag bara hoppa in ett tag som journalist tills jag hade råd att författa. Sedan gick det 25 år, och det blev världens längsta uppehåll från något jag inte ens hunnit börja med ordentligt.

Som journalist började Jonas Jonasson på Smålandsposten. Efter flera år i högt tempo på Expressen bildade han först eget konsultbolag och var sedan med att grunda den blivande mediejätten OTW. Tempot gick från högt till ännu högre i takt med framgångarna.

– Jag jobbade stundtals nästan dygnet runt och jag kan i dag inte riktigt begripa hur ett nästan färdigt bokmanus samtidigt kunde växa till sig i byrålådan.

Men en dag gick det bara inte längre. Jonasson gick in i väggen, blev först väldigt sjuk och hamnade sedan i något han själv beskriver som en "evig dimma". Ibland lättade dimman tillfälligt och då försökte han komma tillbaka till sitt gamla liv, men till slut gav han upp. Han ryckte upp sig själv med rötterna, sålde allt han ägde i Sverige och flyttade till den italiensktalande kantonen Ticino i Schweiz.

– Medelhavsklimat, italiensk kultur och schweizisk ordning. Och framför allt långt, långt från den miljö där jag blivit så sjuk. Jag satte mig under ett palmträd och gjorde ingenting. Det tog nästan ett helt år till, men sedan var jag frisk igen på riktigt.

Och när han var frisk på nytt behövde han något att göra. Nu, efter 25 års väntan, var alltså tiden inne att bli författare. Han plockade fram det nästan färdiga manuset ur byrålådan och skickade det till vänner och till morbrodern Hans Isaksson i Vislanda.

– Det var nervöst, det var det. Speciellt eftersom jag valt att skicka det till kamrater jag visste skulle uttrycka sig ärligt. Mest orolig var jag inför vad morbror Hans skulle tycka, han har nämligen aldrig sagt ett snällt ord till någon i hela sitt liv. Men vännerna tyckte om det jag hade skrivit, de till och med jämförde mig med andra författare, och till min fördel! Det betydde väldigt mycket för mig. När sedan morbror Hans hörde av sig och sa att: "Värre skit har jag läst", då förstod jag att jag hade lyckats. Det är det vackraste någon någonsin hört honom säga.

Boken är fylld av oväntade vändningar och en absurd humor. Steget till bondkomik är ibland inte långt samtidigt som boken är kryddad med uppfinningsrikedom och kluriga lösningar för att få historien att gå ihop. Och allt är sammanvävt med den högst verkliga och många gånger tragiska 1900-talshistorien.

– Jag är väldigt idérik och det har jag haft stor nytta av som producent i mediebranschen. Sedan är jag också intresserad av hur människan beter sig, och jag tror att det är därför det aldrig blev svårt att få ihop manuset till boken. Jag såg det som kreativ avkoppling till journalistyrket, förklarar Jonasson.

4

Fast du heter inte Jonas egentligen?

– Nej, mitt formella förnamn är Pär-Ola, men det är det ingen som kan uttala där jag bor. I bästa fall blir det "parola", och det kan betyda ord eller uttryck på italienska. Ord Jonasson. Vem vill heta det? I värsta fall slinter tungan och det blir parolaio eller parolaccia. Och då blir jag Pratsjuk Jonasson eller Oanständigt Tal Jonasson i stället. Så jag har lånat "Jonas" från min far. Jonas fungerar bra på italienska, och Jonas Jonasson är väl inget dumt författarnamn?

Måste man bli författare om man börjat som journalist?

– Jag tror att nästan alla journalister känner att de är författare innerst inne. Somliga har säkert rätt i det, andra inte. Om man kan vara avundsjuk utan att vara missunnsam så är det nog vad jag har varit i alla år inför vänner och bekanta bland journalisterna som tagit steget. Så nu är väl hundratals journalistvänner därute avundsjuka på mig får man förmoda. Och det är okej så länge de inte kastar ägg. Det är ju inte mitt fel att deras halvfärdiga manus ligger kvar i byrålådan.

När kommer nästa bok?

– Jag tänker börja skriva på nästa bok i höst. Trots att jag hävdar att jag varit författare hela mitt liv är det först då det blir ett måndag till fredag-jobb från nio till fem. Visst har jag tankar om hur nästa bok ska bli, men innan jag kan skriva en rad måste jag se hur den här boken tas emot. Men bli inte förvånad om det kommer en bok som heter *Hundraettåringen som...* .

Intervjun gjordes för Piratförlagets magasin under våren 2009.

JONAS JONASSON LISTAR:

Tre gamlingar vi minns

GUSTAF V
"Kung i Sverige över två världskrig. Vår förste moderne monark.
Så modern att han möjligen var aktivt homosexuell medan det
fortfarande kunde ge två års straffarbete.
Blev 92 år."

SONG MEILING
"En av aktörerna i min bok. Chiang Kai-sheks hustru, kompis
med Franklin D och Eleanor Roosevelt.
Dog 2003, blev 106 år."

JACK CRABB
"Dustin Hoffmans rollfigur i filmen Little Big Man från 1970.
Berättaren Jack Crabb är 121 år gammal när han sitter och
minns tillbaka på sitt liv. Svårslaget."

Kommer det mer, herr Jonasson?

av Jonas Jonasson

Allan Karlsson och jag utvecklade under skapandet av *Hundraåringen*… en alldeles speciell relation. Å ena sidan är jag honom väldigt tacksam. Jag tog intryck av Allans oändliga sorg- löshet och kom med hans hjälp tillbaka från min utbrändhet efter att alldeles ha jobbat sönder mig i mediebranschen. Han blev min terapeut!

Å andra sidan är han tacksam gentemot mig. För utan mig hade han ju inte funnits. Och det är jag som bestämmer hur länge han ska få leva.

Just det där sista förhör han mig om ibland. "Hur har herr Jonasson tänkt sig det hela, om herr Jonasson inte misstycker att jag frågar?" säger han på sitt speciella och alltid lika lugna vis. Det han menar är om jag tänker låta honom fylla en hel bok till, nu som hundraettåring, eller om han ska lämnas ifred där på sin balinesiska strand.

Jag har väl inte skött saken helt snyggt, kan jag tycka. Länge och väl försäkrade jag honom att han skulle få vara med i ett varv till. Jag visste dessutom mer eller mindre vad som skulle hända (helt i Allans smak skulle det vara!).

Men nu, när det på allvar är dags att sätta igång med nästa bok… då… vet jag inte riktigt längre. I Allans smak, absolut. Och i Allans anda. Men kanske trots allt utan Allan. Ett helt varv till runt jordklotet med de där krånglande knäna, det vore kanske att begära för mycket?

Fast han vill ju själv så gärna. "Ska jag ställa frågan en gång till, eller hörde herr Jonasson mig redan första gången?" säger Allan och sätter viss press på mig. "Jag funderar, käre Allan", säger jag. "Får jag bjuda på en vodka cola medan du väntar?"

En grogg säger ju inte Allan nej till. Men när den kommer från mig vill han blanda den själv. Han tycker att jag är alldeles för klen med spriten. En gång berättade jag för honom att jag inte tar en droppe under perioder då jag skriver. "Inte jag heller", sa Allan. "Å andra sidan skriver jag aldrig, så den potentiella intressekonflikten har i mitt fall inte riktigt fått fäste."

Allan häller upp groggen. Rejäla doningar blir det. Och så säger han ingenting på en stund. Jag tolkar tystnaden som psykologisk krigföring, att han försöker tiga sig till besked i frågan. Men här har vi skillnaden mellan Allan och mig. Jag läser in ett bekymmer i en period av tystnad medan Allan, smuttande på sin grogg, redan är någon helt annanstans. "Hur trivs han i Schweiz?" säger Allan och bevisar just det.

Det är där jag bor, i italiensktalande delen av Schweiz. På gränsen till Italien. Och jag trivs jättebra. "Du ska förresten bli översatt till italienska", berättar jag för honom. "Och spanska och tyska som det verkar. Och en massa andra språk." Jag tänker att han ska bli imponerad. "Där ser man", säger Allan. Och så inleder han ett helt annat resonemang som landar någonstans på att den italienska grappan smakar finkel. Jag vågar mig faktiskt på att inte hålla med.

Så tömmer Allan det sista ur sin grogg. Jag frågar om han vill ha en till, men han tackar till min förvåning nej. I stället reser han sig upp ur fåtöljen, jag nästan hör hur det knakar i knäna. Och så säger han att han nu avser att lämna herr Jonasson i fred med herr Jonassons funderingar. Och så hasar han iväg, ut ur rummet.

Märkligt det där. Jag är du och Allan med Allan. Men han envisas med att vara herr Jonasson med mig. Han kanske vill hålla viss distans till sin eventuelle bödel. Eller så är han bara som han är.

Jag har förresten fortfarande inte bestämt mig. Men, om du

läser det här Allan: du ska veta att du oavsett har en evig plats i mitt hjärta. Och om du trots allt inte får bli hundraett så hoppas jag att du kan finna tröst i det faktum att du ju ändå inte finns på riktigt. Du är skönlitteratur. Eller "hittepå" som vi säger i Småland. Och just därför odödlig.

Pressröster om *Hundraåringen som klev ut genom fönstret och försvann*

"Skickligt tar oss exjournalisten och romandebutanten Jonas Jonasson med på en resa som inte liknar något annat. Det mesta som händer tänjer på gränserna, det mesta som sägs är knappast det man väntat sig. Det var länge sedan jag skrattade så gott när jag läste en bok. ... Hela tiden varvas då och nu med skickliga cliffhangers som höjer intresset. ... det är roligt och infallsrikt hela tiden. Det är en historia som vrider och vänder på händelser och ord. Språket är fyndigt och infallen häpnadsväckande annorlunda."
Nerikes Allehanda

"Nästan frustande av alla förvecklingar som ryms i debuten släpper jag snart taget en bit in i läsningen. Jag inser att precis vad som helst kan hända och kommer att göra det. Författaren tycks bubbla av infallsrikedom strösslad med lite sensmoral. ... Mustiga inslag varvas från hela världen och Växjötrakten. Mitt i dramatiken skrattar jag högt. Allan Karlsson själv förhåller sig kolugn genom alla våldsamma episoder. ... ett kraftprov i skrönandets konst. Man kan även känna ett vinddrag från Arto Paasilinna svepa genom sidorna."
Smålandsposten

"Jonas Jonassons berättelse om den hundraårige Allan Karlsson som rymmer på sin födelsedag är en skrattfest från början till slut. En skröna fullt i klass med de Arto Paasilinna brukar underhålla oss med ... Själv skrattade jag så tårarna rann, och när boken var slut kunde jag inte sluta skratta. Skratta ska ju vara hälsosamt och så här i influensatider rekommenderar jag varmt

Jonas Jonassons *Hundraåringen som klev ut genom fönstret och försvann.*"
Östran

"En charmig Forrest Gump-liknande historia. En makalöst rolig bok som fyller i skrattrynkorna. Riktigt uppfriskande. ... ett underbart, komplicerat och givande äventyr."
Smålänningen

"Det här måste läsas, för att upplevas. Boken beskriver samtidigt det svenska samhällets framväxt under 1900-talet, på ett genialt sätt. ... Kul, annorlunda, tänkvärd"
Läns-Posten

"Jonasson skriver med en inspiration av Mika Waltari, Robert Zemeckis 'Forrest Gump' och Arto Paasilinna. ... Den spränger gränser, roar och underhåller. ... Han myser av sin egen berättelse. Och det kommer läsaren också att göra då ögonen väl vant sig vid bländande lögn, överdrift och hejdlöst fabulerande."
Östgöta Correspondenten

"Sjövild och galen, en hejdlöst rolig historia om en hundraårig man som är på rymmen från ålderdomshemmet. ... I klass med Arto Paasilinnas bästa."
Aftonbladet

Recension av ljudboken:

"En fullständigt otyglad berättelse ... Skröna staplas på skröna i ett högt tempo och historien känns ofta inspirerad av Arto Paasilinna. ... Mycket roande och medryckande inläst av Björn Granath."
Skånska Dagbladet

Piratförlagets författare i pocket

Läs mer om Piratförlagets böcker och författare på
www.piratforlaget.se

13